# 纸牌屋

〔英〕迈克尔·道布斯 著

何雨珈 译

## HOUSE
### *of*
## CARDS

百花洲文艺出版社

世上没有永恒不变的事物。欢笑不长久，欲望不长久，生命本身，也总会走到尽头。这真是至理名言。所以，人生在世，最要紧的就是及时行乐，活在当下，把手中的东西紧紧抓住。

　　为什么要虚度一生去换取入土之后碑头的空文呢？"永存我心"，什么样的蠢蛋才会希望自己的坟头铭刻这样一句空话？这不过是无病呻吟的多愁和伤感，毫无意义。我们还是面对现实吧，人生就是一场零和博弈[①]，输赢高下都在政坛见分晓。不管我们愿不愿意，都是这条路上无奈的过河卒子，只能一路向前。

　　"永远被亲朋敬重和怀念"，这也是司空见惯的俗套碑文。千万别刻在我的墓碑上。一个人要拼搏奋斗，动力绝不来自于敬重，而是恐惧。恐惧于一无所有间诞生泱泱帝国，于乱世狼烟中催生惶惶革命。恐惧是伟人成功的秘诀。如果别人害怕你会将其毁于一旦，彻底打倒，那自然会对你毕恭毕敬，俯首帖耳。最原始的恐惧令人陶醉其中，势不可挡，冲击力过人。恐惧之力，永比尊敬更甚。

　　永比尊敬更甚。

---

　　① 零和博弈，又称零和游戏，与非零和博弈相对，是博弈论的一个概念，属非合作博弈。指参与博弈的各方，在严格竞争下，一方的收益必然意味着另一方的损失，博弈各方的收益和损失相加总和永远为"零"，双方不存在合作的可能。——译者注。以下注释若无特殊说明，均为译者注。

上　洗牌

# 一

离灯光越来越近了，它的心不安分地翻腾起来，贪婪、热情、野心交织在一起，周围的一切都不存在了，只剩下那紧紧吸引着它的灯光，这灯光的力量超越了它一切的梦想，让它无法抗拒，让它别无选择。

## 六月十日　星期四

她拖着疲惫不堪的身子回到家，跌跌撞撞地踏上最后一级台阶，筋疲力尽地阖上眼睛。好像才过了一秒钟，清晨的阳光就爬行到窗帘边缘，泰然自若地落在枕头上，刺着她的面孔，仿佛无形的手指，要掰开她沉重的眼皮。她心烦意乱地翻了个身。头昏昏沉沉的，双脚依然酸痛，身边那张床空荡荡的。昨晚帮别人干掉第二瓶莱茵白葡萄酒真是个错误的决定。酒精让她松懈，让她卸下防备，结果被《太阳报》一个满脸粉刺、说话阴阳怪气的家伙堵在了墙角。她被逼无奈，把所剩无几的一点酒倒在他上衣里，才逼退了这个讨厌鬼。此时她迅速掀起羽绒被看了一眼，确定没有在半醉半醒中彻底委屈了自己，让那人在被窝里一夜春宵。这一看之下，她叹了口气，坠入梦乡前竟然都没来得及脱袜子。

玛蒂·斯多林狠狠地在枕头上捶出个窝，又躺了下去。多睡几分钟是理所应当的，因为她知道今晚又要一夜无眠了。今晚是大选夜。实在是被诅咒的一天。选民们要举行盛大的复仇。过去几个星期对于玛蒂来说简直称得上凶残，编辑每天围追堵截，狂轰滥炸；被赶不完的

5

截稿日期搞得焦头烂额；情绪在兴奋刺激和精疲力竭之间大起大落。也许今晚过后她应该请几天假，理一理生活的头绪，找一瓶品位稍微上乘的酒，和一个质量稍微好点的男人共度良宵。她拉了拉羽绒被，把自己裹得更严实了些。尽管初夏的阳光如此耀眼，她还是感觉浑身发冷。

自从大约一年前离开约克郡之后，这种感觉就一直如影随形。她的初衷是把那里的一切谴责与愤怒都甩在脑后。但无论走到哪里，她还是能感觉到过去冰冷的影子紧紧跟随，特别是在睡觉时，床上就跟冰窖一样。枕头套下面的棉絮已经结了块，她打着哆嗦，把脸深深埋进枕头里。

她一直试图冷静下来。毕竟，现在的她已经可以心无旁骛，毫不受情绪干扰了。在这个竞争残酷，男性主导的世界，她野心勃勃，想成为最出色的政坛记者，在这条路上，她已经扫清了障碍，摩拳擦掌，只待试一试自己是否真金。现在她唯一需要超越的就是自己。然而，双脚冰冷的时候，头脑是很难冷静的；脏衣服遍地，没时间清洗的时候，怎能一身轻松地上路呢？她把羽绒被子往身后一掀，勉强爬下了床，结果发现放内裤的抽屉空空如也。这件事她是失算了，把这茬整个忘得精光。一大堆事情等着去干，时间又少得可怜，怎么抽得出空去洗该死的衣服呢。她在其他抽屉里翻箱倒柜，一个角落都没放过，把房间弄得乱糟糟却一无所获。真是烦死了。但她还是很高兴现在没有什么男人目睹自己的窘态，现在只好伸手翻找脏衣篮了。翻了又翻终于找到一条一星期前换下来的短裤，不过当时只穿了一天。她把短裤翻到反面，双腿套了进去，进入战斗状态。玛蒂·斯多林叹了口气，狠狠推开洗手间的门，开始了奔波劳累的又一天。

黄昏的暮色开始在六月的天空中蔓延，四排为大屏幕照明的水银灯随着枯燥的"咔哒"一响，应声而亮。大楼的正面被这高度密集的灯光照得亮如白昼。这里是党派总部，建筑物正面的外观仿制了乔治亚时代的风格，此时仿佛被灯光穿透了似的。三楼一扇窗户的帘子被掀了起来，有人匆匆瞥了一眼外面的情景。

同时被灯光吸引的还有一只飞蛾。这只飞蛾已经在附近教堂一座塔楼的缝隙里静静等待了好久，只等夜幕降临就伺机而动。这座名为圣约翰的优雅教堂伫立在史密斯广场中央，由雷恩①设计修建，很久以前就改作俗用，放弃了"圣约翰"之名。但其四座石灰岩的塔楼仍然是这个再没有神座的广场上最显眼和重要的建筑，而这座广场又位于威斯敏斯特的中心地带。往外看的人们盯着那些灯光，不以为然地皱了皱眉头。但飞蛾可丝毫没有不乐意，反而兴奋地颤抖起来。在一万瓦特灯光和千百年来本能的激励下，它张开了双翼。

　　刚刚入夜的冷冽空气令飞蛾浑身一紧，不由自主地靠近那片灯光的海洋。它飞过灯下越聚越多的人群，飞过那些迈着匆匆脚步，喧嚣吵嚷地准备着什么的人们。离灯光越来越近了，它的心不安分地翻腾起来，贪婪、热情、野心交织在一起，周围的一切都不存在了，只剩下那紧紧吸引着它的灯光，这灯光的力量超越了它一切的梦想，让它无法抗拒，让它别无选择。

　　飞蛾的身躯扑到灯罩上，明亮的闪光一晃而过，它用双翼紧紧拥抱那炽热的玻璃，在千分之一秒内，就汽化蒸腾了。飞蛾被烧得焦黑的尸体连一点绝望的青烟也来不及冒出，就迅速翻滚着往地面坠去。黑夜吞噬了它的第一个牺牲品。


　　另一个甘愿早早被黑夜吞噬的牺牲品此时正靠在"格兰比侯爵"漆得闪亮的吧台旁。周围的人越来越多，越来越喧闹，而酒吧就位于这一片熙攘的街角。格兰比侯爵本是两百多年前一个德高望重，颇受爱戴的军人，这片土地上以他名字命名的酒吧比其他任何人都多。但侯爵本人在政治斗争的大风大浪中误入歧途，败下阵来，最终在累累负债和悲伤苦恼中凄然辞世。同样的命运也即将降临到查尔斯·科林

---

　　① 指英国著名设计大师和建筑家克里斯多夫·雷恩爵士（Sir Christopher Wren）。

7

格里奇的身上，这传言来自他的很多还算宽容温和的朋友。并不是说查理·科林格里奇就曾经赢过选举，问鼎过权力的巅峰；格兰比伯爵也没有，那时候这可不是什么合规矩的事情。科林格里奇年纪已经五十过半，看起来还更要显老，一副疲倦潦倒的模样，军中生涯也不是特别辉煌。两年在国家军队服役的经历只不过让他认识到自己在生活方面是多么低能。查理一直努力想做些体面光彩的事情，但却总是状况连连。当然，如果你是个酒鬼，这也没什么稀奇。

他今天早早起了床，刮了胡子，系了领带。但现在嘴边又有了些胡茬，领带也像"下半旗"致哀一样半死不活地悬在胸前。酒保给他的伏特加，已经咕嘟咕嘟灌下去两杯；不过酒保一看他的眼睛，就知道他这一天可不止喝了这一点。但查理是个很温和的酒鬼，脸上总是挂着笑容，嘴里说尽好话。他把空空如也的酒杯推回到伙计面前。

"再来一杯？"酒保有些犹豫地问道。

"你自己再来一杯，我请，好兄弟。"查尔斯一边回答一边伸手去拿钱包。"哎呀，不过我钱好像不够了。"他咕哝着，有些不相信地看着包里那张孤零零的钞票。接着他又把口袋翻了个底朝天，拿出一串钥匙，一块灰色的手帕和几枚硬币，"我肯定还有些钱的……"

"那一张就够了，"酒保回答道，"我就不喝了，谢谢。今晚还有好多事情呢。"

"哦，是啊。我弟弟哈尔，你知道吗？"

酒保摇了摇头，把重新装满酒的酒杯从清漆台面上推给查理，暗自庆幸这老醉鬼没钱了，很快就可以离开他的酒吧了。

"你不知道哈尔？"查理惊讶地问，"你肯定知道啊。"他抿了一口酒，"谁都知道哈尔。"又抿了一口酒，"他是首相啊！"

8

目光远大是从政者之大幸。当然，远大的目光只能算是敲门砖一枚。然而其作用非常之大，用途非常之广。你难道不这样认为？如果天气晴朗，很多政客的目光所及，能达到——嗯，我认识的一些人，甚至能看到巴特西<sup>①</sup>去呢！

弗朗西斯·尤恩·厄克特可谓身兼数职，议员与枢密院委员的身份让他赢得了"阁下"的尊称，同时他还是内阁阁员以及不列颠帝国勋章<sup>②</sup>的获得者。他就是这样一个满载着荣誉与辉煌的佼佼者，而这也是属于他的夜晚。然而，他却丝毫没有纵情享受的闲情逸致。此刻的他被迫挤进这间闷热小屋的角落，靠着一盏难看的，而且仿佛马上就要轰然倒地的六十年代风格落地灯。一群絮絮叨叨的妇女将他团团围住，紧接着有一群属于他选区的工人也围了上来，彻底堵住了他企图逃出的去路。这群人骄傲地高谈阔论着自己最后关头力挽狂澜的投票和对他获胜起到的关键作用。他心里想的却是，这些人为什么要费这个劲。这里是位于郊区的萨里郡，在民意调查使用的专业术语中，这里的主要社会阶层是A 和 B<sup>③</sup>，想出国护照随时拿着就可以上路，车道上停着一辆辆路虎揽胜。不过为什么要买这样的越野车呢？它们唯一可能碰到泥土的时候，

———————————

① 伦敦西北区。

② 又称"最优秀不列颠帝国勋章"，英国授勋及嘉奖制度中的一种骑士勋章，由英王乔治五世于 1917 年 6 月 4 日所创立。

③ 民意调查中，以收入水平将调查对象划分为不同的阶层，A 和 B 是收入最高的两个阶层。

不过是主人在某个尽兴吃喝的周五晚上驾车时不小心碾过了门前的草坪，或是送他们的小约翰尼或艾玛们上私立学校。在这些区域举行的拉票活动可以说根本没经过精心准备，甚至可以用庸俗来形容。这里的选票不是用来数的，直接称重量就好了。

"再来个肉馅饼吧，厄克特先生？"一盘松松垮垮的点心突如其来地窜到他面前，端着盘子的是个一身横肉的女人，胸部那里有一大片夸张的印花，看上去好像里面藏了两只易怒的猫。

"不了，谢谢您，莫尔科姆太太。我怕自己被撑爆了！"

他已经快要失去耐心了。这真是个错误，是几代人以前就犯下，并延续至今的错误。厄克特家族原本是来自苏格兰高地的骄傲勇士世家，家族的城堡修建在尼斯湖的两岸。然而麦克唐纳家族攻来了，城堡直到如今都还是一堆废墟。厄克特童年的记忆，属于乡下荒野中凉爽而新鲜的空气，陪伴他的老侍从，在潮湿而肥沃的土壤和一片气味香甜的欧洲蕨中一躺就是几个小时，等着目标出现。在他的想象中，哥哥阿拉斯泰尔也做过类似的事情，在敦刻尔克①外的灌木丛中静候着德国人的到来。哥哥给他起了个绰号"FU"②，每每这样叫他被父亲听到了，兄弟俩头上都会吃一记爆栗。但直到多年以后，弗朗西斯才明白为什么。小小的他对这个绰号毫不介意，还总是屁颠儿屁颠儿地做哥哥的跟屁虫。但阿拉斯泰尔参战后就牺牲在了前线。母亲崩溃了，再也没能恢复过来，只活在对亡子的追悼和怀念中，完全忽略了弗朗西斯。所以"FU"最终南下，到了伦敦，进入威斯敏斯特，来到了萨里郡，弃家族职责于不顾。母亲再也没有理睬过他，为了整个苏格兰将自己接受的遗产变卖就已经不可原谅了，更何况还选择了萨里郡这么个破地方。

---

① 法国东北部靠近比利时边境的港口城市，敦刻尔克以"二战"中1940年发生在这里的敦刻尔克战役和英法联军大撤退而闻名。

② FU，英文FUCK的简写，指性交。本书主人公弗朗西斯·厄克特的英文原名是Francis Urquhart，名和姓的首字母分别是F和U。

他脸上还挂着笑，却不由自主地叹了口气。今天他已经奔波了十八个委员会，大清早凭借着一股子热情，还能妙语连珠，风趣幽默。现在这样的精神早就分崩离析，烟消云散了。不幸的是，离投票站关门，最后一批选民投票还有漫长的四十分钟。厄克特的衬衫早就被汗水浸透了。他筋疲力尽，身体不适，还被一群婆婆妈妈的女人围着，像固执的西班牙猎犬一样，他走到哪儿她们就追到哪儿。

然而他仍然让礼貌的笑容浮在脸上，因为不管投票结果如何，他的生活就将面临重大的转变。厄克特已经在政治这把梯子上攀爬多年，从普通的后座议员，到部级初等职位，一直到现在作为党鞭长①主管内阁，坐稳了政府二十四个权力最大的位子之一。这个职位的好处之一，就是在唐宁街12号拥有多间豪华奢侈的办公室，离首相本人的办公地点不过咫尺之遥。就是在12号大门之后，英国有史以来最著名的两位英雄，威灵顿②与纳尔逊③，进行了两人生平第一次也是唯一一次伟大会面。这座建筑的一砖一瓦都激荡着历史的回音，每扇门窗都有着说不出的权威和肃穆。而如今，他是这份气魄的主人。

然而，仅从厄克特在这个公开的办公室所干的事情，是看不出他的权力的。党鞭长这个角色，并不能完全代表他在内阁的等级，所以厄克特不能命令或把控庞大的国务院或者巨大的行政机器。他不能抛头露面，只能悄无声息地躲在鲜花与掌声的背后，无休止地操劳奔波。没有公共演讲，不接受电视采访，他就是灯光下毫不起眼的影子。

他同时还是纪律与严谨的化身，作为各种政策的强制推行者，他

---

① 党鞭，政党名词，起源于英国，是指议会内的代表政党领袖，政党纪律主管，功能是为了确保议员出席并按照政党立场行事。"党鞭"一般是一人，也可以是多人。党鞭长则是党鞭的最高职位。

② 指第一代威灵顿公爵，阿瑟·韦尔斯利，拿破仑战争时期的英军将领，第21位英国首相。最初于印度军中发迹，西班牙半岛战争 (1808 ~ 1814) 时期建立战功，并在打败拿破仑的滑铁卢战役 (1815) 中立下战功，最终成为了英国陆军元帅。

③ 指霍雷肖·纳尔逊，第一代纳尔逊子爵，英国18世纪末及19世纪初的著名海军将领及军事家，纳尔逊至今仍被英国人视为伟大的军事人物。

必须做到坚持原则，铁面无私。这意味着，人们对他不仅仅是简单的尊重，还有一点小小的敬畏。在整个政府的高级官员中，他具有最准确和敏锐的政治嗅觉。为了尽可能多地争取选票，不管白天黑夜，他时时刻刻都要知道自己的下院议员们身处何方。也就是说，这些人对他来说没有秘密和隐私。他全盘掌控着一切：议员们和谁走得近，可能的枕边人有哪些，他们是否足够清醒，可以投票；他们有没有偷偷窃取别人的钱财，或是和别人的老婆不清不楚。所有这些秘密，包括其猛料多多的边边角角，都被悉心搜集、记录在一本黑皮本上，稳妥地锁在一个连首相都没有钥匙的保险柜中。

在威斯敏斯特，这样的信息拥有巨大的威力。厄克特党内的很多议员们之所以能够坐稳自己的位子，就是因为党鞭办公室能够帮他们解决一切问题，摆平所有麻烦，还能帮他们尽力遮掩。他们可欠了厄克特的大人情。有时候后座议员起了"不臣之心"，前座议员野心勃勃想排除障碍，就会立刻被提醒，之前自己受了恩惠，政党原谅了自己的不检点言行，但这事可永远不会被抛诸脑后。于是，潜在的"乱臣贼子"们一下子就改变主意，安分守己起来。当公共生活与私人生活可能发生"撞车"时，政客们的圆滑柔韧是让人叹为观止的。这有何难呢？比如，交通部长曾经想要发表一番慷慨激昂的会议演讲，内容远远超出了他该管辖的范围，甚至有点侵犯到首相的权威。而这个以"硬气"闻名的斯塔福德郡老顽固最后还是认清了形势，消停了下来。搞定他只需要往他藏娇的金屋里打个轻描淡写的电话，都不用费劲打到"正房"那儿去威胁恐吓。

"弗朗西斯，该死的！你怎么找到我这儿的？"

"哦，凯斯，我是不是犯了大错？真对不起啊，就是想占用你一点儿时间，跟你谈谈演讲的事情。但我找的这个电话本好像错了。"

"你他妈的到底什么意思？"

"哦，你还不知道吧？我们这儿有两个电话本，一个是官方的，另一个嘛……嗯，不过你不用担心啦，我们这个小黑本子保存得特别好。不会再打错啦。"说到这里，他故意停顿一下，又问道，"你说还会打错吗？"

交通部长长叹一声，里面有着无限的忧郁和内疚，"不会了，弗朗西斯，再也他妈的不会了。"又一个"罪人"就这样迅速忏悔"伏法"了。

整个政党都欠着弗朗西斯·厄克特的人情，这是人人心知肚明的事情。而这次选举之后，人情债就得好好还了。

突然间，沉思中的厄克特被一位狂热的"女粉丝"带回了现实。面前这女人的眼中闪烁着激动的光芒，双颊通红，粗重的呼吸中混合着长年累月的鸡蛋和豆瓣菜三明治的味道。这是狂躁而烦热的一天，她也早就把矜持与谨慎抛诸脑后了。

"厄克特先生，给我们讲讲你的计划吧？下次选举的时候你还会在任吗？"她没头没脑地问道。

"你是什么意思呢？"他有些惊讶地问道，看眼神明显是被冒犯了。

"你有没有考虑退休呢？你已经六十一了，对吧？下次选举可就六十五往上了。"她不管不顾地追问着。

他弯下高大瘦削的身躯，以便直视她的眼睛。

"贝利太太，我的身体、脑子都还挺好使的，在很多地方我可是刚刚进入政治生命的高峰啊。"这句话是一字一句从嘴缝里挤出来的，之前语气里的那些善意也荡然无存，"我还有很多工作要做，很多事情想要去完成。"

他转身离开，丝毫没有掩饰自己的不耐烦。不过从内心深处，他知道贝利太太的话不无道理。年轻时那飞扬的神采早已经消失得无影无踪，就像他以前爱开玩笑讲的那样，"黄金变白银"了。他有意识地把头发留长些，好像这样就可以弥补岁月流逝带来的遗憾。他的身材一天天消瘦下去，再也不能像以前那样刚刚合身地穿上传统标准剪裁的西装。一双蓝眼睛也在度过的无数个寒冬当中越变越冷峻。由于身材高大，身板笔直，在熙熙攘攘的人群中，他总是格外引人注目。

但有一次经过一位官员身边时，那个人告诉他，他的笑容就像骨灰罐的把手一样冷。"真希望你的骨灰也早日放进去，你这老混蛋。"那人甩出这么一句狠话。厄克特早已人非壮年了，这一点拼命藏都藏不住，连他自己也没法自欺欺人。经验丰富又有什么用，岁月不饶人哪。

多少年来，他亲眼见证了那些能力天赋远不如他，只是年轻一点的人比他更加不平、不情愿。多少次他得在他们搞砸之后给他们安慰、帮他们擦屁股，还要隐藏他们的秘密，帮他们扫清前进的道路。是的，他们欠他很大一笔人情账！他还算有时间去写下属于自己的浓墨重彩的一笔，但他和贝利夫人都知道，时间不多了。

虽然他已经转身离去，贝利夫人还是紧追不放，滔滔不绝地跟他谈论关于高街购物中心单向系统的提案。他祈求般地抬起双眼在人群中找寻，终于和莫蒂玛的目光相遇，她也正在房间的另一头忙着和一群人点头哈腰。只需一眼，她就知道丈夫早就需要解救了，于是赶紧来到他身边。

"女士们，请原谅我们。计票结束之前我们必须得回宾馆收拾收拾。万分感激你们的帮助。弗朗西斯简直离不了你们啊。"

厄克特甚至对贝利夫人挤出了一个笑容。这笑容就像一只蜉蝣，生命短暂，还没开头就收了尾，但已经足够达到修补关系的目的。他快步走向门口，不料正和主说再见时，却被竞选代理人的一个手势给留下了。代理人正在打电话，另一只手则匆忙潦草地做着笔记。

"正在统计最后的一些票数呢，弗朗西斯。"她解释道。

"我就奇怪了，这事不是一个小时前就该做好的吗？"他嘴角露出一个玩笑的表情，但这丝笑容远在到达眼角前就彻底消失了。

"和上次比可没那么乐观，"她被这貌似玩笑的责备羞红了脸，"我们的很多支持者好像都待在家里没出去投票。数据没那么好分析，但我怀疑基本上是往下走的趋势。不好说下滑多少。"

"这些该死的。他们真该好好尝个几年反对党掌权的滋味。这样说不定他们就能挪挪尊臀，出去投票了。"

"亲爱的，"他的妻子柔声安慰道，就像以前无数次遇到类似情况时一样，"真不大气。将近两万两千票，我们争取到了多数，下滑一点儿又怎么样，是吧？"

　　"莫蒂玛，我可不觉得这是应该大气的时候。我觉得又热又累，那些人对鸡毛蒜皮的小事情喋喋不休，我都受不了。看在上帝份儿上，带我离开这个地方吧。"

　　他大步流星地迈出门去，她则赶忙转过身，对着人挤人的房间挥挥手表示感谢和道别，结果刚好看到落地灯"轰"地一下倒在地上。

　　编辑办公室里常常弥漫的那种有节制的恐吓气氛此时荡然无存，取而代之的是一种挥之不去，仿佛随时就要爆发的恐慌感。第一版早已经印刷出版，头版头条的标题大胆地写着："稳操胜券！"但当时是下午六点，离投票结束还有四个小时。《每日纪事报》的总编辑冒险预测了竞选结果，以便在报纸上市时能吸引最多人的眼球。如果他的预测是对的，那就是抢到了新闻首发的先机。如果不幸猜错，那他的处境就将如同池塘水淹到脖子，而且身边围满了虎视眈眈的鳄鱼。

　　这是格雷维尔·普雷斯顿作为报纸总编辑经历的第一次选举，他感觉可不怎么好。从不断变化的头条标题，不停催促政治新闻记者给他最新消息以及越来越耸人听闻的训话，就可以看出他有多紧张。他几个月前才坐上这个位子，是《每日纪事报》的新老板提拔的，给他下了最简单但最不容置疑的指示，"成功"。根据签订的合同，他没有失败的余地，也永远不会有第二次机会。当然，对于之前在这里工作过却因为失败而离开的前辈，他也没表现出任何同情与遗憾。

　　会计人员要求公司在财政上要立刻达到一个令人满意的程度。如此一来，无情的裁员就波涛汹涌起来。很多高层人士发现自己被"合理遣散"了。取而代之的是经验不足但便宜得多的后来人。这样做倒是省了钱，但公司士气一落千丈。裁员让侥幸留下的员工人心惶惶，忠实的读者们莫名其妙，而普雷斯顿则时刻觉得自己的"死期"很快就要到来。面对这种糟糕的情况，他的老板打定了主意绝不施以援手。

普雷斯顿制定了增加发行量的策略，这使得报纸进入了低端市场。但要喜获普雷斯顿所承诺的丰收则还需拭目以待。这个矮个子男人刚进驻报社的时候，有着拿破仑新皇登基一般的万丈豪情。但现在焦头烂额的工作导致他体重骤降，必须要用带子勒紧裤腰带，还需要大量的咖啡才能保持清醒。不计其数的汗珠常常从头发里滴落到眉毛上，使鼻梁上那副厚厚的"酒瓶底"不断滑落，同时也冲走了他曾经的优雅从容和果断干练。曾经他十指一扣，就能有绝妙的好点子，现在一双手总是不耐烦地乱舞。内心深处的不安蚕食了他精心打造的外在权威，他再也没有那种可以随机应变的自信了。他觉得自己可能任何情况都应付不了。他甚至没心情再和自己的秘书共度春宵了。

现在的他转过身，背对着布满办公室整整一面墙、正不断播放着画面的电视监控器，面对着让他提起来就头疼的一名员工。"你这该死的怎么就知道出问题了？"他吼道。

玛蒂·斯多林丝毫没有退缩的意思。二十八岁的她是报社政治版最年轻的记者。她取代的那个高级记者得罪了会计人员，因为他采访时总习惯在沙威饭店来顿奢侈的午餐。然而，尽管比较年轻且尚算新人，玛蒂很肯定自己的判断是正确的，那就是能力不足的人通常会更为固执。被上司吼这种事情她已经习以为常，吼回去也是她司空见惯的拿手好戏。不管怎么说，她和普雷斯顿差不多高，"而且论容貌，也是旗鼓相当啊！"她常常这样略带讽刺地说他。是的，大部分时间他都紧盯着她胸前的双峰，但这又有什么关系呢？她得到了这份工作，而且偶尔还能在两人的争执中占上风。她并不觉得普雷斯顿对她有性侵犯的威胁。她跟他的秘书很熟，知道他俩那档子事；而且，既然义无反顾来了南方，就得付出代价，忍受一个绑着火红裤带的矮个子男人对她上下其手。如果在这儿"幸存"下来，以后她的事业天地就相当广阔了。

她转过身面对着他，双手防备地插在那条时髦蓬松裤子的口袋里。

她开了口，语气平缓，希望自己的声音不会暴露内心的紧张，"格雷，过去两个小时内我采到的每个政府议员都在降低他们的预测。我还给首相选区的选举监察人打了电话，他说民意调查看上去好像下降了百分之五。这样的数据可很难说是压倒性胜利。有什么地方不对，你也能感觉到吧？政府远没有稳操胜券，更别提高枕无忧了。"

"所以呢？"

"所以我们的报道倾向性太严重了。"

"见鬼了。选举期间每次民调都显示政府稳赢啊！你现在让我来改头版，凭什么啊？就凭你女人的直觉？"

玛蒂明白他这些怒气冲冲的话都是精神紧张闹的。所有的编辑都活得如履薄冰，生存的秘诀就是不要表现出来。但普雷斯顿将这种情绪表露无遗。

"好吧，"他咄咄逼人地说，"上次选举他们占了超过一百的多数席位。你来跟我说说，你女性的直觉认为明天的结果会是什么？民调预测的大概是七十个席位。我们的小玛蒂·斯多林觉得呢？"

她踮起了脚，这样就可以低头俯视他，"你尽管相信民调好了，格雷。但街头巷尾的事情可不像民调显示的那样。政府的支持者都没什么热情，他们不愿意出门去投票。这会给多数派拖后腿的。"

"省省吧你，"他霸道地说，"能拖成啥样呢？"

她可不能一直踮着脚。于是慢慢摇了摇头，强调自己对这件事的警惕。金色的头发扫过她的肩膀。"一周前我可能会说大概五十个，现在，我推测会少一些，"她顿了顿回答道，"可能会少很多。"

"天哪，不能再少了。我们可是一直支持着那些混蛋啊。他们必须得成功。"

你也得成功。她心里默默地说。他们都清楚这位总编的处境，他可是处在弗利特街①最大的几片"沼泽地"之一。普雷斯顿只有一个

---

① 英国几家报馆办事处所在地，可以说是伦敦新闻界的一个代名词。

坚定的政治观点，那就是他的报纸可承担不起支持失败方的后果。不过这个观点甚至都不是他自己的，而是报纸的新老板，操着伦敦做派，拿腔拿调的本杰明·兰德里斯强加给他的。这位老板身上吸引人的优点为数不多，其中之一就是绝不扭捏作态，从不隐藏自己真实的想法，有什么问题全都开诚布公地讲清楚。他常常告诫和提醒自己手下这些已经有强烈不安全感的员工，多亏了政府的竞争政策，买十个新的编辑比买一家报纸要容易得多，"所以我们可不能支持该死的在野党，免得把政府惹毛了。"

兰德里斯是个言出必行的人。他成功让自己不断扩张的"报业军"打入了政府的阵营，而他所期望的回报就是让政府给出有利于自己的选举结果。当然，这样的要求并不合理，但兰德里斯从来没觉得合理要求能够激发出手下员工们最高的水平。

普雷斯顿又转过身去盯着一墙的电视屏幕，希望得到更好的消息。玛蒂再次努力表明自己的观点。她坐在那张巨大的总编办公桌一角，把那一摞普雷斯顿盲目看做"宇宙真理"的民意调查放到一边，继续有条有理地分析起自己的见解。"麻烦你了，格雷，好好想想这事吧！当年玛格丽特·撒切尔被迫辞职的时候，他们都迫切需要一种执政方式的转变。他们想要一种全新的感觉，不那么简单粗暴的，不那么专横跋扈的；他们可是受够了'神断法'①，也受够了一个该死的女人整天颐指气使。" 你是最该明白这一点的人啊，她一边说着，一边在心里默默地想。"所以他们挑选了自己认为合适的人选——科林格里奇，没别的，就因为他在电视上显得信心十足，和那些小老太太能打成一片，而且看上去引不起什么争议。"她不屑地耸耸肩膀，"但他们的优势已经没了。现在的政治简直温吞吞、软乎乎的，一点能量和激情都没有。他出席拉票活动时那种感觉跟呆板的主日学校老师没什么区别。如果再花上一周听他喋喋不休那些陈词滥调，我觉得就连他老婆都会

---

① 中世纪的裁判法，被告受赤足蹈火、手浸沸水等考验，如不受伤即被判无罪。

投给另一边的。不管任何事，任何人，他们就想来点新鲜的。"

普雷斯顿又从电视墙面前转过身来，不停抚摸着自己的下巴。他终于好像开始注意这件事了。这个晚上，玛蒂是第十次心想他是不是用了某种亮漆来让自己精心修饰过的头发保持完美。她怀疑那里面已经开始出现了一圈"地中海"。另外，他用小镊子修过眉毛，这点她十分肯定。

他再次对她发起抨击，"好吧，我们不要再大放厥词了，就先看看实打实的数字，好吗？多数党会怎么样呢，他们会不会重新上台呢？"

"说他们不会就太草率鲁莽了。"她回答道。

"那我他妈的可没时间草率鲁莽啊，玛蒂。不管怎么样的'多数'对我来说都够了。我的天啊，只要占了多数，那可是非常大的成就啊，事实上可以说是创造了历史。四连胜，以前从没遇到过。所以我不会修改头版的。"

普雷斯顿说着便拿起书架上的一瓶香槟，倒上一杯，迅速结束了自己的说教。他没有请她喝，而是以在一摞纸上胡乱涂写的方式下了逐客令。但玛蒂可不是那么好打发的。她的祖父可以说是个现代的"北欧海盗"，在一九四一年年初风暴肆虐的那几个月，驾着一支浸满水的小渔船，横渡北海，逃离了纳粹占领的挪威，还加入了英国皇家空军。玛蒂从祖父那里继承到的不仅仅是天生的斯堪的纳维亚面孔，还有固执认死理的性格。这往往让那些外强中干的男人感觉受不了，但她才不管那么多呢。

"你就停一会儿，问问自己，如果科林格里奇再做四年首相，我们会有什么预期？也许他人太温吞了，真的不适合做首相。他发表的竞选声明真的很轻飘，在拉票开始的第一周就被其他声音淹没了。他没有提出任何新观点，唯一的计划就是交叉手指①，祈祷俄国人或是工会别惹出太大乱子。你觉得我们的国家真的希望有这样一个领导人吗？"

---

① 在西方文化里，交叉手指代表期盼好运。

"玛蒂，你可是一向这么优雅从容啊，"他讽刺道，再次以一种屈尊俯就的口气说，"但是你错了。选民们需要的是团结稳定，不是什么突然的变化。他们可不希望每次抱着宝宝去散个步，玩具就被甩出婴儿车。"他灵活的手指在半空中晃动着，仿佛一位指挥家将一个走神犯错的演奏家带回到正确的音符上来。"所以啊，再来几年喝喝温啤、打打板球的日子也不是什么坏事。而且我们的好朋友科林格里奇重新入主唐宁街十号简直是天大的好事！"

　　"这他妈会惹出人命的。"她嘟哝着，转身离开了。

# 三

耶稣谆谆叮嘱我们宽恕敌人，我也没有那种胆量去怀疑
这位万能的神。但这位智慧无边无际的上帝之子却一句也没
提过是不是要宽恕我们的朋友，至少该说说该不该宽恕亲人。
我很想听听他关于此事的意见。不管怎样，在关键时刻，我
发现，原谅自己比任何事情都要容易得多。


八十八路公交车从公寓的窗外呼啸而过，把窗子震得嘎嘎响，终
于吵醒了查尔斯·科林格里奇。这间一居室的小公寓位于伦敦南部
克拉珀姆区一家旅行社的楼上。大多数人都应该想不到，堂堂英国
首相的亲哥哥会住在这样一个地方，这也是不得已而为之。他在酒
吧的觥筹交错中掏空了钱袋，得回家来想想办法。现在他颓然地陷
在扶手椅中，身上还穿着那套皱巴巴的西服。而他的脚趾已经完全
麻木了。

他抬起手腕看了看那块旧手表，骂了一声。他已经睡了整整四个小
时，但还是觉得筋疲力尽。如果不赶紧的话，就赶不上聚会了。但他首
先得来一杯，振作振作精神。他给自己倒了一大杯伏特加。但是现在他
可喝不起皇冠伏特加了，手里这酒不过是当地超市里随便买来的杂牌子。
不过，这样的酒喝下去，吐出来，也不会留下什么难闻的气味。

他拿着酒杯进了浴室，把自己深深埋进浴缸里，让热水慢慢在疲
惫的四肢上施展魔法。如今，这胳膊腿儿的越来越不听使唤了，好像
属于另一个完完全全的陌生人。一定是老了，他这样对自己说。

他站在镜子前，试图掩盖昨晚的放纵留下的痕迹。他好像面对着

自己父亲的脸，比以往任何时候都更为阴沉和面带责备，催促着他去达成那些他总是达不到的目标，追问他为何不能像弟弟亨利那样去干一番大事业。两人在相同的家庭出生，上的是同一所学校，然而不知为什么，亨利总是更为优秀，并逐渐取得了比他辉煌得多的事业成就，甚至婚姻也比他风光幸福。查尔斯对此并没有什么不甘心。他有一颗宽宏的心，甚至可以说太宽宏，以致他放纵自己。不过，当他需要帮助的时候，亨利总是毫无二话。在玛丽离开他以后，亨利还给他建议，并耐心安慰他。是的，特别是在玛丽离开他以后，这位弟弟的表现越发令人感动。然而，就连玛丽也曾经拿亨利的成功与他相比，"你不是那块料，你简直一无是处！"另外，自从入主唐宁街之后，亨利就没那么多时间来关心查尔斯的烂事儿了。

孩提时代，两人曾经分享一切；青年时期他们俩依旧形影不离，有时候甚至共享一两个短期的女朋友。他们还曾经合开过一辆车，最初的宝马迷你系列之一。最后查尔斯将车子开进了水沟里。他蹒跚地挣扎出来，努力使那位年轻的警察相信，他当时惊慌失措加上身体擦伤，才显得步态不稳，而不是因为喝了很多酒。但近几年来，亨利基本上顾不上去陪哥哥了。那么查尔斯有什么感受呢？他内心深处最诚实的想法是什么呢？是愤怒，是一种吞噬一切、让他一次能喝下整整一瓶酒的愤怒。当然啦，不是针对亨利，而是针对生活。生活对他太不宽容了，他想不通这是为什么。

他机械地操纵着破旧的刮胡刀，清理松垮垮的脸上那些细密的胡茬，这才显得鼻子是鼻子、嘴是嘴了。再梳一梳日渐稀少的头发，穿上洗好的衬衫，戴上一条干净的新领带。很快他就能准备好去出席欢乐的选举胜利之夜了。因为自己的家庭出身，查尔斯现在还能出席这样的场合。拿一条茶巾擦擦鞋，鞋面显得稍微光亮了点。他基本上已经准备好了。又看了一眼手表。哦，看来没什么大不了的嘛。刚好还有时间再喝一杯。

苏豪区市郊的河北岸，一辆出租车被堵在车流中动弹不得。这里本身就一直是个交通瓶颈，而胜选之夜仿佛让街道上又蜂拥而至了大量欢庆的人群。出租车的后座上，罗杰·奥尼尔不耐烦地把指关节掰得啪啪响，无助地看着车窗外闪过的一辆辆单车和一群群行人。他越来越焦虑，时间不多了。他可是接到了明确的指示。"赶紧过来这边，罗杰，"那些人说，"我们可他妈的等不了一晚上，就算是等你。而且我们到星期二才回得来了。"

奥尼尔从来没有期盼过得到什么特殊优待，事实上他也从来没得到过。他从没动过滥用职权的心思。他是执政党的宣传处处长，但他对天祈祷那些人对此一无所知。他也曾不止一次地想过，他们可能认出了他，在报纸上看到过他的照片。但等恐慌的感觉略略平复，他意识到，这些人可能从来没看过报纸，更别说投票了。对于这些人来说政治又算什么呢？就算该死的希特勒掌了权他们也毫不在意。当面前摆着能轻松赚到钱又免税的机会时，谁是政府的人又有什么关系呢？

终于，出租车慢吞吞地驶过沙夫茨伯里大街，进入了沃德街，结果发现这里也堵得水泄不通。该死，他肯定要跟他们错过了。他猛地打开车门。

"我自己走路去。"他朝司机喊道。

"对不起啊，伙计！这不是我的错。堵成这样我的损失也不小。"司机说道，希望这位不耐烦的乘客别忘了给小费。

跳到街道上的奥尼尔迅速往司机手里塞了张钱，闪身躲过一辆摩托车后，艰难地穿过随处可见的、四周围满了人的西洋景玩具，以及数不清的中国餐馆。他进入一条仿佛狄更斯笔下两旁堆着高高垃圾的狭窄街道，勉强穿过两旁的塑料垃圾桶和纸板箱，发足狂奔起来。他的身材明显不算运动健将，跑步让他觉得浑身酸痛，好在前面的路不算长。到达迪恩街时向左转，再跑不到一百米的样子，他一头扎进一间窄窄的门。这是苏豪区随处可见的一座马厩改造住房，大多数人都不会注意到。他们一心一意地要找乐子，或是躲避来往的车流。在背对主干道的一边，房门通向一个小小的院子，四周都是用维多利亚时代的老仓库改建的工作坊和车库。院子里空空荡荡的，投射出建筑深深的影子。他的脚步在鹅卵石路上敲打着发出急促的声响。他急急忙忙地来到院子深处阴暗角落的一扇绿色小门前，停了停，在进去之前再次环顾了一下四周，没有敲门。

不到三分钟，他又出现在门口。他看也没看两边，就急急忙忙地融进了迪恩街熙熙攘攘的人群中。他来干什么了呢？很明显没跟谁上过床。

政党总部位于史密斯广场，在那高高的砖砌前墙后面，与圣约翰的大理石塔楼遥遥相望的地方，气氛柔和得令人感觉有些怪异。过去的几周，这里一直进行着无休止的活动，但在最关键的大选之日，大多数人都消失了，奔向不同的选区，那些地方虽然平时离他们甚为遥远，但现在却是政治世界至关重要的前哨。他们一直在竭力争取，想让他们打定主意为自己的政党投票。此时很多还坚守此地的人就在附近的餐馆或俱乐部吃个早早的晚饭，尽量让自己显得自信满满，但常常不经意就略带慌张地谈起最近的一些谣言，说什么投票率啊、出口民调①啊、关键席位啊什么的。大家基本上都食不知味，很快就开始往回撤，挤过越来越多的围观人群，穿过警戒线，经过一堆堆小山一样烧焦的飞蛾。

过去一个月以来，这些办公室逐渐变得过度拥挤、过度燥热，而且凌乱得一团糟。但到明天，一切都会改变。选举意味着变化的到来，也意味着会有人成为牺牲品。到本周末，不管结果如何，很多人都会失业，但几乎所有人又都会怀着更大的期望哭着喊着回来，争相吮吸权力的乳头。而现在，他们还继续待在办公室，进行着一场看上去无

---

① 投票后进行的民意调查。

"太接近了，现在还不好说。"玛蒂提醒道，尽量隐藏起自己的任何一丝得意。

"科林格里奇死里逃生。"编辑又换了个标题。

结果所有标题都被扔进了垃圾桶。

他绝望地看着四周，想找个帮手，找找灵感。

"我们再等等吧，"玛蒂建议道，"三十分钟后第一轮统计结果就出来了。"

# 四

民众都是庸俗的。永远按照民众的口味来行事。赞颂普
通的人，让他觉得自己是贵族，是王子。


　　等不及第一轮统计结果的揭晓，党派公关广告部里庆祝的氛围就
已经压抑不住了。带着乐观的自信，梅里尔·格兰特＆琼斯公共有限
公司的员工已经挤在公司的接待区长达三个小时。他们要见证创造历
史的过程，亲眼看看两个巨大电视屏幕上经过他们精心策划的每一条
皱纹。香槟在大家的体内流成一条河，冲刷着不停送进嘴里的深盘比
萨和麦当劳巨无霸汉堡。尽管预测中政府的多数席位大量减少，但这
群无派对不欢的"动物"们仿佛因此更为兴奋了起来。尽管现在还早，
大家都心知肚明，几年来一直优雅地装点着接待区的那两棵装饰性无
花果树是活不过今晚了；还有几个年轻的秘书说不定也会遭到同样的
命运。大多数比较明智的人都在踱步思考，但看上去没什么过分节制
自己的必要。不管怎么说，公司的客户就做出了疯狂可怕的榜样。
　　像很多来自都柏林的"外来"冒险家一样，罗杰·奥尼尔以其急
智闻名，当然还有他那令人无法抵抗的夸大其词的能力，以及任何事
情都要参与进去的那种很难抑制的决心和坚持。他的活力如此充沛，
他的热情如此多样，没有人能够完全确定，在他加入党派之前到底干
过什么——应该是和公关或者电视有关的工作，他们都这样想。还有
谣言说他和税务局，或者爱尔兰警察起过龃龉。宣传处处长这个职位
空缺出来时，他正好闲着，走马上任之后，他施展魅力，展现能力，
而这一切的动力，是无穷无尽的高卢香烟和伏特加。他简直把这两样

东西当补药吃。

　　年轻时，他在英式橄榄球运动上颇有天赋，是个很有前途的外侧前卫，但他浪费了自己的才华。因为太过于展现自我，他很不适合团队运动。"如果他在场上，"他的教练抱怨说，"那我就在带两支队伍，一支是罗杰，一支是其他十四个人。让他见鬼去吧。"之后，罗杰就在生活的方方面面总是"见鬼"。直到命运之神垂青于他，对他微笑，将他带到了史密斯广场。如今年过不惑，他那一头永不服帖的黑发已经很明显地灰白了，他的肌肉张力也早已经消失。但奥尼尔拒绝承认这些人过中年的证据。他很善于隐藏，总是悉心挑选和搭配自己的穿着，故意营造出一种漫不经心的潇洒态度，让这些设计师品牌发挥其最好的作用。他行事不像英国国教徒，同时还带着一点挥之不去的爱尔兰乡音，这两点并不总是让他得到党内政要的青睐。曾经有个大人物大声评价说，他"废话连篇，没有底线"，但其他人却会被他不同于常人的活力与气场深深震撼。

　　在政坛这个危险的灌木丛中跋涉，他一路上有个十分得力的助手——佩内洛普，总是自我介绍说叫"佩妮"。她高约一米七七，简直是个令人眼前发光的"衣服架子"。还有一点也让她在威斯敏斯特这精英云集的地方显得特别惹眼，她是个黑人，但黑皮肤并未让她显得黯然失色，她的周身都散发着一种精心雕饰过的光彩，如同迷人的午夜；双眼如明星闪烁，笑容总会充满整个房间。她有艺术史的大学学位，速记每分钟能达到一百二十个词，而且现实得有些冷漠无情。她第一次和奥尼尔"空降"此地时，不可避免地引起了一阵热烈的议论和猜测。但她那种绝对的高效让现在仍然很多的怀疑者闭了嘴，甚至还征服了其中的不少人。

　　她同时还保持着绝对的谨慎。"我有私生活，"有人问她时，她解释说，"我们就说到这儿吧。"

　　现在，在梅里尔·格兰特＆琼斯公司，或者说佩妮口中的"咕哝特＆穷嘶"公司，这位"冰美人"不费吹灰之力就成为几个精力过剩的媒介采购员和创意副总监注意的中心，同时成功确保了奥尼尔总是有酒喝，有烟抽，但又不能过量。她可不想让他喝高了，尤其是今天晚上。此时他正在和公司的总经理深谈。

"未来就从这里开始，杰雷米，你得看清这一点，把握住。我们需要尽快拿到那份市场分析。那样就能看出我们做的事情起了多大的作用，那些广告多么出色，它们产生了多大影响，我们如何击中目标选民。如果我们赢了，要让所有人都知道这是我们的功劳。如果我们输了，那就要向天要命了……"突然他猛烈地打了个喷嚏，"他妈的！对不起，都怪这讨厌的花粉病。如果我们输了，我也让该死的全世界明白，我们在宣传沟通方面也是轻轻松松地击败了对手，搞砸了的是政治这烂摊子。"

他又靠近了对方一点，两人几乎额头碰额头了。"你知道我们需要什么，杰雷米。我们的名声可以说命悬一线，危险的可不止那些政客。你别给我搞砸了。一定要确保最迟周六早上就能拿到分析。我希望在周日的报纸上看到它，而且内容得像女演员的翘臀一样漂亮。"

"我本来以为我才是负责创意的那个呢，"杰雷米不无赞叹地说，又抿了口香槟，"但这样我们就没多少时间了。"

奥尼尔压低了声音，又上前一点，让这广告人能闻到他呼吸中法国烟草的酸涩味。"要是你拿不到数字，那就他妈的给我编。大家都累死了，不会有人认真研究的。只要我们抢占先机，理直气壮，就不会有事的。"

他停顿了一下，响亮地擤了擤鼻涕，让近旁的杰雷米不忍直视，"别忘了订花。你明早第一件事就是把附近能找到的最漂亮最显眼的花束送到唐宁街首相夫人的手里。花要排列成巨大的'C'。要确保她一醒来就收到。"

"当然是以您的名义去送。"

"如果花没送到她会很疑惑的，因为我已经告诉她要给她送了。我希望电视台的摄像机能拍到花进门的样子。"

"也要让电视台的人知道是谁送的。"杰雷米补了一句。

"我们是一条绳子上的蚂蚱，杰雷米。"

但卡上只有你的名字，杰雷米差点说出这么一句。真话有时候会让你万劫不复。他现在已经习惯客户不带喘气的长篇大论了，也对奥尼尔不同寻常的指示和会计流程习以为常。一个政党和其他客户不同，其规则大相径庭，有时还危险重重。但过去两年来和这位客户的合作，让杰雷米和他年轻的公司曝光率大大增加，即使有什么悬而未决的疑问，也因此而扼杀在摇篮之中了。然而，就在大家紧张等待选举结果时，他心中升腾起一种沉默的恐惧，想到如果输了将会发生什么事情。尽管奥尼尔一再表示他们在一条船上，他也十分肯定，公司会成为替罪羊。刚开始工作时一切都不一样，民调的结果显示政府稳胜。而现在，出口民调的结果公布后，他的信心也一点点蒸发掉。他干的这一行，面子就是一切，一个公司的声誉很容易像明日黄花一样迅速枯萎。

奥尼尔还在继续喋喋不休，声音中有压抑不了的兴奋，像沸腾的开水一样咕嘟咕嘟冒着泡。直到两人的注意力都被屏幕上一米八二的阿里斯戴尔爵士吸引。他正将手按在耳朵上，头偏向一边。他的耳机里正在传达着什么消息。

"现在我们应该有了今晚第一轮统计结果了。据说又是托培率先发布。打破了所有记录。就在投票站关闭仅仅四十三分钟后，我已经看到候选人们在选举检查人身后集合了。接下来请看现场直播……"

托培选区那维多利亚风格的集会礼堂里挤满了人，潮湿酷热的房间内弥漫着紧张不安的气氛。一捆捆统计过的投票在支架台上排成长长的队伍，空空如也的黑锡投票箱被堆放在一旁。讲台的一端，在风信子与吊兰的花丛中，在玫瑰花结装饰与市政标记之下，候选人们济济一堂。就要宣布第一轮投票结果了，但眼前这一幕不像选举，反而像一出乡村哑剧。由于全国的媒体都在进行报道，来的候选人里面除了心烦意乱的，还有打定主意要出尽风头的。他们拼尽全力要抓住这一刻,很多人摇晃着手里的气球和颜色鲜亮的帽子,想让摄像机镜头对准自己。

"阳光灿烂"党派的候选人,从头到脚都穿着太阳一般明亮耀眼的紧身连衣裤,摇晃着一朵滑稽的巨大塑料向日葵,故意显眼地站在穿着正式的保守党候选人前面。保守党候选人西装笔挺,发型经过精心修饰,他想往左边挪一挪,避开这尴尬的局面,但又一头撞到了国民阵线的候选人,他正握紧拳头展示自己满满一胳膊的纹身,掀起一阵小小的轰动。保守党候选人拼命想让自己看上去举止得体,但又想不起候选人指南上是否有应对这种情况的指导,只好不情愿地撤到向日葵后面去。与此同时,"保持海洋清洁"党的候选人,一位年轻的女士,穿着蓝绿相间的雪纺绸,在所有人的面前来来回回地走,背后有几米长的拖尾,随着她的走动而翻腾,看起来仿佛奔涌的海浪。

市长朝着麦克风咳嗽了两声,"女士们、先生们,感谢你们的到来。我作为托培选区的选举监察人,在此宣布,投票结果如下……"

"多彩的托培给出了它的结果,"阿里斯戴尔爵士严肃的声音再次响起,"政府得到了今晚的第一个席位,但多数优势降低,而且根据电脑显示,摇摆趋势对其不利,下降了将近八个百分点。这意味着什么呢,皮特?"随着这位新闻主播的一声疑问,镜头切向该频道的学术评论员。屏幕上出现一个戴着眼镜,略显健壮的人,他穿着牛津大学的粗花呢上衣。

"这意味着出口民调挺准确的,阿里斯戴尔。"

# 五

政治意味着牺牲，当然是牺牲别人。不管一个人为了国家牺牲自己能换来什么，先让别人去冲锋陷阵当人肉盾牌总是能够得到更多。就像我妻子常常说的，把握时机，就把握住了一切。

"真精彩啊，罗杰，是不是？又一次赢得多数席位。我简直没法跟你说清我有多激动，多轻松，多高兴。真是百感交集啊。干得漂亮，真是干得漂亮！""咕哝特＆穷嘶"的一个零售业大客户的主席一口气将这热情洋溢的言辞灌进奥尼尔的耳朵，但却没取得任何明显的效果。这位大腹便便的实业家不过是在逗自己开心罢了，他汗流不止，满脸堆笑。尽管政府刚刚丢掉了今夜的头两个席位，但现在的气氛已经完完全全变成了胜选庆功会。

"谢谢你的夸奖，哈罗德。是的，我觉得三四十个多数席位就够了。这里面可有你的功劳啊。"奥尼尔回答道，"前几天我还跟首相说起，你给我们的支持可不止公司捐钱这么简单。我记得你去年三月在工业协会午餐会上发表的演说。天哪，真是太精彩了。不好意思我可能要说点不太雅观的话了，你简直翻云覆雨，要传达的信息都达到了高潮。你肯定经过专业训练的吧？"还没等对方回答，奥尼尔继续说下去，"我告诉亨利，哦，对不起，是首相！我告诉他你有多棒，我们需要为你这样的产业领航者寻找更多的平台。把最直接的观点传达给我们。"

"我肯定这没什么必要。""领航者"回答道，语气里听不出一丝真诚。香槟已经让他丧失了天生的警惕，屋里装饰的白貂皮和上议院的整间礼堂在他眼里都变成了成堆的财物。"等这一切结束之后，你要不要赏光和我吃个午饭？找个安静点儿的地方？我还有些他可能会感兴趣的想法，我很想听听你的看法。"他的眼中放射出热烈的期盼，让眼珠子显得格外突出。他又喝了一大口酒。"说到翻云覆雨，罗杰，跟我说说，你那个小秘书——"

他还没来得及说出下一个字，奥尼尔火山爆发般地连打好几个喷嚏，让他深深弯下了腰，双眼充满血丝，要继续谈话是不太可能了。"不好意思，"他一边拂去喷溅的鼻涕，一边试着恢复平静，"花粉症。老是来给我捣乱。"为了强调症状的严重性，他又开始擤鼻涕，声音好像众多喇叭和低音鼓的合奏。"相谈甚欢"的时刻结束了，实业家对他避之唯恐不及。

政府又丢失了一个席位，这次的候选人是负责交通的一位初级官员，羽翼尚且稚嫩，初涉政坛，过去四年来都奔波于全国各个重大高速公路交通事故的现场。他背后跟着一群媒体记者。这些年来他积累起了一种宗教信仰般的信念，认为人类以暴力方式自我牺牲的能力可谓不可限量，但这信念可并不意味着他就能接受自己的"惨死"。面对困境，他总是缩头缩尾，而现在他的妻子早已经哭成了泪人儿。

"政府的情况继续不容乐观，"阿里斯戴尔点评道，"我们拭目以待，看首相对此有何反应。几分钟后我们将现场直播首相的选举结果。与此同时，电脑的预测是什么呢？"他按了一个按钮，转头看了看身后的一面巨大电脑屏幕，"更接近三十而不是四十，看上去是这样的。"

演播室里开始讨论，三十个多数席位是否能够支撑一个政府到新的任期结束，但评论员总是被打断，因为更多的结果开始连续不断地涌进来。回到广告公司，奥尼尔向那群过度热情的生意人告了辞，努力挤过佩妮周围越来越多，越来越健谈的崇拜者。尽管这群人在强烈抗议，他还是把她拉到一边，对着她耳语几句。同时，面色红润的阿里斯戴尔爵士再次大声宣布，首相的选举结果将很快宣布。狂欢的人群陷入一种满含敬畏的沉默中。奥尼尔回到那群工业领航者当中。每一双眼睛都紧盯着屏幕。没人注意到佩妮收拾好了挎包，悄无声息地溜了出去。

演播室刚刚宣布了反对党从政府手中夺取的席位。今晚的成果也不算特别辉煌。接着就轮到科林格里奇了。他的脸在屏幕上甫一出现，就引来"咕哝特＆穷嘶"公司员工忠诚的欢呼。在这欢庆的浪潮中，很多人早已经忘记了自己的政治倾向。管他那么多呢，这不过是个选举。

在亿万双眼睛的注视下，亨利·科林格里奇向大家招着手，脸上那灿烂的笑容说明他对这结果的态度远比观众们来的严肃。他的致谢辞非常官方，没有多少可圈可点之处。他那重重涂抹之下的脸因为筋疲力尽而苍白发灰。有那么一会儿，大家都安静地看着，甚至有些庄严肃穆。等他从讲台上快步走下，开始了乘坐长途专车回伦敦的旅程时，大家又一次开始狂欢和庆祝。

几分钟后，一阵狂叫打破了欢乐的聚会气氛，"奥尼尔先生！奥尼尔先生！有人电话找您。"监管接线台的保安将电话听筒举在空中，有些戏剧性地指着送话口。

"是谁？"奥尼尔在房间对面问道。

"什么？"保安有些紧张地问。

"是谁？"奥尼尔重复了一遍。

"听不到您讲话。"保安在一片喧哗嘈杂中喊道。

奥尼尔将双手在唇边握成话筒状，又问了一遍是谁来的电话，这次他的声音和音量简直可以在兰斯当路赢得吼叫比赛了。

"是首相办公室！"沮丧的保安尖叫起来，他控制不了自己的音量，而且不确定自己是不是应该说出这句引人注目的话。

果然，他的话立刻起了作用，整个房间瞬间安静下来。奥尼尔面前立刻就让开了一条通向电话的道路。他顺从地往前走，尽量显得谦虚谨慎，脚踏实地。

"是他的一个秘书。她会帮您接通首相。"保安敬畏地说，满含感恩地将手中的千钧重任交给奥尼尔。

"你好，你好。是的，我是罗杰。"短暂的停顿之后，"首相先生！您能来电话我真是太高兴了！热烈地祝贺您！目前来看情况真是太棒了！我的老父亲曾经说过，不管你是五比零赢的，还是五比四赢的，只要赢了都是好的……"他环视四周，发现每一张脸都朝着他的方向，"您说什么？哦，是的。是的！您真好。我现在就在那个广告公司呢，见证这个时刻。"

现在房间里安静得能听到无花果树枝叶摇晃的声音。

"我觉得他们表现得太棒了，没有他们的帮助，我肯定也做不好工作……我可以把这话转达给他们吗？"

奥尼尔用手遮住送话口，转向沉默但完全欣喜若狂的围观者们，"首相让我代表他向你们表示感谢，你们帮助他进行了一次非常美妙的竞选活动。他说你们的工作关系重大。"他又继续打电话，听了个几秒钟，"他不会要你们退款的！"

屋子里爆发出雷鸣般的掌声和欢呼声。奥尼尔将话筒举在空中，好让那头听到每一声喝彩。

"您好，首相。我想让您知道，我真是太激动了，太荣幸了，接到您当选后的第一个电话……我也热烈地期盼见到您。是的，我待会儿就回到史密斯广场了……当然了，当然了，到时候见。再次热烈祝贺您。"

他轻轻地将听筒放回电话座，脸上全是荣幸的表情。他转向屋子里的人群，突然间绽放出一朵灿烂的笑容，人群开始一系列此起彼伏的欢呼，每个人都争先恐后地上前来跟他握手。

他们高声合唱起"他是个快乐的好小伙"向他致敬。而在临街的车里，佩妮将车载电话放好，对着镜子补了补唇彩。

# 六

　　我从前的老仆人曾在荒原上教过我重要的一课。这一课让我永生难忘。那时我还是个孩子，大概才八岁吧。不过你自己好好想想，就是在那样的年龄，学到的经验教训才会深藏在内心深处，给你重大的影响。

　　他对我说，如果你必须要遭受痛苦，那么就让痛苦达到最无法抗拒，最剧烈的程度，这样一来对方就知道，你会给他造成的伤害，远比他能够带给你的伤害更严重，更可怕。

　　当然，老仆人说的"对方"是指野狗。但这在政坛，也是金玉良言。

## 六月十一日　星期五

　　史密斯广场上的人群急剧增多，支持者、反对者和单纯的好奇者都等待着首相的到来。午夜的钟声早已经敲响，但在这样一个夜晚，生物钟不得不接受最大限度的调整。围观者们可以从电视技术人员的监视器上看到，首相的护卫队前面是警察摩托先驱队，后面则跟着摄影车，已经离开了很久，现在正接近伦敦地标大理石拱门。按照这个速度，还有不到十分钟他们就要到达这里了，党派雇了三个年轻的啦啦队员，她们正表演着一系列的爱国歌曲和口号，为即将欢呼的人群热身。

　　她们必须比过去任何一个胜选夜都卖力。因为大家都特别热情地挥动着手中巨大的联合王国米字旗，但很少有人挥动精心装裱好的亨

37

利·科林格里奇的巨幅照片。这可是党派总部刚刚从门厅传过来的。人群中的一些人拿着便携收音机，在向周围的人传达选举结果，看上去好像并不让人振奋。就连啦啦队员们偶尔都会停下来，围坐一团讨论刚刚播报的新闻。广场上还有一种剑拔弩张的对抗气氛，因为一些反对党的支持者听了传言之后愈发大胆起来，决定潜入人群，现在正挥舞起他们的旗帜，呼喊起自己的口号。半打警察跑进人群中，确保双方的情绪不会失控。装着另一打警察的警车就停在塔夫顿街的街角。上面给的指示是，出现在那里，但不要轻率干涉。

现在电脑给出的预测是政府获得二十八个多数席位。两个啦啦队员停下工作，开始认真讨论起这么微弱的多数优势是否足够发挥其作用。她们得出的结论是应该还行，于是就又回到工作上来。但是精神显然委顿了不少，最初的热情越来越消减，大家变得忧心忡忡。人们决定省省自己的精神，等亨利·科林格里奇来了再说。

身在大楼内部的查尔斯·科林格里奇越喝越多，越来越醉。党派的一位高层把他安排在主席办公室，让他坐在一把舒服的扶手椅里，头顶正上方就是弟弟的一幅肖像。而且查尔斯不知从哪里搞到了一瓶酒。他那毛毛的脸上全是汗水，眼神浑浊，布满血丝。"好人啊，亨利弟弟是个好人，是个伟大的首相。"他口齿不清地感慨道。毫无疑问，酒精已经开始控制他的发音系统，让他舌头打结。尽管如此，他还是一遍又一遍地重复着自己的家史。"他本来可以接管家族企业的，你知道不？把它打理成英国真正的大公司之一。但他从小就对政治更感兴趣。我告诉你，我可从来没喜欢过生产浴室配件。但这样会让爸爸高兴。你知道他们现在连那种红色的东西都从波兰进口吗？是波兰还是罗马尼亚来着……"

他手一松，将酒杯里剩下的威士忌打翻在裤子上，也因此中断了这段自言自语。在一阵慌乱的道歉之后，党主席威廉姆斯勋爵赶紧抓住机会，走得远远的。他那双充满智慧的老者之眼丝毫没有泄露他的想法，但他的确很反感自己必须得招待首相的这位哥哥。查尔斯·科林格里奇并不是个坏人，从来没使过坏心眼，但他是个软弱的男人，总是让人心生厌恶。而威廉姆斯则喜欢一板一眼，严格遵守规章。但这位年事已高的职业政党工作人员是个经验丰富的"领航者"，他知道把"舰队司令"的哥哥甩下船没什么意义。曾经有一次他直截了当地向首相提出了这个问题，想和他讨论一下关于这位兄长大人越来越多的谣言和冷嘲热讽。他从撒切尔政府之前就已经是公认的优秀"水手"，也是从那时坚持到现在的凤毛麟角中的一员，所以他有这个资格，或者有人会说，他有这个责任关心这件事情。但他的努力完全是徒劳的。

　　"我有一半的时间都在谋财害命，这是我的工作，"首相带着恳求的口吻说道，"请别让我去放自己哥哥的血。"

　　首相向他发誓说，会让查尔斯小心自己的言行，或者说他会亲自来监督哥哥的所作所为。但显然他永远抽不出时间来照顾这个兄弟。而且他也清楚，查尔斯对任何事情都是一口应承，但实际上他越来越做不到言出必行了。亨利不会说教，也不会生气，他很清楚，自己家的其他成员所承受的来自政治的压力比自己更大。这从某种程度上来说是他的错。威廉姆斯也理解这一点，自从将近四十年以前首次进驻威斯敏斯特，他难道没有经历三次婚姻吗？政治这东西总会带来很多附加伤害，留下痛苦的痕迹，并无休止地折磨政客的家人。威廉姆斯凝视着科林格里奇蹒跚走出房间的背影，感到一阵刺痛，但他立刻压抑了下去。重感情可不能帮你运作一个党派。

　　迈克尔·塞缪尔是环保部的官员，也是内阁中最新和最上镜的成员。他过来问候这位政治老前辈。他很年轻，年轻到可以做主席的儿子了，而且也算是在老人"护犊子"的范畴之内。在滑溜溜的"部长级上升杆"上，威廉姆斯帮助他迈出了向上升的第一大步。当时他还是个年轻的下院议员，通过威廉姆斯的推荐，他被指派为议会私人秘书。这是议会中最不讨好的工作，而且还没什么报酬。相当于是某位高级官员的仆人，得帮他端茶倒水，处理日常琐事，还不能有任何怨言，不能提任何问题。但这些品质都是首相在选择提拔人选时非常看重的。在威廉姆斯的帮助下，他在部长这个层级平步青云。两人的友情一直很是坚固。

"有问题吗，泰迪？"塞缪尔问道。

"首相可以选择朋友和内阁成员，"老人长叹一声，"但他选择不了自己的亲戚。"

"就像我们有时候无法选择枕边人。"

塞缪尔朝着门边点点头。厄克特刚刚带着妻子，从自己的选区驱车赶来，进了主席办公室的门。塞缪尔冷冷地看了他一眼，他不喜欢厄克特。这人没有支持他晋升入内阁，而且还不止一次地听说他把塞缪尔比作"一位现代迪斯雷利，空有一副好皮囊，聪明反被聪明误"。

他内心对他有种强烈的反感，觉得他可能有点反犹倾向，有时候面子上都快掩饰不下去了。但威廉姆斯给这个靠做律师起家的青年才俊提了很中肯的建议。"弗朗西斯说得对啊，"他说，"不要显得太聪明；不要显得太春风得意。在社会问题上别太自由主义；在处理经济问题上别太杰出。"

"您的意思是我不要再像个犹太人那样做事？"

"还有，你必须谨慎当心，提防身后的暗箭。"

"别担心，这事我们犹太人做了两千年了。"

现在，人群蜂拥着厄克特和夫人朝他走来，塞缪尔看上去一点也不热情。"晚上好，弗朗西斯。您好，莫蒂玛。"塞缪尔挤出一个微笑，"恭喜了。赢得一万七千张多数选票。这种狂胜可不多见啊，我觉得明早大概有六百个议员都会嫉妒你们了。"

"迈克尔你好啊！呃，我真高兴你再次迷倒了瑟比顿的女选民。哎呀，真是的，如果你也能把她们丈夫的选票争取到该多好，这样你的多数票就能和我一样多啦！"

这个玩笑让两人轻轻地笑起来，他们都习以为常地隐藏起自己与对方相处时的不适。笑声很快变成了沉默，两人都想不出快快结束谈话的好办法。

刚刚放下电话的威廉姆斯拯救了他们，"抱歉打断你们的谈话，但是亨利马上就要到了。"

"我和您一起下去迎接。"厄克特立刻主动提出申请。

"你呢，迈克尔？"威廉姆斯问道。

"我就在这儿等吧。他到的时候肯定特别挤，我可不想被谁从后面踩上一脚。"

厄克特心想塞缪尔这句话是不是在含沙射影地讽刺他。但他选择不去在意，而是马上陪着威廉姆斯下了楼梯。楼梯上早已挤满了兴奋的办公室人员。首相马上就要到来的消息传遍了整栋大楼，而党主席和党鞭长在行道上的出现让人群越发兴奋。他们有组织地欢呼起来，黑色的戴姆勒装甲车在护卫队的陪同下，在广场上转了一圈，出现在圣约翰的配殿后面。闪亮的电视灯光和成千上万刺眼的闪光灯疯狂地闪了起来，不管是职业摄影师还是初出茅庐的摄影发烧友，都想抓住这历史性的一幕。

车停了下来，科林格里奇从后座下了车，转身向人群和摄像机招手致意。厄克特推着人群来到前面，过于努力地想要与首相握手，结果挡了他的路。他抱歉地退了回去。在车子的另一边，威廉姆斯勋爵带着多年积累下来的骑士精神和老熟人般的亲切，小心地扶着首相夫人下了车，在她的面颊上献上慈祥的一吻。从某个地方传过来一束鲜花，随之而来的还有两打党内官员和政要，大家都争前恐后地想要参与进来。这呼啦啦的一大群人能够在不发生伤亡的情况下通过旋转门，进入到大楼内部，还真是个小小的奇迹呢。

大楼内部也同样混乱和拥堵。这一大群人簇拥着首相，艰难地来到楼上，中间只是公事公办地停下来，像以前那样对员工们表示了感谢。这一流程还要进行重复，因为没有及时召集好媒体摄影师。尽管这里充满了拖延、退让和噪音，首相还是耐心地露出自己的招牌微笑。

而楼上威廉姆斯勋爵的套房就要相对安全些了。但整个晚上都小心翼翼隐藏好的那种紧张感也正在逐渐浮现出来。角落的电视机正宣布着电脑预测出更少的多数席位，科林格里奇低低地长叹一声。"关掉那该死的东西。"他小声命令道。接着一双眼睛慢慢扫视过整个房间。

"今晚查尔斯在这边吗？"他问道。

"嗯，他来过这里，但是……"

"但是什么？"

"我们好像把他弄丢了。"

首相与主席四目相对。

"我很抱歉。"老者又说了一句，这句很轻，首相几乎得从唇形判断内容。

"抱什么歉呢？为我哥哥喝醉抱歉吗？为我差点输掉这场选举抱歉，为我让很多同僚去做挡箭牌抱歉，为我比戈林还糟糕而抱歉？抱歉你蹚了浑水，把我俩都救了出来？无论如何，感谢你的关心，老朋友。"

体内的肾上腺素突然停止了供应，他突然间感到极度疲惫。连续好几周来，周围一直是呼啦啦一大群人，把他围得水泄不通，他没有享受过哪怕一秒钟独处的时光。他觉得自己急需一个人待一会儿。他转身寻找更为安静和私人的地方，但发现站在自己身旁的厄克特挡住了去路。党鞭长正将一个信封伸到他鼻子底下。

"我考虑了一下党内改组的事情，"厄克特说，垂下双眼，但语气却透露出挫败与犹豫混合的情绪。"这当然不是个好时候，但我知道您周末的时候可以想一想。所以我准备了一些建议。我知道您不喜欢我们交白卷，希望看到一些积极的想法，所以……"他递过自己手写的笔记，"希望您觉得有用。"他这是在要求首相给他贵宾的待遇呢，他觉得自己有权获得这样的待遇，甚至不需要邀请。

科林格里奇看着递过来的信封，心中有某种东西爆发了，那堵将礼貌与诚实分隔得好整以暇的心墙轰然坍塌。他抬起自己疲惫已极的双眼，看着这位同僚，"你说得对，弗朗西斯。这不是个好时候。也许我们在解雇同僚之前，要先想想怎么保住多数席位。"

厄克特尴尬地呆住了，这种讽刺深深地刺伤了他。这并非首相的本意，他意识到自己有些过了。

"抱歉，弗朗西斯。我是有点累了。当然你往前看是非常正确的。听好，我想请你和泰迪周日下午过来一起讨论这个问题。也许你现在就可以受累把你的建议给泰迪，然后明天派人送一份到唐宁街给我，或者，今上午晚些时候也可以。"

厄克特拼命控制住面部表情，不想露出内心翻江倒海的骚动。改组这事他是心急了一些，他暗暗骂自己是个笨蛋。很奇怪，科林格里奇不过是语法学校出来的"产品"，如果是个普通人，在社交上不可能如鱼得水，也很难进入厄克特加入的任何俱乐部，但面对这位首相时，厄克特那种天生的万无一失的能力就消失得无影无踪。在政府中，这两个男人的角色转换让厄克特无比气馁和不安，当面对首相时，他发现自己的言行不听使唤。他的确做错了，但他不责怪自己，反而觉得科林格里奇的责任更大。但这不是"收复失地"的时候。他重新展露出亲切殷勤的微笑，顺从地点了点头，"再好不过了，首相先生。我马上就把这份东西拿给泰迪。"

"最好自己去印一份，不然那份东西今晚都到不了。"科林格里奇笑了，努力将厄克特带回到永远盘旋在唐宁街上空的权力与阴谋之中。"不管怎么样，我想现在该回去休整休整了。BBC 肯定希望我四小时后精神抖擞地接受采访。剩下的选举结果我会在唐宁街看的。"

他转向威廉姆斯，"顺便问问，该死的电脑现在是怎么预测的？"

"这半个小时一直是二十四个席位，我觉得可能就是这样了。"他的声音里听不出一点儿胜利的喜悦。他刚刚见证的是将近二十年来，党派最糟糕的选举结果。

"没事的，泰迪。多数席位就是多数席位。这样我们的党鞭长可就有事做了；要是票数超过了一百，他就只能无聊地坐冷板凳啦，是不是，弗朗西斯？"他边说边踱步出了办公室，身后的厄克特有些凄惨地捏紧了手里的信封。

首相离开后的短短几分钟，大楼内外的人群开始明显减少。仍然感到自尊心受到伤害的厄克特没心情庆祝或是与大家同乐。他回到复印办公室所在的一楼。不过132A房间基本称不上一个办公室，这里不过是个没有窗户的壁橱，宽不足两米，里面是一些办公用品，同时也可进行保密性地复印。厄克特打开门，在找到灯的开关之前，一股刺鼻的味道钻入他的鼻腔。有个人趴在金属架子之间的狭窄缝隙中，那是颓然瘫倒的查尔斯·科林格里奇。连在熟睡中，他也有本事把衣服弄脏。周围找不到任何酒杯或酒瓶，但空气中弥漫着浓烈的威士忌味道。看上去查尔斯在酩酊大醉之前，艰难地找了一个最不让人尴尬的地方，终于醉倒在了这里。

　　厄克特摸索着找出自己的手帕，捂住嘴和鼻子，想挡住这股臭气。他迈着步子来到查尔斯身边，给他翻了个身，让他仰面睡着。他摇摇他的肩膀，查尔斯只是短暂地发出一阵臭烘烘的呼吸。再重重地摇一摇，他毫无反应，甚至在脸上轻轻扇个耳光也无济于事。

　　他看着眼前这个烂醉如泥的家伙，面露嫌恶之色。突然间厄克特浑身一僵，这种内心深处的鄙视与他在首相那里遭到的羞辱混杂在一起。啊，当然啦，现在就是个报仇雪耻的大好时机。他抓起查尔斯外套的衣领，把他拽起来，把手臂往后，做好击打的准备，他很想激烈地扇打这个可悲的混蛋的脸，释放出他刚才的屈辱，释放出他对科林格里奇一家的愤怒。厄克特浑身颤抖着，但没有采取行动。

　　接着，查尔斯外套口袋里掉出来一个信封，看上去像是还没交钱的电费单，这是最后一次催款，全是用警醒的红色印刷的。突然间，厄克特意识到，还有另一个办法，可以更好的平衡"不公平待遇"这个天平，让一切重新洗牌，向他的那一端倾斜。毕竟，他肯定不可能对查尔斯动粗，这并不是因为他总是严于律己，一丝不苟地做人，也并非因为查尔斯除了让他觉得臭气熏天之外完全是无辜的。厄克特知道，伤害了他哥哥，就能够伤害亨利·科林格里奇，这是毫无疑问的。

但这种肉体上的疼痛远远不够，也持续不了多久。无论如何，动粗不是办法，这恶臭的壁橱不是地方，现在也不是什么好时候。弗朗西斯·厄克特可比这高明，高明多了，比他们所有人都高明。

他轻轻把仍在呼呼大睡的查尔斯·科林格里奇放回地上，把他的外衣领子整好，让他就在原地休息。"你和我，查理，我们将变成非常亲密的朋友，最好的朋友。当然不是这个时候。等你稍微整理一下自己再说，好吗？"

他转身来到复印机跟前，从口袋里掏出信封，把里面的信复印了一份。接着他从查理的口袋里拿出那张账单，也复印了一份。接着他就离开了，让自己酩酊大醉的新朋友先好好睡一觉。

# 七

*好像是亲爱的克劳塞维茨①曾经说过，战争是政治另一种方式的延续。当然，他错了，错得离谱。政治？战争？我亲爱的妻子莫蒂玛总是提醒我，两者根本就没什么区别。*

## 六月十三日　星期日

厄克特的官方用车从白厅掉了个头，拐进唐宁街，一个警察僵硬地敬了个礼，上百个闪光灯疯狂闪烁起来。今天是星期日，下午四点过一点儿。他让莫蒂玛呆在位于皮米里科的家中招待客人。家里有八个客人，比往常的星期天要热闹。今天是父亲的忌日，所以他邀请了很多客人来转移注意力。媒体来的一些男记者和女记者正聚集在街道另一边的警戒线之后，遥望着世界上最著名的门。厄克特的车停稳以后，门就敞开了，厄克特总觉得这仿佛是一个政治黑洞，新一任首相总是消失在门后，之后再出现基本就是被一群公务员簇拥着，保护着。其实，这群人不过是要把首相的生命榨干吸尽。

厄克特特地坐在车后座的左边，这样一来，在唐宁街十号门前下车时，电视和纸媒的镜头就能将他一览无余。他挺直了腰板，尽量显得伟岸。记者群中不断有人叫喊着各种问题，这给了他边走边说几句话的借口。他敏锐地发现了曼尼·古德柴尔德，他是来自联合社的传

---

① 卡尔·菲利普·戈特弗里德·冯·克劳塞维茨（1780～1831年），德国军事理论家和军事历史学家，普鲁士军队少将。1792年，参加了普鲁士军队。1795年晋升为军官，并自修了战略学、战术学和军事历史学。著有《战争论》一书。

奇人物，此时正戴着破旧的呢帽，一脸坚毅，游刃有余地穿梭在独立电视新闻和广播公司的拍摄团队之间。

"你好啊，曼尼，你有没有出钱赌谁赢？"他问道。

"厄克特先生，你也知道，我的编辑可不想出钱赏我饭吃。"

"这是两码事。"厄克特扬起一条眉毛。

这位"老油条"记者的两片嘴唇上下翻飞，好像两条毫无关系的毛毛虫。"这么说吧，古德曼夫人已经预订了去马略卡岛度假，多亏了科林格里奇先生，我也将陪同前往。"

厄克特戏剧化地叹了叹气，说反话开开玩笑，"运气不太好吧？"

"说起坏运气，厄克特先生"，——曼尼大步走了过来，周围的同僚围得更紧了。"你是来给首相先生的内阁改组提意见的吗？在这么令人失望的结果之后，难道不会进行一次大规模清理吗？这是不是也意味着你要有新岗位了呢？"

"这个嘛，我来这儿有很多事情要讨论，但我想重组可能也包含在内吧。"厄克特含蓄地回答道，"另外请记住，我们赢了，别这么扫兴嘛，曼尼。"

"有传言说你要出任新的重要职务了。"

厄克特的脸上浮现出微笑，"我可不能对传言发表评论啊，曼尼。无论如何，你我都清楚这是首相决定的事情。我只是来给他一些精神上的支持。"

"你会和威廉姆斯勋爵一起为首相提供顾问，是不是？"

他努力地保持着脸上的微笑，"威廉姆斯勋爵，他已经到了吗？"

"一个多小时以前就到了。我们还在想是不是还有其他人会出现呢。"

厄克特动用了多年来从政的每一点经验，才压制住了喷薄欲出的惊讶表情。"那么我应该进去了，"他大声说，"可不能让他们久等啊。"他礼貌地对人群点点头，迈开脚步，大步过了街，放弃了在唐宁街十号的门阶前向摄影机招手的计划，他担心看起来显得太放肆了。

在黑白相间瓷砖铺设起来的门厅那头，一条铺好地毯的走廊通向内阁会议室。首相那年轻的政治秘书正在走廊尽头等着他。厄克特越走越近，感觉到这个年轻人有点不自在。

"首相先生在盼望您的到来，党鞭长先生。"

"是的，所以我就来了啊。"

秘书畏缩了一下，"他在楼上的书房。我去通知他您已经到了。"他完成了这项职责，赶在厄克特对他明嘲暗讽之前，匆匆跑到楼上去了。

厄克特在下面又掰指节，又敲手表地等了十二分钟，秘书才重新出现。在此期间，为了转移注意力，厄克特凝视了好久这个著名楼梯间中悬挂的各位前任首相的肖像。在他眼里，很多这些年入主这里的人都特别不合适，这种感觉让他耿耿于怀。这些人丝毫没有鼓舞人心的能力，担不起首相的重任。相比之下，劳合·乔治①与丘吉尔这样的人就是天生的伟大领袖，但如果放在今天，他们还有可能成为一国之首吗？一个风流成性，还为了金钱出卖贵族爵位；而另一个则花了太多时间在酗酒、还债以及发火上。两人都是历史上的巨人，但两人都不能逃过现代媒体的捧杀。相反的，现在的世界被一群"侏儒"掌管着，他们没什么高度，没什么野心。他们被选中并非出类拔萃，而是因为他们不会冒犯别人，循规蹈矩，而不是自己改写规则。嗯……就是……就是亨利·科林格里奇那样的人吧。

政治秘书回来了，打断了他的思考，"不好意思让您久等了，党鞭长先生。他现在可以见您了。"

科林格里奇用作书房的房间位于二楼，可以一直从唐宁街花园看到圣詹姆斯公园。这个房间算是朴素。要知道，这里可是英国第二重要的地址，面积大得吓人，却有些混乱。厄克特一进门就敏锐地观察到，尽管有人努力要把巨大的办公桌弄得整齐，但在之前的大约一小时内，

---

① 劳合·乔治，英国自由党领袖。1890 年当选为英国下议院议员。1911 年任财政大臣期间提出国民保险法，被公认为英国福利国家的先声。

这上面还是往来过很多的文件，涂写过很多的笔记。一瓶空空如也的波尔多干红待在垃圾桶里，盘子上还有饼干的碎屑，窗台上顽强地残留着一片枯萎的生菜叶。党主席坐在首相的右边，身穿墨绿的皮上衣，口袋里露出来的应该是刚写下的笔记。两人身边是一大摞马尼拉轻质厚纸文件夹，里面记录着议员们的资料。

厄克特随手拿了把没有扶手的椅子，坐在两人面前，感觉自己就像被叫去校长办公室的小男孩。科林格里奇和威廉姆斯的轮廓映在窗户上。厄克特眯着眼看了看窗外的光线，十分不安地在膝盖上整理自己拿来的文件夹，里面是他写下的笔记。

"弗朗西斯，你真不错，给了我这么多重组的想法。"首相开口说道。他没有做客套的开场白，而是直奔主题。"我很感激，你也知道，这样的建议能够很好地帮我形成自己的观点。"

厄克特带着默默的感激低下头。

"很显然你在这方面费了很多心思。但在我们说到具体事项之前，首先得谈谈大体上的目标。从你的建议来看，嗯，怎么说呢，你觉得应该进行一次非常彻底的重组。"科林格里奇斜眼瞥着自己面前的那张纸，他鼻子上架着私人时间才戴的阅读用眼镜。他将手指按在单子上，逐字逐句地念："内阁增添六名新成员，其他人要好好地交换调动一下。"他叹了口气，坐回自己的椅子上，好像要把自己和这所有的事情隔开。"告诉我为什么？为什么下手这么狠？你觉得这样能达到什么目的呢？"

厄克特全身的感官顿时警惕起来。他不喜欢现在的这种局面。他希望自己是最早参与进来的人，但面前这两人早已先于他谈好了，他也不清楚到底谈的什么。他没能找到任何机会打探到首相自己的看法，没来得及看透他心里在想什么。对于党鞭长来说，这可不是什么好兆头。他在想自己是不是被上了套了。

首相脑袋后面流动着刺眼的阳光，弄得他不停眨眼睛。从眼前这张脸上的表情中，厄克特读不出任何东西。他现在希望时间倒流，自己没有把那些想法写在纸上。如今白纸黑字让他没有了转圜的余地，没有了逃生的退路。但后悔已经太迟了，威廉姆斯像一只秃鹰一般死死盯着他。他缓缓开口，尽量放松语气，不让对方警惕，一边思考着能为自己圆场的措辞。

"当然啦，首相先生，那些都只是建议而已，不过想给你提醒一下也许可以做的事情。我觉得，大体上来说，整体上来说，可能，嗯，主动采取行动会比较好一些；就比如说，多做一些改变，不要，嗯，温温吞吞的，就是，就是表现出您对内阁的有力掌控罢了。嗯，表现一下您希望从高层官员们那里得到更多的新想法和新思考。也可以抓住这次机会让一些比较年长的同僚退休颐养天年；这当然令人伤心遗憾，但是，如果想要注入新鲜血液的话，这也是很有必要的。"

妈的，他突然想到，威廉姆斯这个老不死的混蛋就坐在首相旁边，这样说岂不是太不合适了。但话已出口，覆水难收。

"我们比战后任何一个政党掌权的时间都长，这就给了我们新的挑战。"他继续说道，"刻板乏味。我们需要让政府团队有一个全新的形象。我们必须警惕陈旧迂腐的倾向。"

整个房间陷入一片沉默。接着，首相开始慢慢地用铅笔敲打书桌。

"这说法很有趣，弗朗西斯。我也同意你的说法——在很大程度上。"

哦，他犹豫了一下，他停顿了那么一小下，这其中有什么意味呢？厄克特意识到自己的双手正紧紧握在一起，指甲都掐进了肉里。

"泰迪和我之前就在讨论那样的问题。"首相继续说道，"提拔新一代的人才，找到新的动力，让新人上任新岗位，而且我觉得你有很多关于内阁以下较低部长级岗位变动的建议十分有说服力。"

但这些层级的人都没那么重要，这一点大家都心照不宣。接着首相的语气就变得更加阴沉了些。

"问题在于，高层发生太多的变动，特别容易引起混乱。内阁的多数官员如果是新官上任，至少要花上一年时间才能走上正轨。现在，如果一年还没什么比较明显的进步，那就太浪费时间了。你觉得内阁变动会帮助我们新计划的实施，但泰迪认为，如果按你的建议去做，可能会导致计划的延迟。"

什么新计划？厄克特的整个脑子都在尖叫。首相这话让他如坠云里雾里，像被水藻缠住一样，一团糟。

"但是，尊敬的首相先生，您不觉得我们多数席位的减少，就是选民在告诉我们，想要一定程度的变动了吗？"

"这个观点很有趣。但就像你曾经说过的那样，我们的一生中都没遇到过像这个党派掌权这么久的情况。我说这话绝不是骄傲自满，弗朗西斯，但我觉得要是选民们觉得我们气数已尽，筋疲力尽，那肯定历史就得改写了。总而言之，我觉得从这一点来说，选民对我们还是很满意的。"

看来现在应该先表表忠心，"您说得很对，首相先生。"

"还有一点，在目前看来关系十分重大，"科林格里奇继续说道，"我们必须避免给大家一种恐慌的印象。这会发送出完全错误的信号。还记得麦克米伦换掉了三分之一的内阁成员，结果亲手毁了自己的政府吧？大家觉得这是种软弱的表现，他不到一年就下台了。我可不想重蹈覆辙。"他用铅笔最后敲打了一下书桌，然后放到了一边。"我自己经过深思熟虑，想出了一个比较有节制的办法。"

科林格里奇隔着桌子将一张纸滑向他的党鞭长。上面工工整整地打印着内阁的职位，一共二十二个，旁边是相应的名字。

"正如你所见，弗朗西斯，我认为不用对内阁做任何改变。我希望大家会由此看出我们还很稳健有力。我们有要急需解决的事情，我想我们应该向公众表明，我们立刻就可以着手去做。"

厄克特迅速将那张纸放回书桌，免得颤抖的双手透露了自己的感觉，"如果这真是您的想法，那就这样吧，首相先生。"

"这的确是我的想法。"接着他轻微地停顿了一下，"当然啦，我想你是会全力支持这个决定的吧？"

"当然了，首相先生。"

厄克特甚至都没控制好自己的声音，就好像它来自这个房间遥远的另一边。这不是他想说的话，但他别无选择。要么就全力支持，要么就立刻被调动到其他职位，这无异于自杀。但他不能就这么算了，"我必须得说，我自己……其实挺期盼一个变动的。我想……有点新的经验……接受新的挑战。"这句话说得支支吾吾、结结巴巴，他突然觉得口干舌燥，"您也许还记得，首相先生，我们讨论过这件事的可能性……"

"弗朗西斯，"首相打断了他的话，但并无任何恶意，"如果我调动了你，就必须调动其他人。牵一发而动全身，会引起多米诺效应的。而且我也需要你待在原来的位置上。你是个特别优秀的党鞭长。你鞠躬尽瘁，深挖进议会党的心脏和灵魂。你对党派成员们太了解了。我们必须面对事实，多数优势这么小，接下来几年肯定会有那么一两段困难时期。我的党鞭长必须有足够的力量和能力去解决问题。我需要你，弗朗西斯。你特别善于幕后操作。我们可以把抛头露面的事情交给别人去做。"

厄克特垂下眼睛，不想让他们看到眼中汹涌澎湃的背叛的骚动。科林格里奇觉得这是他接受现实的一种表现。

"我衷心感激你的理解和支持，弗朗西斯。"

厄克特感觉到身后的房门砰的一声关上了。他感谢了面前的两个人，告了辞。威廉姆斯从头到尾没说一个字。

他从唐宁街十号地下室的后道中离开。他经过已是一片废墟的都铎王朝时期的网球场，威廉八世曾在那里打过网球。接着来到正对着白厅的内阁府，沿着从唐宁街入口延伸出来的道路，远远躲过热切等待的媒体。他无法面对他们。他与首相待了不到半个小时，他觉得如果非得对着媒体说谎的话，自己的面部表情可掩饰不住。他让内阁府的一个保安打电话叫来自己的车，连平时惯有的寒暄也懒得再说一句。

# 八

事实如同美酒。你只能在深深的酒窖最阴暗角落找到它。
有时还需要颠倒一下。在你让它见光并开始使用之前，还得
温柔地替它除除尘。


那辆破烂的宝马车已经在这座位于皮米里科剑桥路的房前停了约
十五分钟了。无人的车座上堆满了杂乱无章的报纸和杂粮能量棒的包
装纸。能吃下这么多的，肯定是个真的很忙的单身女人。在这一切的
包围之中，玛蒂·斯多林咬着嘴唇坐立不安。这个下午晚些时候宣布
的重组决定引起了热烈的讨论，大家都觉得首相要么是高瞻远瞩，明
智勇敢，要么就是真的疯了。她需要采访到帮助首相做出这些决定的
人，得到他们的表态。已经采访到了威廉姆斯，他像一直以来那样，
全力支持，且极具说服力。可是厄克特的电话铃一直响着，但没人接。

玛蒂不太明白这是为什么，因此从《每日纪事报》下了班后，她
就决定开车到厄克特的伦敦宅邸。这房子离下议院不过十分钟路程，
位于皮米里科较好的地区，所在的小街也十分优雅美丽，是附近的一
处风景。她本以为房子里不会有人，不会亮灯。结果却发现里面灯火
通明，还能看到有人走动。她又一次播出了电话，但仍然没人接。

威斯敏斯特的世界就像一个俱乐部，充满了不成文的规定。而政
客和媒体都满含猜疑和警惕地保卫着这些规定。特别是媒体，所谓的
"议会记者"们安静而谨慎地监管着威斯敏斯特宫内的媒体活动。比
如说，可以进行"吹风会"和采访，但必须对消息来源严格保密，连
一丝暗示也不能有，一切都在阴影之下进行。这样一来政客们就可以

无所顾忌，畅所欲言；而这样一来，那些议会记者们就能够在截稿前写好稿子，创造出最引人注目的头条标题。"沉默法则"就是这些记者的通行证；如果不遵守这个法则，那么他或她就会在所有地方吃闭门羹，想要采访的所有人都会三缄其口。透露信息的来源可谓是这里的一条死罪。而在能够让你隔绝于一切有用联系人之外的"卑劣行为"中，去敲一位高官私人住宅的门，只比透露信息来源稍微好一点点。政治新闻的记者不会追到采访对象家里去，这是非常失礼和讨人嫌的行为，会成为职业生涯的污点，招来无数的骂名。

玛蒂再次咬了咬自己面颊的内侧。她很紧张，这个行为可算是严重犯规。可是这该死的人为什么不接电话呢？他葫芦里到底卖的是什么药？

她耳边响起一个带着浓重北方口音的声音，自从离开《约克郡邮报》之后，她常常想念这个声音。它属于那个给了玛蒂第一份好工作的睿智老编辑。他说什么来着？"我的孩子，规定不过是老人们用来安慰自己的毯子，让他们将自己裹住，不至于太冷。规则是为了引来智者，吓退愚人的。你可千万别跑到我办公室跟我说，就因为别人该死的规定，你错过了一个好的新闻题材。"

"好啦好啦，你这可悲的混蛋，少跟我啰嗦啦。"玛蒂大声说道。她从后视镜里检查了一下自己的头发，伸出一只手梳了梳，振作了一下精神，打开车门，走到人行道上，立刻就希望自己没来过这个地方。然而，二十秒之后，房子里回荡起前门那华丽的黄铜门环被敲打发出的声音。

厄克特开了门。他独自一人，穿着家常休闲的衣服，并没料到会有访客上门。他的妻子去乡下放松了，女佣周末不上班。他的目光落在玛蒂身上，眼里全是不耐烦的神色。街上黑漆漆的，他没能立刻认清眼前这位不速之客。

"厄克特先生，我联系了您一下午，希望没给您带来什么不方便？"

"晚上十点半，还没什么不方便？"厄克特的不耐烦变成了恼怒。

"实在对不起，但我真的需要帮助。内阁没有任何变化，一个调动都没有。这真是太非同寻常了。我想要弄清楚这一切背后的考量。"

"这一切背后的考量？"厄克特的声音放得更低了，讽刺的语气越来越强烈。

"对不起，但我无可奉告。"他想关上门，结果发现不速之客抢先一步顽固地凑上前来。当然，这个愚蠢的女孩子不可能踏进房门半步，这样一来情况可就滑稽得不可形容了。但玛蒂声音虽小，却平静而镇定。

"厄克特先生，这是个很好的新闻素材。但我想您绝不会希望我将其见诸报端的。"

厄克特停了下来，有些感兴趣地回味这句话。她到底是什么意思？玛蒂看出他的犹豫，就又往水里丢出一点鱼饵。

"我目前写出来的故事将会是这样：'昨晚我们发现了一些因未能重组而产生的深层内阁分歧。人人都知道党鞭长出任新职位的野心由来已久，而昨晚他拒绝为首相的决定辩护。'您喜欢我这样写吗？"

现在厄克特的眼睛已经习惯门阶的阴影了，他才发现面前站的是《每日纪事报》的新政治新闻记者。他只不过算是认得她的面孔，但没有看过她做报道的样子，也没读过她写的文章，他有理由怀疑这人是个疯子、傻子。现在这个小女子竟然硬闯他的家门，想恐吓他，这让他大吃一惊。"你不是当真的吧？"厄克特缓缓地说。

玛蒂对他抛出一个灿烂的微笑，"我当然不是啦。但一个弱女子能做什么呢？你既不接电话，又不愿意面对面地谈。"

她的坦诚让他减轻了戒备之心。而且，此时此刻她站在门廊的灯光之下，金色的短发散发着淡淡的光辉，他不得不承认，她比会议室里很多记者要漂亮可爱多了。

"我真的很需要您的帮助，厄克特先生。我需要一点实质性的内容，让我可以好好挖一挖，不然我手里这堆东西不过是看不见摸不着的空气。您不帮我我就完蛋了。求您了，求求您帮帮我。"

厄克特哼了一声，盯着她，"我应该非常生气的。应该给你的编辑打电话，要求你们对这公然的骚扰行为道歉。"

"但您不会那样做的，是吧？"她故意浅浅地卖弄起风情。虽然过去只不过见过短短的几面，她仍记得在中央大厅擦肩而过时，他甩给她的匆匆一瞥。那是颇有男人味又十分谨慎的一眼，在不动声色之间，就把她的一切都看透了。

"可能你还是进来说比较好。斯多林小姐，我没记错吧？"

"您叫我玛蒂就好了。"

"客厅在楼上。"他说。语气好像在进行小小的忏悔。他领着玛蒂穿过一间装饰风格传统但很有品位的房间。漆成芥末黄的墙上挂着奔马与乡间风景的油画，家具陈设和谐优雅。高高的书架上摆满了书，家人的照片放在相框里，屋里还有个大理石砌成的壁炉。影子如丝绸般晃晃悠悠，灯光稀少昏暗，气氛有些紧张。他给自己倒了一大杯格兰菲迪纯麦威士忌，问也没问就给她也倒了一杯，接着就坐到一张深色的皮椅中。扶手上摆着一本书脊已经破烂的书，是莫里哀的戏剧。玛蒂在对面坐下，紧张得只是挨了一点沙发的边。她从背包中取出一本小小的笔记本，但厄克特挥手示意她收起来。

"我很累，斯多林小姐——玛蒂。经历了这么漫长的竞选，我不太确定能不能清楚表达自己的意思。所以请别做笔记，如果你不介意的话。"

"当然啦，当然啦，这是议会的规矩。我脑子里记住你告诉我的话就好啦。但我绝对不会透露是你说的。一点痕迹都不留下。"

"非常正确。"

他把莫里哀的戏剧放到一边，她则收起了笔记本，又回到沙发上。她穿着一条紧身的白色纯棉衬衫。他注意到了，但并没起什么色心。他的眼睛仿佛能够吸收一切，比大多数人都看透到更深的地方。两人都清楚他们在玩一个游戏。

他从一个银雪茄盒里拿出一支雪茄，点燃后深深吸了一口，接着开口道，"玛蒂，如果我告诉你，首相觉得这是推动各项工作的最好方法，他觉得不应该让官员们对新的岗位和职责感到混乱，只有这样才能开足马力全速前进。你会怎么想？"

"厄克特先生，那我会觉得，这话可能不得不被登在报纸上啦！"

这位年轻记者的率直让厄克特轻声笑了起来。他又深吸了一口尼古丁。两者的结合似乎让他很是满意和舒服。

"我还会觉得，"玛蒂继续说道，"在很多人眼里，选举结果都显示出大家需要新鲜血液和新的想法。你们丢掉太多席位了。选民对你们的支持可没那么一边倒，是不是？"

"我们有明显的多数优势，而且赢得的席位比主要反对党多得多。掌权这么多年了，这结果不算很差嘛……你会这样觉得吗？"

"我是来询问您的观点的，不是要表达我的想法。"

"你就听我的，说说吧。"

"但下次选举可就没这么乐观了，不是吗？一成不变的话，大船就会慢慢沉入海底。"

"这话说得有点过了吧。"厄克特说，知道自己应该反对得更强烈些。

"我去过一次您的竞选集会。"

"你去过吗，玛蒂？真是荣幸啊。"

"您谈到新的活力，新的想法，新的集团。整体上看，您所说的中心就是一个，改变，让一些新的'运动员'参与进来。"她略停了一下，但厄克特好像不太有回应的热情。"这是您亲自发表的竞选演说，我这儿有……"她从一团纸中找到一张光滑平顺的小传单，"演说里提到'未来那激动人心的挑战'。这一切都像上周的报纸一样令人激动。我的话太多了。"

他笑了笑，喝了口酒，仍然沉默着。

"我就直截了当问您吧，厄克特先生。您真觉得首相尽了最大努力了吗？"

厄克特没有直接回答，但再一次将酒杯举到唇边，透过晶莹剔透的杯沿凝视着她。

"您觉得亨利·科林格里奇是这个国家能选出的最好首相吗？"

她不屈不挠地问道，声音放轻了些。

"玛蒂，你到底怎么想的？你提出这么个问题，希望我怎么回答呢？我是党鞭长，我对首相——还有他的重组，或者说不重组，是完全忠诚的。"他的声音里又带上了那种似有若无的嘲讽。

"是的，但弗朗西斯·厄克特呢？这位对自己的政党抱有远大抱负，迫切希望党派获得巨大成功的人，他到底支不支持这一决策呢？"

没有回答。

"厄克特先生，明天我的报道里面一定会忠实地提到您对首相的公开支持以及辩护。但是……"

"但是？"

"我们现在遵守的是议会的采访规矩，不用这么小心吧。我所有的直觉都告诉我，您对目前的情况并不满意。我想知道得多一些。您不想让自己私下的想法被我的同事或你的同僚们知道，也不想让这事在威斯敏斯特传得沸沸扬扬。我向您保证这不会发生。这只是我想问的，因为在未来几个月，这些信息可能会非常重要。另外顺便说一句，没有任何人知道我今晚来见您。"

"你是在跟我做交易？"他轻声嘟囔道。

"是的，我觉得您想做这个交易。我会成为您的代言人，您的喉舌。"

"你凭什么觉得我会答应呢？"

"因为您让我进了门。"

他那双蓝眼睛深深地凝视着她，仿佛要看到她内心深处去。她内心翻涌着激动不安的情绪。

"您想做一个发挥作用的统帅，而不是个简单的兵卒。"她说。

"一个人不管好名声坏名声，都比被遗忘来得好，哈？"

"我觉得很对。"她一边说一边继续直视着他，牢牢抓住他的目光，露出一个微笑。

"我们这么说吧，玛蒂。我给你讲个简单的故事。一位首相，周围野心满布，倒不是他自己的野心，而是别人的。自从大选之后，这些野心就越来越膨胀。他需要控制它们，遏制它们。不然，一旦听之任之，这些野心就会把他生吞活剥了。"

"您是在说，内阁内部有很多矛盾和争执吗？"

他停下来小心地字斟句酌，接着用一种深思熟虑的缓慢语气继续讲下去，"一棵参天大树正在坐以待毙，就要腐烂倒地了。只要腐烂的地方掌控了这棵树，那么其死亡不过是时间问题。所以，你可能会想到，有些人就在想，再过十八个月，或两年，如果——当——大树轰然倒地时，他们想处在什么位置呢？当然大家最后都会去见上帝。"

"所以首相为什么不搞掉那些麻烦的人呢？"

"因为他只有二十四个多数席位，可能议会犯个小小的错误，这多数的优势就消失了。他可不敢冒这个风险，看着过去的内阁官员们在后座议员席上恼羞成怒地上蹿下跳。他必须尽量让一切安静、低调。他连最应该调动的人都不敢调去新职位，因为每当有官员去新的部门走马上任，他们就会来个几把火，想要留下自己的痕迹。他们会成为你这样的媒体要人的新宠。于是乎，我们就发现，这些官员不仅仅是在履行自己的职责，而且是在推销自己，为将来无可避免的最高领导人竞选造势。这是一颗毒瘤。政府陷入混乱，人人都好高骛远，混乱与疑惑遍布，不和谐因素蠢蠢欲动，对首相把控不力的指责接踵而至——突然间我们就得处理领导层危机了。"

"所以任何人都不得不待在自己原来的地方。您觉得这是个好策略吗？"

他喝了一大口威士忌，"如果我是泰坦尼克号的船长，看到前面一座足以致命的巨大冰山，我觉得我可能会改变航向吧。"

"今天下午您有把这话告诉首相吗？"

"玛蒂，"他责备道，"你把我带得太远了。我非常喜欢我们的谈话，但恐怕不能泄露私人谈话的细节，那样就太过了。这可是要被枪毙的啊。"

"那么我再问问您关于威廉姆斯勋爵的问题。今天下午他和首相待的时间特别长，结果他们就做出个什么都不干的决定吗？"

"这个人可是我们党派的忠臣啊，陪着这个政党变老。你听过一句俗话'老人一急，你要小心'吗？"

"他肯定不可能觉得自己能成为党派领袖吧。党派领袖可不能从勋爵里面选啊！"

"不不不，当然没有啦，就算他是亲爱的泰迪，也还是没有任性自负到那种程度。但他是个政界元老，他当然希望确保统领党派的大权落到合适的人手里。"

"谁的手里。"

"如果不是他，就是他那几个年轻门客之一。"

"比如谁呢？"

"难道你自己心里没数？"

"塞缪尔。您指的是迈克尔·塞缪尔。"她兴奋地咬紧了嘴唇。

"你可以这样想，玛蒂。"

"您是怎么知道的呢？"

"对此我没什么可说的。"厄克特笑了，喝光了手中的威士忌，"我想我让你猜测得够多了。今晚的谈话就这样吧。"

玛蒂不情不愿地点点头，"谢谢您，厄克特先生。"

"谢我什么？我什么都没说。"他边说边站起来。

她脑子里浮现出各种各样的理论，一边还要把每一块分散的"拼图"好好地组合起来。她再次开口之前，两人已经在门口握手告别了。

"厄克特夫人。"

"不在家。她去乡下了。"

两人的手还握在一起。

"请向她带去我最诚挚的祝福。"

"我会的，玛蒂，我会的。"

她放开他的手准备离开，但又犹犹豫豫地问道，"再问最后一个问题。如果说，只是如果说，来个党派领导人选举的话，您会参加吗？"

"晚安，玛蒂。"厄克特一边说一边关上了家门。

## 《每日纪事报》，六月十四日 星期一 头版

昨日，首相宣布内阁不会发生任何变动，让许多观察员大吃一惊。在与党主席威廉姆斯勋爵以及党鞭长弗朗西斯·厄克特进行了几小时的商议之后，亨利·科林格里奇对其党派传达了"小心驶得万年船"的信息。

然而，威斯敏斯特内部高级官员昨晚对其决定表示震惊。有些人认为，在一场死气沉沉的选举活动之后，这一举措暴露了首相的虚弱。

越来越多的人估计科林格里奇撑不过下次竞选，有的高级官员也露出对该位置虎视眈眈的样子，想提早进行一次领袖竞选。一位内阁官员将首相比作"驾驶泰坦尼克号冲向冰山的船长"。

决定不对内阁发生变动在战后还是头一遭，前面的每次选举都伴随着一些高层重组。这一举措被解读为科林格里奇抑制和把控蠢蠢欲动的内阁野心家们的最有效办法。昨晚，党鞭长坚决支持这一决定，认为这一决定"是继续开展工作的最好方式"，但已经有人开始猜测哪些人将是下一届党派领导选举的有力候选人。

昨日深夜本报记者再次与威廉姆斯勋爵取得联系，他认为关于最近就会进行领导人选举的说法是"胡说八道"。他说："首相为党派赢得了前无古人的第四次全国竞选。我们的情况很好。"如果进行领导人竞选，威廉姆斯作为党主席就显得举足轻重。众所周知他和环保部秘书迈克尔·塞缪尔是很亲密的朋友，而后者是很有希望的竞争者之一。

反对者们认为首相的行为优柔寡断，他们很快就揪住这点不放。反对党领袖说："政府处处燃烧着不满的火焰。我认为科林格里奇先生没有足够的能力或是有力的支持来扑灭这些大火。我已经在翘首企盼下次竞选了。"

政府内部一位高层人员将目前的状况描述为"一棵将要腐烂的参天大树"。

# 九

有些人从未坚定地守住过自己的原则。在威斯敏斯特，有时候跟这些人吃个午饭，被大家看到，也是有好处的。但不要太频繁了，不然他们可能会认为你是个"假正经"。

## 六月二十二日　星期二

接到厄克特在圣詹姆斯俱乐部举行午餐会的请帖时，奥尼尔先生有些受宠若惊，接着欣喜若狂。党鞭长先生过去从未对党派的这个宣传人员表现出过度的热络。但现在，他在请帖上"说"，要一起"庆祝您在整个选举活动中为我们做出的卓越贡献"。奥尼尔认为，这预示着他在党内逐渐声名鹊起，就要节节高升了。

真是一顿他妈的好饭，连边边角角用的都是好料。奥尼尔和平常一样过度紧张。赴宴之前他还喝了几杯万能的伏特加来壮胆。但这完全没有必要，午餐会好酒不断，两瓶七八年的大宝庄红酒和几大杯干邑白兰地让这个嗜酒如命的爱尔兰人非常满意。他滔滔不绝地讲了太多话，他心里也清楚，自己总是这样，但他控制不住。过去厄克特总是让他紧张，党鞭长先生给人的感觉总有些冷淡矜持，而且有一次还听到他说自己是个"搞营销的跳梁小丑"。但他确实是个很善于细心倾听的主人，就算面前这个人控制不住地高谈阔论。现在两人坐在小隔间巨大的裂皮扶手椅中，旁边是斯诺克桌。没人来玩斯诺克时，这里安静又无人打扰，是会员与客人谈话的好地方。

"跟我讲讲，罗杰。现在选举结束了，你有什么打算？你还打算待在党派内部吗？你这样的人才走了，我们可担不起损失。"

奥尼尔的脸上绽放出又一朵胜利的微笑，踩灭了正在抽的烟，希望能很快得到一支上乘的哈瓦那雪茄。他向午餐会的主办人保证说，只要首相需要他，他就一定待着不走。

"但你怎么生活呢，罗杰？我这样说可能有点儿太莽撞了。但我知道党派对雇员一向吝啬，选举之后钱一向更紧张。未来几年日子可能会很难过。你不会加薪，预算也会被削减。总是这样的，我们这些政客啊，典型的鼠目寸光，只知道看钱说话。外面肯定给了你很多好的去处，你难道不动心？"

"这个嘛，生活不总是轻而易举的，弗朗西斯。正如你猜测的那样。薪水的确不多，你明白的。我选择在政坛工作，是因为我真的为之着迷，希望能成为其中一员。但如果预算被削减了，那可真是悲剧啊。还有那么多工作要做呢！"他脸上的笑容很灿烂，双眼放射着光芒，但考虑到厄克特刚才那番话，眼神里又有了点慌张和骚动。他拿着酒杯，变得有些坐立不安。"我们现在就应该开始为下次选举做准备了。特别是在那些荒唐的谣言满天飞，说什么党内出现分歧这样的鬼话的情况下。我们需要一些积极的宣传，这样我就需要足够的预算啊。"

"说得有道理。主席接受你的意见吗？"

"有哪位主席接受过吗？"

"罗杰，这事儿也许我能帮上点忙。我很想好好帮帮你，非常想。如果你愿意的话，我可以跟主席去交涉一下你预算的事。"

"真的吗？那你真是好得让我吃惊啊，弗朗西斯。"

"但有件事情我必须先问问你，罗杰。而且我要直截了当地说。"

厄克特比罗杰年长，他那双冷若冰霜般的眼睛直视着奥尼尔，看到对方双眼中那习惯性的闪烁。接着奥尼尔大声地擤了擤鼻涕。厄克特知道这是另一个习惯，就像他还喜欢敲打右手的食指和中指一样。就好像奥尼尔心中还有另一个性格，与整个世界格格不入，只是通过奥尼尔这些类似于多动症的习惯和不时抽搐的眼睛来表现自己。

"前几天有个我当市长时的老熟人来访，罗杰。他是我们用的那个广告公司的一个财务管理。他特别苦恼，当然很谨慎，但是看起来心事重重。他说你已经养成了习惯，总是向公司要很多钱来支付自己的开销。"

双眼的抽搐停顿了一会儿，厄克特心想，奥尼尔全身都没动弹，这可真少见。

"罗杰，我向你保证，这不是我下的套，也不是想戏弄你。这件事绝对只有你知我知。但如果我要帮你，那就得明确知道这些是不是事实。"

面前这张脸和眼睛又开始活泛起来。奥尼尔那时刻准备着的大笑又略带紧张地出现了，"弗朗西斯，我向你保证，没什么问题的，完全没问题。当然我这样做是傻了点。但很感激你跟我明说。很简单，有时候我会有些宣传方面的支出，走公司的渠道比报到党内更容易一些。比如给记者买杯喝的啊，或者请党派的捐助人吃顿饭什么的。"奥尼尔语速飞快地解释，明显是事先排练过的。"你看看，要是我自己出钱，就得跟党内报销了。报下来的速度有多慢你也知道，至少两个月呢！你知道走的这些流程和效率，好像支票上的墨水永远也干不了似的。坦白说，像我的薪水和这样的报销，我可负担不起。所以我就走公司这条路。我立刻就能拿到花出去的钱，他们就从自己的账户进行开销。这就好像党派为他们提供了无息贷款。与此同时我又顺利地开展了工作。花费的量是非常少的。"

奥尼尔伸手拿酒杯，厄克特则摸着手指，看着眼前这人将杯中物一饮而尽。

"过去十个月花了两万两千三百英镑，这挺少的，是吧，罗杰？"

奥尼尔一下子噎住了。他拼命喘着粗气，脸上的表情非常扭曲，一边忙不迭地解释，"绝对没那么多！"他抗议道。他的下巴往下吊着，看得出来是在憋着劲思考接下来该说什么，这样的解释他事先可没排练过。奥尼尔浑身扭曲，就像落尽蜘蛛网的苍蝇。而厄克特这张网更

64

大更密更软，他毫无生还的可能。

"罗杰，从去年九月初开始，你一直在向公司报销支出，但没有明确指出开支的用途，的的确确是两万两千三百英镑。之前还是一笔笔小钱，最近开始变成一个月四千英镑了。就算是竞选期间，你也不可能招待那么多人喝酒吃饭。"

"我向你保证，弗朗西斯，我报销的任何开支都是正当的！"

"可卡因很贵啊，是吧？"

奥尼尔滑溜溜的双眼恐惧地呆住了。

"罗杰，作为党鞭长，我对男人遇到的所有问题都很熟悉。我必须得处理打老婆、通奸、诈骗、心理疾病等一系列问题。我还曾经解决过乱伦的破事儿。这没什么大不了的，那人在重选时就被踢出去了。这是当然的啦。但如果闹到公众那里去，对大家都没什么好处。所以你几乎从来没听说过这些事吧。乱伦这种事我可能得略施惩戒，罗杰，但基本上其他事情我们不会进行说教。在我心里，每个男人都有放肆一次的权利，只要不被外界知道就行。"

他略作停顿，奥尼尔眼中又开始那种似有若无的闪烁，这次满含着绝望。

"我手下的一个初级党鞭是个医生。我招他进来就是为了帮我看看谁身体有什么不对劲的。毕竟，我们有三百多个议员需要照顾，所有人都在巨大的压力下生活。如果我告诉你有多少人嗑药，你会很惊讶的。我们把这些人送到多佛郊外一个完全与世隔绝的美丽农场，有时候送去呆上几个月。大多数人完全戒掉了，有一个甚至还是位部长级官员。"他往前斜了斜身子，两人离得近了些，"但如果早发现还是更有好处的，罗杰。可卡因最近成了个让人头疼的难题。他们告诉我这是一种流行，我可不知道是什么意思。而且拿到可卡因太他妈的容易了。他们说，能让聪明人越发聪明。真遗憾这东西让人上瘾，而且还很贵。"

说这番话时厄克特一动也不动地盯着罗杰。眼前这个男人正在经历极大的痛苦，仿佛被凌迟处死那样难受。厄克特觉得这种感觉很美好和很迷人。奥尼尔双手颤抖，嘴唇大张着，却无法说话，这让他对之前医生诊断结果仅存的一点疑惑一扫而空。终于，奥尼尔带着呜咽声说话了。

"您在说什么啊？我不是个瘾君子。我才不嗑药呢！"

"不，你当然不啦，罗杰。"厄克特拿出自己最让人放心的声音，"但我觉得你必须接受现实，可能有些人看见你就会草率得出最糟糕的论断。你也知道，首相先生，尤其是在现在这种心情下，可不是个能够冒险的人。相信我，这可不是不分青红皂白就草菅人命，只不过是想过安静一点儿的日子罢了。"

"亨利不会相信这些鬼话的，你肯定还没告诉他吧……"奥尼尔大口喘着气，好像正在与一头烈性的公牛搏斗。

"当然没有啦，罗杰。我想让你把我当成朋友，但是党主席他……"

"威廉姆斯？他说什么了？"

"关于毒品吗？什么也没说。但恐怕我们亲爱的勋爵并不是特别喜欢你。他和首相走得那么近，这对你可不利啊。他觉得选举结果不太好是你的责任，不是他的。"

"什么？！"这个词一出喉咙就变成一声短促的尖叫。

"别担心啊，罗杰，我帮你说好话了。没什么好怕的，只要你背后有我支持。"

厄克特很清楚自己在做什么，他深知一个吸食可卡因的瘾君子脑子里充满了偏执和妄想。也知道他刚才编的那个关于主席不喜欢奥尼尔的故事会对他脆弱的神经产生什么样的影响。这人渴望名利，只有首相一贯的支持才能帮助他达成目的。他不能失去这最宝贵的财富。"只要你背后有我支持。"这句话回荡在奥尼尔的脑海里。"走错一步，你就死定了。"这是画外音。那张恐惧的蛛网开始收缩，要将奥尼尔包裹住。现在时机正好，给他个逃生的出路吧。

"罗杰，我亲眼见证过流言蜚语毁掉了很多人。威斯敏斯特的走廊简直就是杀人现场，尸体横陈啊。要是你仅仅因为泰迪·威廉姆斯不喜欢你，或者人们对你开支安排的误解，或者你的——花粉症而坐上冷板凳，那可真是悲剧啊，我也不会原谅我自己。"

"我该怎么办？"奥尼尔的声音期期艾艾的。

"怎么办？罗杰，你不用办什么啊，我的建议是你完全相信我就好了。你需要一个处于党内核心圈子的有力支持者。特别是现在这种关键时刻，水面逐渐在上升，首相的船在进水，如果能救自己，他肯定想都不想就会把你这样的人抛下船去。那样的人觉得你充其量只能算是一件压舱物罢了。"

这番话收到了预想的效果，奥尼尔在椅子里痛苦地翻滚着，盲目地啜饮着早已空空如也的水晶酒杯。老皮具在他身下发出摩擦的响声。厄克特略作停顿，把所有细节都看在眼里。

"帮帮我，弗朗西斯。"

"我请你来就是为了帮你，罗杰。"

面前的男人终于泣不成声，眼泪顺着双颊滑落下来。

"我不会允许他们把你这样一个能干的人才排挤出去的，罗杰。"他听起来好像牧师正在朗诵上帝的赞美诗，"你花的每一分钱都是正当的，我会这样转告公司。我还会建议他们继续做这样的安排，并且严格保密。不然党内有些想削减公关预算的人会嫉妒的，这对我们一点好处都没有。但还有更多的事情要做，我们要确保首相对你所做的那些优异成绩和努力工作知道得一清二楚。我向他建议，如果想要熬过未来艰难的几个月，那么就不要放松警惕，继续保持高水平的竞选宣传。你的预算也不会削减的。你也就安全了，罗杰。"

"弗朗西斯，你知道我会万分感激的……"奥尼尔激动得口齿不清。

"但我是需要回报的，罗杰。"

"尽管开口，我肝脑涂地。"

"如果我要做你的后台，那你就得告诉我党派总部发生的每一件事情。"

"没问题。"

"特别是主席的一举一动。他是个野心勃勃的危险人物，一边向首相表忠心，一边打着自己的小算盘。你得做我的耳目，罗杰。只要你一听到主席那边的风吹草动，就要马上来通知我。这样你的前途就有保障了。"

奥尼尔伸手拭去眼角激动的泪水，还擤了擤鼻涕，手帕上沾满了恶心的液体，一团糟。

"罗杰，你和我必须同舟共济。你必须得帮我带领全党迎接未来的艰难时光。你可是桥上的荷雷西奥 ① 啊。"

"弗朗西斯，我真不知道该怎么感谢你。"

"你会知道的，罗杰，你会知道的。"


门猛地关上了，莫蒂玛回来了。她急匆匆地跑上楼，在每一个房间寻找厄克特，直到发现他站在屋顶平台上，越过茫茫的伦敦夜色，眺望着议会大楼南端雄伟壮观的维多利亚塔。燥热的街道托升了向上的空气，在高处形成一阵微风，联合王国的米字旗迎风招展。议会大楼看上去好像一个蜂巢。厄克特在抽烟，这可真少见。

"弗朗西斯，你还好吗？"

他转过身，有些讶异，好像对她回家这件事情略感意外。接着又转过身，越过威斯敏斯特此起彼伏的房顶，看着维多利亚塔。

"你打电话说发生了点事情，我以为你病了。你吓着我了，而且……"

"他们把查尔斯一世的死刑执行令放在那个塔里了，还有《权利法案》，以及五百多年前的《议会法案》。"他自顾自地说着，仿佛没有听到她的话，也没注意到她的担心。

---

① 这句话来自一个人站在桥上孤独奋战的罗马勇士 Horatius Cocles 的故事。公元前 6 世纪，受到伊特鲁丽亚军进攻的罗马不得不毁掉台伯列河上的桥来阻止敌军。荷雷西奥独自一人站在桥头奋战，直到和桥共同坠入河流，而他却得以生还。

"发生了什么事情。"她走近他，挽起他的手臂。他的眼睛仿佛被幽灵和幻想攫取了，在夜色中的某处看到了自己才看得到的前景。

"如果竖起耳朵听听，莫蒂玛，你就能听见那些大门外激动的民众在呼喊哭泣。"

"你能听见吗？"

"我能。"

"弗朗西斯？"她的声音仍然因为关切担忧而颤抖。

这时他才回过神来，握紧了她的手，"你这么着急地赶回来真好。对不起让你担心了。我没生病，我很好。事实上我很久没感觉这么好了。"

"我不明白，你没能得到调动，觉得很失望。"

"任何事都不是永久的。伟大的帝王不能永坐王位，更别说所有能力不强的首相了。"他的语气中满含不屑，说着还把手里的香烟递给她。她深深吸了一口，吞云吐雾。

"你需要一些帮助。"她轻声说，把香烟还给他。

"我想我已经找到一些人了。"

"比如你提过的那个年轻的记者？"

"也许吧。"

有那么一会儿她没说话。两人站在黑暗中，默默分享着夜色，楼下川流不息的车流和人群传来的含混不清的声音，空气中弥漫着阴谋的味道。

"她会忠心耿耿吗？"

"你指望记者会忠心耿耿？"

"你必须得牢牢管住她，弗朗西斯。"

他目光敏锐地看着她，脸上浮现出薄薄的笑容，又迅速消失了。这可不是什么幽默笑话，"她太年轻了，莫蒂玛。"

"太年轻？太漂亮？太能干？太有野心？我不这么认为，弗朗西斯。你这样的男人管得住她。"

他的笑容回来了，这次显得更有温度，"就像过去很多次那样，莫蒂玛，我欠你的。"

她比他小十二岁，还充满青春活力，虽然随着时间的流逝体重略有增加，但更显得优雅高贵。她是他最亲密的伙伴，他唯一敞开心扉，能够无条件相信和依赖的人。当然，他们俩有各自的生活。他在威斯敏斯特机关算尽，而她……嗯，她喜欢瓦格纳的音乐。他则一直不怎么感兴趣。她有时会消失好几天，和其他人到国外去旅行，分享骑行的乐趣。他从未怀疑过她的忠诚，她也从未对他起过任何疑心。

"这不是什么容易的事情。"他说。

"失败的滋味可更不好受啊。"

"有什么限制条件吗？"他问道，语气尽量放得轻柔。

她踮起脚，吻了吻他的脸颊，然后回到房间里，把他留在苍茫的夜色中。

# 十

　　我有个旧相识，记忆力衰退得厉害，他把一幅霍华德·霍奇金①的画作反着挂了三年，都没意识到，而且还完全忘记了这件事。然而，有人还记得他是泰特美术馆的财产委托人呢。他从来都没干过这工作。当然，他后来当上了艺术部长。我想知道，那之后他怎么样了呢？

## 六月三十日　星期三

　　下议院内部的"陌生人酒吧"只有一个小小的嵌板间，这里可以找到很多安静的角落，俯瞰泰晤士河。而下院议员们可以将他们的"陌生人"或非会员的客人带到这里来坐坐。这里常常人满为患，喧哗吵闹，谣言满天飞，到处都是议论纷纷的人。有时候一言不合，还会起肢体冲突。有的政客从来就没酒醒过。

　　奥尼尔用一只胳膊肘支撑着吧台，另一只努力不去把"今日金主"手里的酒杯打翻。"再来一杯？史蒂夫？"他问这个穿得整洁干净的同伴。

　　史蒂夫·肯德里克是新当选的反对党议员，还没怎么搞清楚状况。从这人身上能看出相当复杂的信息。浅灰色阿玛尼马海毛西装和珍珠白的衬衫袖口，与修剪得完美无瑕的手中握着的那杯一品脱的苦啤形成鲜明对比。"您比我明白啊，初来乍到的人不能在这儿喝酒。不管

---

　　① 英国著名画家、版画家。

什么样，我到这个地方才几个星期，要是被别人发现我和首相钟爱的爱尔兰狼犬相处太久，那就惨了，我可不急着毁了我的职业前途啊。我有些特别教条主义的同僚，可能会觉得我这是叛党变节呢。再喝一杯，就是我的极限啦！"他灿烂地笑着，向女酒保眨了眨眼。两人面前又出现了一品脱苦啤和一杯双倍伏特加。

"你知道的，罗杰，我自己还有点不敢相信呢，以为在做梦。我从来没妄想过能到这里来。根本不知道这到底是个美梦，还是个糟糕的噩梦。"他的声音里带着一种布莱克本地区后街般的厚重，"命运真会开玩笑，是不是？七年前，我们在那个小小的公关机构一同卖命时，谁能想到你现在能成为首相的喉舌，而我会成为反对党最新和最有才华的议员呢？"

"我俩以前轮番上的那个接线员肯定想不到。"

"亲爱的小安妮啊。"

"我记得她叫詹妮吧。"

"罗杰，我从来不知道你还记得她们的名字呢。"

几句轻松的戏谑终于让气氛活跃起来。奥尼尔给这位新议员打电话提议一起喝一杯的时候，两人都发现很难找到旧日那种轻松熟悉的感觉了。头几杯的时候，两人的话里一直有些绵里藏针，尽量避免说到现在已经占据了他们主要生活的话题——政治。现在场子热了，奥尼尔决定行动了。

"史蒂夫，就我个人来说，你整晚请我喝酒都没问题。我的天哪，现在我那些主子们把我逼得，就算是圣人也会来借酒浇愁吧。"

肯德里克对这个开场白照单全收，"真他妈一团糟，太他妈快了，这是肯定的。你那边好像优势是没那么明显了，没那么灵活了。我的上帝，我简直不能相信外面传的那些话。塞缪尔特别生威廉姆斯的气，因为他让他和首相给杠上了；威廉姆斯也生科林格里奇的气，因为他把竞选给搞砸了。科林格里奇对所有人、所有事都生气。这出戏真是太他妈好看了！"

"他们都累得不行啊，等不及地要去度个假了。还在吵架说车里放什么东西呢。"

"老朋友，我下面说的话你可别介意，但你那主子可得赶紧把这架吵完，再让其他人也闭嘴啊。我是初来乍到的新人，但我也知道，这样的谣言一开始就没完，长了翅膀飞得特别快。传多了就变成事实了。当然啦，这时候就需要你和你那万能的宣传机器来当救火队员啦。我觉得你们就跟山那边拯救了盟军的第七骑兵团 ① 似的。"

"可能更接近卡斯特的最后据点 ② 吧。"奥尼尔带着一点苦涩叹道。

"怎么啦，罗杰。泰迪叔叔偷走了你所有的玩具士兵还是怎么着？"

奥尼尔猛烈地甩动了一下手腕，喝光了杯中的酒。肯德里克的好奇心打败了警惕性，又喊了另一轮酒。

"史蒂夫，既然你问了，我就说吧。也就是对你这样的老朋友我才说。我们那个徒有虚名的主席老头子决定绕过障碍，躲到后面去。我们现在正是需要浴血奋战的时候啊。"

"啊，我们的宣传处处长不高兴了吧，向我诉苦，是因为那人告诉你歇业一段时间啊？"

奥尼尔恼羞成怒地把杯子重重放在吧台上，"我可能不该跟你说这些。但你应该很快就会知道了。你知道我们选举的时候承诺好的医院扩展计划吧？就是那个政府和当地集资都出钱的事儿？很棒的主意啊。我们准备好了一个美妙的宣传策划，要在整个夏天投放。你们这些'工人阶级'的混蛋还不知道在哪儿轻松度假呢。"

"但是呢？"

"你猜也猜得到这个计划是搞不成了，对吧？我这边'万事俱备，

---

① 美国陆军骑兵团，参与了美国历史上很多著名战役。

② 美国著名历史事件。1876 年，陆军中校乔治·阿姆斯特朗·卡斯特率领第七骑兵队在小巨角河攻打由苏族、夏安族以及阿拉帕霍部落组成的印第安人联盟，美国陆军伤亡惨重。在尘土飞扬、染满鲜血的山丘上，卡斯特及其军队最后的幸存者面对步步逼近的印第安游牧部落，一直战斗到最后一秒钟。

只欠东风'了,史蒂夫,只待一声令下就可以放出去了。你们这群家伙十月份收拾好行李,离开海滩回来的时候,我早就已经征服了全国边缘席位①那些选民的心灵和思想了。我们把这个活动全安排好啦。广告啊,一千万分传单啊,直接信件宣传啊。'治愈医院,恢复健康。'但是……那个老混蛋撤资了。一切都白费了。"

"为什么呢?"肯德里克带着抚慰的语气问道,"选举之后钱比较紧张?"

"这就是最他妈可笑的地方,史蒂夫。预算准备好了,而且传单都印刷好了,他就是不许我们去发。今天早上他刚从首相那里回来,就告诉我这事儿没戏了。他们简直都疯了。他居然还问我,那些他妈的传单明年发会不会过时。真是太外行了!"

他又喝了一大口伏特加,直直地看着杯底。奥尼尔暗暗祈祷,自己刚刚说的话符合厄克特的指示。之前他告诉他,别显得太背信弃义了,只是表现一下专业方面的怒气,再表现得是借着酒劲说了点狠话。他仍然还有些摸不着头脑。他完全不明白厄克特为什么让他捏造一个完全虚假的故事和一个从未存在过的宣传活动在"陌生人"酒吧传播。但如果这样能把威廉姆斯搞得一团糟,那他就会全力去做。他把酒杯里那片柠檬搅得团团转,发现肯德里克意味深长地看了他一眼。

"罗杰,到底怎么了?"

"老朋友,要是我知道怎么了就好了。这真是太他妈神秘了。真他妈的一个烂摊子。"

## 七月一日　星期四

下议院相对来说比较现代。"二战"时德国空军投下的炸弹没打中目标港口,而是误中了议会所在地。战后这里就进行了重建。然而,

---

① 在选举中仅以微弱多数票决胜负的席位。

尽管这座建筑比较年轻，气氛却像流转了好几个世纪。如果你在空空的下议院大厅，找个角落边窄窄的绿色长凳安静地坐下，那种新鲜感就悄然退却了，整个大厅开始回荡起查塔姆、沃波尔、福克斯和迪斯雷利[①]等鬼魂的脚步声。

在这里没有任何方便可行，只能削减了脑袋往里钻。六百五十个议员，这里只能坐下四百个。开会的时候，议员们一般都得忍受长凳后面安装好的老式扬声器，有时候不自觉地滑到一边，看上去睡得很香。

这里的设计是以最早的议会所在地圣史蒂芬教堂为基础的，看上去两边就像会站上一排排的唱诗班少年。但现代化的布置中，看不出任何天使般的美好。议员们带着满满的敌意面对着彼此，好像跟对面的人有深仇大恨似的。地毯上有一条条一剑长的红线，隔开他们之间的距离。这种分隔方法有点误导他人，实际上，最迫在眉睫的危险，从来都没有一剑长，绝不可能来自背后的长凳。

几乎所有首相的结局都是被千刀万剐，大卸八块，血淋淋地从宝座上被赶下来。超过一半的政府执政党成员都觉得自己能成为优秀得多的首相。那些黯然离职的，还有从未做过什么工作的，就坐在首相背后，恨恨地打量他或她的肩胛骨有多宽，需要用什么刀才杀得死。无情而残酷的压力日日阴魂不散。每周首相都要参加"首相质询时间"，接受多党议员的质询。这一传统让每一届首相都厌烦透顶。原则上，这给了议员们一个机会，从女王陛下的政府领袖那里得到一些信息；而事实上，质询现场极度混乱和"血腥"，每个人都争相"逃生"，这哪里是议会民主的理想世界，简直可以和古罗马暴君尼禄及克劳狄的斗兽场相比。反对党成员提出的问题根本就懒得寻求什么信息，他们寻求的就是狠狠的批评，给首相搞破坏。这个根本不能胜任首相的混蛋能有多远滚多远吗？他们常常说类似的话。类似的，首相给出的

---

① 都是英国政治家。

回答也很少包含有效的信息，而是报复和回敬刚才受到的侮辱与痛苦。而首相总是做最后发言的人，这样一来他们就在争锋中占了优势，就如同被允许进行最后一击的角斗士。这也是首相基本上都会赢得舌战的原因。那些这样都没赢的首相可能很快就要完蛋了。自信的微笑后面，往往就藏着迫在眉睫的紧张和恐惧。麦克米伦生了重病，威尔逊辗转难眠，撒切尔夫人情绪失控。而亨利·科林格里奇可一点儿也比不上这些人啊。

奥尼尔在陌生人酒吧高谈阔论一晚上的第二天，首相过得不是很顺。唐宁街的新闻秘书长因为孩子们出水痘而情绪低落，因此每天例行的新闻吹风会质量欠佳。而且，不耐烦的科林格里奇还遇到更讨厌的事，这会居然推迟了。而内阁成员按照每周四的规矩上午十点准时集会，结果开会时间却云里雾里地被延后了。因为财政大臣要求最高领导就一些问题给出一些解释，虽然没有指名道姓地批评科林格里奇，但他质问说，政府的多数席位减少，怎么减弱了金融市场的走势，这样一来，这个财务年就不可能实施选举时拍着胸脯保证的医院扩展计划了。首相应该及时出面控制住这样的讨论，但没能成功，大家七嘴八舌，越说越乱，最后尴尬收场。

"真遗憾啊，也许财政大臣当初真的应该谨慎些，别放任我们满嘴跑火车乱许承诺的。"教育秘书长语带讽刺地评论道。

财政大臣咕咕哝哝地抱怨说，选举结果比股市上那些玩世不恭的家伙预测的还糟糕，但这不是他的错。刚一说出这句话他就后悔了。科林格里奇想努力让大家团结一致，当场示意卫生部秘书长为计划的改变准备一份合理的解释。会上还做出决定，计划的改变将在两周内向公众宣布，就在议会休会之前的最后一个星期。

"让我们共同期待，"已到古稀之年的大法官开了口，"那时候大家的关注点都已经集中在消暑上了。"

这样一来内阁会议就多开了二十五分钟，这就意味着，首相接受官员们质询的时间也推迟了。他心烦意乱，下面的人在说什么，他一点儿也没听进去。他刚好在质询开始的时间前进了屋，但一点也不像平常那样全副武装，满心警惕。

但这好像没什么大不了的。科林格里奇兵来将挡，水来土掩，把反对党的问题一个个地挡了回去，自己党派的成员则为他喝彩欢呼。他对此应付得不甚精彩，但还算合格。这不过是司空见惯，例行公事罢了。负责主持议会各类会议的下议院议长看了眼时间，发现还剩一分多钟，觉得可以再来一轮质询，结束这次会议。议程表上的下一个问题来自一位新成员。议长觉得，这是个引进新鲜血液的好时机。

"史蒂夫·肯德里克！"他喊道。

"第六号，先生。"肯德里克略略站起来了一点，让他看清楚议程表上他名下的那个问题，"请问首相，您能不能列一下今天的官方活动。"这是个很空泛的问题。和第一个、第二个和第四个问题一模一样，之前已经回答过了。

科林格里奇迟缓地站了起来，看了看自己眼前讲台上已经展开的红色日程简报夹。他机械而乏味地读着。大家都已经听过很多遍了。"请这位尊敬的议员回想一下短时间之前，我对第一个、第二个和第四个问题给出的回答。"他之前的回答里说的都不过是和议会的同僚们开会，为来访的比利时首相主持晚宴之类的。在场的人都觉得首相一天的活动中没什么值得感兴趣的地方。但这个问题的意图远不止于此。礼貌性的提问已经结束了，战争就要开始。肯德里克从反对党议席上站了起来。

史蒂夫·肯德里克是个赌徒。他在某个产业中获得了极大的事业成功，导致他性格傲慢，目中无人。大家，也许除了他的前妻之外，都大跌眼镜地看着他押上自己的全部积蓄和豪华跑车去竞争一个无足轻重的议员席位。他并没有雄心勃勃一心要赢，毕竟，政府的多数优势还是挺明显的。但竞选这个位子能帮助他打出品牌名声，在社会和生意两方面都起到积极的作用。他花了好几个星期研读了一些公关行业杂志的头几页。在这样一个充满尔虞我诈，优胜劣汰的商业社会中，能够让杂志销量大增的，总是那些"有社会良知"的人。

三次数选票之后，确定他得了七十六票的多数票。这一点让他郁闷又震惊。做议员薪水会减少很多，私生活也会被置于严密监视之下，让人不得片刻安宁。而且下次竞选时他也很有可能被赶出这个队伍。所以有什么好主意的呢？他只求默默无闻混混日子，其他什么都不在意。

和奥尼尔一番谈话之后，肯德里克整个晚上都辗转难眠，今天上午也心事重重。那是个能赢得选票的政策，为什么要取消这个政策的宣传活动呢？真他妈的搞不懂，除非……除非不是宣传活动出了问题，而是政策本身出了麻烦。肯定是这样的，对吧，还能有什么事呢？或者说，他实在是资历太浅，弄不清楚状况？他越纠结于这些疑问，就越钻牛角尖。他是应该询问呢，还是应该直接指控呢？是应该提出问题，还是定罪声讨？他知道如果这一步走错了，他留给大家的第一印象和最后一个印象，都将是"下议院那个蠢货"。

在众目睽睽之下站起身时，他脑子里的疑惑仍然像大黄蜂一般嗡嗡嗡嗡地窜来窜去。议员们看出了他这短暂的犹豫，乱哄哄的会议厅渐渐静了下来。这个新来的议员是傻了吗？肯德里克深吸了一口气，觉得没有保持尊严的必要。他开始进攻了。

"请问首相先生能向议员们解释解释，为什么他取消了竞选时许诺好的医院扩展计划吗？"

没有批评，没有另一个问题，没有多余的言辞或是啰嗦的点评，首相根本没时间多想闪避的策略。这位新来的后座议员重新坐下了，人们开始窃窃私语。医院扩展计划？取消了？这游戏突然出现了有趣的大转向，三百双敏锐的眼睛齐刷刷地盯着科林格里奇。他轻轻跺了跺脚，突然觉得自己的大脑供血不足了。他知道红色日程简报夹里没有任何东西能给他回答这问题的灵感。没有什么借口了，也抓不住什么救命稻草了。风声走漏了，计划被窃取了，一切被毁了，他算是完蛋了。他空泛地笑了起来。你必须得这样做。只有那些坐得离他很近的人才能看到他紧紧抓住了讲台两边，透过皮肉能看到白森森的指节。

"我希望这位尊敬的绅士留意一下，不要被夏日度假的欢乐给冲昏了头。至少在八月来临之前还是要注意的。他是个新议员，那么我就利用这个大好机会，提醒他一下，过去四年来，在整个政府的管理之下，公共医疗卫生服务方面的花费显著增加了六到八个百分点。"科林格里奇知道自己的语气十分软弱，这简直不能原谅，但他找不到合适的言辞，还能怎么办呢？"我们成功地控制了通货膨胀，公共医疗卫生服务的发展比任何其他政府治下都要蓬勃，相比之下……"

肯德里克坐在后排较高处的绿色皮凳上，肯德里克目光灼灼地看着位于中心位置的那个男人。首相并没有直视他的眼睛，而是目光游移。他有点茫然了。"他妈的赶紧回答问题啊。"肯德里克咆哮道，他的北方口音使得这粗俗的行为显得可以接受，或者至少那么过分了。另外几位议员也附和起来。

"我会以自己的方式回答这个问题，也会自己来把控时间。"首相急促地说。反对党就算气急败坏满腹牢骚，也不用编造如此可悲的谎言吧？选民们自己已经做出了选择，就在不久前坚定把选票投给了政府，表示和我们站在一起。他们支持我们，我也再重复一遍，我们有坚定的决心，会保护他们和他们的医疗卫生服务。

反对党议席那边不同意的声音越来越大，有的还十分粗鲁。大多数脏话都不会被议会议事录记录在册。负责记录的人员有时候耳朵会巧妙地聋上一阵。但首相可是连每一个音节都听得清清楚楚。他自己这派的后座议员们开始不安地骚动起来，不太明白为什么科林格里奇不直截了当地重申实施政策的确定性，直接将住肯德里奇，让他闭嘴。

尽管背景如此嘈杂，令人心烦意乱，科林格里奇还是坚定地说了下去，"议会将会认识到……政府没有这个传统……不会提前讨论新支出计划的具体事项……我们会选择适当的时机，宣布我们的想法和决定。"

"你已经宣布了。你他妈的已经放弃了这个计划了吧，是不是？"纽卡索西部地区那个常常出言不逊的议员从下议院后座上激动地蹦了起来。他声音特别大，就连议会议事记录都无法否认自己听到了他的吼叫。

反对党前座上那些面孔露出胜利的微笑，总算是旗鼓相当了。他们的领袖就站在离科林格里奇不到两米的地方，转向离他最近的同僚，用威尔士语大声"耳语"道，"你懂的，我觉得他搞砸了。他要逃跑啦！"他摇晃起手里的议程表，所有的同僚也照着他做。看上去好像古时候的西班牙大帆船扬帆起航，准备战斗。

科林格里奇心中突然升腾起一种痛苦，这种痛苦是由成百上千次在议会的不幸遭遇累积而成的。这让他措手不及。他现在还不能坦白事实，但也不能欺骗议会，而且他找不到任何措辞，能够既不违背诚实原则，又能瞒天过海。他看着眼前洋洋得意的一张张面孔，听着此起彼伏的嘲弄，突然想起这么多年来他们告诉他的那一系列谎言，想起他们表现出的残酷无情，他们让自己的夫人流的眼泪。他紧盯着离自己不过两米远的那些扭曲的脸，耐心逐渐消失得无影无踪。他必须停止这一切，也不在乎什么做事方法和艺术了。他将双手举到空中。

"我不用听一群疯狗如此粗鄙的评论。"他咆哮道，坐了下来，好像刚刚逃出猎人陷阱的黑熊。

肯德里克抓紧时机，趁反对党这边胜利与狂怒的吼叫还没达到最高潮，他冷静地问道："议长先生，我有一个关于议事程序的问题。首相先生所说的话真是让人感到羞耻。我问的问题十分直接，就是想知道首相先生为何违反了竞选时的诺言，而我得到了什么呢，谩骂羞辱，躲躲闪闪。我理解首相先生不愿意承认他向所有的选区和人民撒下了一个让人抬不起头来的弥天大谎，但难道您就不应该做点什么来保护在座议员们的权利，让我们问一个直截了当的问题，就能得到直截了当的回答吗？我知道自己是初来乍到，但《贸易解释法》里肯定有关于这个的规定吧？"

反对党议席上赞同的声浪此起彼伏，在这一片混乱之下，议长必须提高分贝才能让大家听到自己的讲话："这位尊敬的议员也许是新人，但他好像已经对议会议事程序了解得非常清楚了。如此一来，他应该清楚，我对首相回答问题的内容和语气，以及向他提的问题都不负责任。讨论下一项！"

这边厢议长努力想把会议往前推进。那边厢涨红了脸的科林格里奇站起来，怒气冲冲地走出了会议厅，招手示意党鞭长跟他一起走。他身后响起一阵阵很不像议员的嘲笑和喊叫："懦夫！胆小鬼！"

政府的席位上什么反应都没有，大家都不安地沉默着。


"我的天哪，他到底是怎么知道的？那个狗娘养的到底是怎么知道的？"

首相办公室就在大楼的后面，门还没关严，首相就开始言辞激烈地骂起人来。女王陛下的这位首相通常显得十分温良恭俭让，如今这层文雅的面具被生生剥去，露出沃里克郡雪貂的本性。"弗朗西斯，这样真的不好，我告诉你这他妈真的太不好了。我们昨天才在内阁会议上拿到大臣的报告。整个内阁今天才第一次讨论这个问题，今天下午反对党的每个卑鄙小人就他妈全知道了。知道的内阁高官还不到两打，只有极少数的人知道底细。是谁走漏了风声，弗朗西斯？到底是谁？你是党鞭长。我想让你揪出那个混蛋，我要提着他的蛋把他挂在钟楼上示众！"

厄克特轻松地呼出一口长气。在首相爆发之前，他还不太清楚是不是责任的矛头早已经指向了他。他笑起来，当然是在心里。"这事我除了震惊没什么话好说了，亨利。真想不到，竟然有内阁同僚故意把这么重要的事情泄露出去。"他话里有话，故意忽略了低层行政走漏风声的可能，将怀疑的对象范围缩小到内阁的每一位同僚身上。

"不管该负责的人是谁，他都让我丢尽了脸。我想把他揪出来，弗朗西斯。我想——我坚持你把这害虫给我找出来。我想把他甩出去，千刀万剐。"

"亨利，我能作为你的朋友说句话吗？"

"当然啦！"

"自从竞选以来，恐怕同僚之中起了太多争执，很多人都觊觎着别人的位子。"

"他们都想坐到我的位子上来，我知道。但谁会这么——这么白痴，这么机关算尽，这么不顾一切把那样的消息泄露出去呢？"

"我说不好……"他故意迟疑了一下，"不能肯定。"

科林格里奇注意到了他的犹豫，"天哪，你就给我个有凭有据的推测吧。"

"这一点儿也不公平。"

"公平？你觉得刚才发生的事情很公平吗？我他妈就跟个邮筒似的被万人捅！"

"但是……"

"别跟我说什么但是，弗朗西斯！这种事情发生了一次就有可能，简直是一定会发生第二次。你可以直接控告，也可以给点暗示，管你喜欢什么样的方式。我们的时间很紧张，但我要你列点儿名字出来！"科林格里奇的拳头重重地捶在书桌上，阅读灯被震得跳了起来。

"如果您坚持这样做，那我就推测一下。您知道，我什么也不确定……我们就用演绎法来判断判断。考虑到时间问题，应该是从昨天的内阁会议成员中泄露的，而不是今天的全部内阁成员。您同意吧？"

科林格里奇点头表示赞同。

"除了你我之外，谁还出席了会议呢？"

"财政大臣、财政部秘书长、医疗卫生、教育、环保、贸易和工业。"首相一口气说出了与会的各位内阁成员。

厄克特沉默不语，科林格里奇不得不自己完成思考，"嗯，那两个管财政的不太可能，他们可不愿意透露出自己搞砸了的事实。但医疗卫生非常强烈地反对取消计划，所以保罗·麦肯基有泄露的理由，教育部的哈罗德·厄尔一向是个大嘴巴，而迈克尔·塞缪尔特别喜欢提高媒体曝光率，我可不太喜欢他这点。"

首相内心深处阴暗角落中蠢蠢欲动的怀疑和不安全感终于被拖出来，见了光。

"还有其他的可能性，但我觉得很小。"厄克特加入进来，"您也知道，迈克尔和泰迪·威廉姆斯走得很近。他们什么事都一起讨论。这消息有可能是从党总部放出来的。肯定不是泰迪，我打包票，他永远也不会……但那里的某个官员可能走漏了消息。其中有些人一辈子办事都不靠谱。"

科林格里奇沉默地想了想。"会不会真的是泰迪呢？"他陷入了沉思，"他一直都不是我最大的支持者，我们俩不同辈啊。但我可是从垃圾堆里把他提拔上来，让他成为核心团队的人员之一。他就是这么回报我的？"

"这只不过是个怀疑，亨利……"

首相重重地陷进椅子里，疲惫不堪，不想再做其他任何思考了，"也许我最近太依赖泰迪了。我以为他早就没有了锋芒，没有了野心，在上议院也没什么好争的了。他是我的老兵之一，我以为他很忠诚。我是不是错了，弗朗西斯？"

"我不知道。你只是让我猜测而已。"

"搞清楚，搞到确凿的证据，弗朗西斯。你需要做什么只管去做。我要揪出这个人，不管是谁。我要把他的蛋从耳朵眼儿里拽出来，我要让整个威斯敏斯特都听到他的尖叫。"

厄克特点点头，像个仆人那样顺从地垂下眼睑，不想让首相察觉到自己眼中舞动的喜悦。科林格里奇宣布"捕猎开始"，厄克特好像又回到了荒原之上。他的双脚坚定稳当地踩在草上，等着鸟群起飞，好开弓放箭。

# 十一

克里斯托弗·哥伦布真是让人失望透顶。驾船出发时，他对自己要去哪里一无所知，等到了地方又对自己在哪儿一无所知。如果你想去惹原住民，还是待在家里的好。

## 七月十六日 星期五至七月二十二日 星期四

在下议院工作可能会让你兴奋激动，有时候还能创造历史。但很遗憾，通常情况都不是这样。通常情况就是一团糟。工作时间太长，工作任务太重，时时刻刻都需要曲意逢迎满脸堆笑，几乎没有机会休息调整和释放压力。所有这一切都让议员们心中那个长长的暑假变得像久旱逢甘霖，沙漠遇绿洲。等待暑假的过程中，议员们的耐心越来越少，脾气越来越急躁。休会前的那几天，厄克特在下议院的走廊和酒吧中走了一走，想提振一下士气，平复疑惑不安的心情。很多政府的后座议员们，都很忧虑科林格里奇越来越勉强不佳的表现。士气这东西，崩塌很容易，要重振却很难。有些资历很深的议员觉得厄克特可能有些用力过猛了。他鞠躬尽瘁，死而后已地工作，让很多人意识到，首相虽然不得不亲自一个猛子扎进波涛异常汹涌的水中，但如果这是党鞭长的错，那基本上大家也认为这是绝对忠诚的表现，有时候，就连这忠诚也显得太过了。但这些东西又有什么关系呢？法国南部的微风在大家心中吹拂着，而那里的海浪很快就将冲走脑子里这摊议会的浆糊。

八月是个安全阀。所以政府有个秘诀，就是在假期到来之前的三伏天宣布有争议性的重大决定，这样一来，一切就淹没在度假的声浪中了。通常，这些决定的细节会以书面答卷的形式悄然地出现在卷帙浩繁的官方议会议事录中。这表示此时已经开诚布公并清楚明白地做了公开的记录。但此时大多数议员都在整理办公桌，努力回想自己把护照藏到哪儿去了。就算有那么一两个人注意到了其中这些细节，也几乎没有时间和机会好好闹上一场。那上面记录的就是事实，完全的事实，除了事实再无其他——只要你小心翼翼地读过那些小号的字体。

所以说，国务大臣书面答卷草稿的影印版在计划出版日期的前十天就被发现实在是一件不幸的事情。这份影印件就躺在安妮酒吧的一把椅子下面，那里是议员们和记者们聚到一起"家长里短"的地方。更为尴尬的是，书面答卷中宣布了要强制削减英国地方自卫队的计划，因为地方自卫队与政府在核领域的计划之间已经越来越没什么关系了。而让这个事件更微妙更奇怪的是，草稿的第一发现者是《独立报》的议会记者。人人都喜欢和尊重这位记者，他深谙如何在报道时去求证和切入。所以，四天以后，就在暑期休会前那个工作周的开始，相关的报道出现在该报头版显著位置时，大家都知道这是很可靠的。原本可能是谁的无心之失，现在开始引发骚动和混乱。

发起报复和惩罚的人可不同于往常。虽然地方自卫队并不是什么一日万金的职业，但成员很多，影响力极大。有很多有头有脸的精英人物都是其中的议员，地方选区的政党中，很多高层人士都会在名字后面骄傲地加上一个缩写"TD"，这代表在地方自卫队服役。他们一定会拼尽全力对此事口诛笔伐，保住自卫队的。

所以，当议员们聚集起来，和下议院领袖处理休会前的最后一些事情时，空气中的沉重感并非仅仅因为仲夏的暑气，更多的是议员们对政府背信弃义的指责，还有人情绪激动地要求改变政策和方向。几乎所有这些都来自政府的议席。反对党大都懒得动弹，只是坐在位子上，就像凶猛而慵懒的罗马狮子，看着基督徒自相残杀①。

此时挺胸站立着的，是加斯帕·格兰杰爵士，他是大英帝国勋章获得者，治安官，当然也是一名光荣的自卫队员。尽管空调制冷不太够，这位老者还是不愿意降低个人的标准，他骄傲地穿着厚重的三件套正装，打着一条精心熨烫过的军服领带。他是位资历很高的后座议员，也是大家推选的后座防卫委员会主席，他的话分量很重。

"这样的削减实在没有必要，而且会造成很深的伤害，我尊敬的同僚们提出了这一点，请允许我再回到这一点上来。领袖大人难道就不考虑考虑他自己的支持者，以及这件事情对他们造成了多么大的感情创伤吗？"他越说越气愤，嘴角堆起了白白的泡沫，"他难道没有想过，这一削减会在未来几个月对政府造成什么样的损失吗？他难道就不能给议会一点时间，就这件事情进行辩论，对决定进行一定程度的修改吗？如果他连这都做不到，那么他就无法招架对他不诚实的指控，灰溜溜地离开政府；就如同他无法招架那些烧杀抢掠之徒，总有一天将离家弃国。"

两边都传来喝彩与支持的喊叫，只有政府前座的高层们没有反应。下议院领袖西蒙·罗伊德挺直了身板，再一次做好走上讲台的准备。他觉得讲台应该用沙袋稳扎稳打地垒起来。他是个脾气很好的人，很难触到他的"底线"，但过去这二十分钟实在太让人难以忍受了。他心里的怒火也熊熊燃烧起来，他发现自己之前准备好的回答越来越无法保护他，因为自己人都开始肆无忌惮地朝他开火了。他很高兴首相先生、国务大臣就与他一起坐在前座。他凭什么要独自承受这样的痛苦？在回答问题时，他不断交换着承重的脚，实在是太累人了。

"我尊敬的同僚没有看到关键问题。发表在报纸上的文件是偷窃的政府财物，是偷窃的！这件事情比文件本身更严重。如果要就任何事情进行辩论，就应该辩论如此不道德和不诚实的恶劣行径。他是个

---

① 在基督教早期受到的迫害中，曾有古罗马把基督徒喂给狮子的酷刑。

荣誉等身，资历很深的人。坦白说，我本以为他会和我一起，全心全意地来指责对重要政府文件的偷盗行为。他必须认识到，喋喋不休地重复文件中的细节，等于宽恕这重大的偷窃行为。"

有那么一瞬间这回答听起来还挺有道理，但加斯帕爵士迅速站起来，请求继续阐述。一般情况下这请求是不会被允许的，但今天可不是一般情况，在整个议事厅不断挥舞的议程表之中，议长同意了爵士的请求。这位老兵尽最大努力挺直了身子，后背直直的，胡子直竖，因为纯粹的愤怒而涨红了脸。

"没抓住重点的是我这位位高权重的尊敬同僚。"他的声音如雷神咆哮，"他难道没弄明白，比起和俄国士兵同床共枕，我更愿意和英国小偷做朋友。这个政策对我们就是个威胁，我们很可能会引狼入室，让外敌有机可乘！"

欢呼与赞同之声掀翻了屋顶，议长用了整整一分钟才让大家安静下来。在这段时间内，议员领袖转过头，向首相和国务大臣投去绝望的一瞥。三人头碰头地商量了一会儿，之后科林格里奇对下议院领袖略一点头，再一次慢慢站起来。

"议长先生，"他开口道，接着停下来清了清已经干燥无比的喉咙，"议长先生，我的尊敬同僚和我都仔细地倾听了议员们的心声。综合各位议员提出的种种意见，首相先生和国务大臣先生允许我宣布以下决定，政府将重新审视这个重大事件，看看……"

其他人好像对他要"看看"什么全然不感兴趣。他接下来的话被惊人的尖叫声打破了。他这是在举白旗投降呢。同僚们纷纷欣慰而敬佩地拍拍加斯帕爵士的后背，反对党的嘲弄和揶揄此起彼伏。议会记者们奋笔疾书。在所有人的喧哗与骚动，疑惑与不解中，亨利·科林格里奇独坐一隅，就像一个被遗忘的缩水玩偶，呆呆地盯着自己的袜子。

"我们这儿搞得跟烤人肉似的，简直他妈的外焦里嫩啊。"联合社的曼尼·古德柴尔德大声地说。此时玛蒂正努力挤过议事厅门外大厅里熙熙攘攘的人群走进来。每个角落都有人在争论：反对党成员洋洋得意，觉得自己赢了。而政府支持者们明显底气不足，只是虚弱地争辩说这是人情与道德的胜利。但大家都认为自己刚刚目睹了一位首相最为痛苦和尴尬的时刻。

玛蒂继续寻找着她的目标猎物。在一片混战中她看到了身材高大的厄克特。他的脸上有石头一般坚毅的轮廓，快速地走着，拒绝回答几位激动焦虑的后座议员提出的问题。他随手打开一扇门，消失在门后。玛蒂追着他跑了出去，发现厄克特正三步并作两步地踏上通向楼上走廊的大理石台阶。

"厄克特先生，"她一路追着匆忙逃走的党鞭长，上气不接下气地喊道，"求您了，我需要您发表点看法。"

"恐怕我今天没什么看法，斯多林小姐。"厄克特回头甩下一句回答，并没有停下。

"哦，我们不是又要玩'党鞭长拒绝支持首相'的游戏了吧？"

突然间厄克特停住了脚步，转过身，面对面地看着大口喘着粗气的玛蒂。他眼睛放光，但却没有丝毫轻松幽默之意。"是的，玛蒂，我想你有权利去推测一些事情。那么，你怎么看的呢？"

"这下要被千刀万剐了。官方的看法都是这样。如果说这之前科林格里奇就已经陷入水深火热的话，那么之后他就要承受更多的地狱体验了，他们要把他一点点地凌迟处死。"

"嗯，你可以这么说。当然啦，首相不得不丢盔弃甲的事情也不算稀奇了。但在如此公开的场合就这样放弃政策……"

玛蒂等待厄克特把话说完，但他没有。他可不会批评自己的首相，至少不会在台阶上这样公然地议论。但他不批评，也绝无试图为他辩护的想法。

"但这是几周以来第二次重大信息泄露事件了。到底是谁泄露的呢？"

他用鹰一般的眼神凝视着她，让她深深着迷，又略有点害怕。

"作为党鞭长，我要负责的仅仅是以原则来管理政府的后座议员。你不可能指望我去对我自己的内阁同僚们指手画脚。"

她的双唇颤抖了，倒吸了一口凉气，"是内阁的人泄露的？"

他扬起一条眉毛，"我说了吗？"

"但是，是谁呢？为什么要这样做呢？"

他走近了一点，"哦，你真是把我看得透透的啊，玛蒂·斯多林小姐。"他现在是在嘲笑她呢，离得那么近，她都能感觉到他身上的热气。"现在我回答你的问题，我完全不知道，"他继续道，"但毫无疑问，首相要求我去找出这个人。"

"正式的，还是非正式的？"

"我觉得我可能已经说得够多了。"他一边说一边转身上楼。

但玛蒂可不是轻易就能打发的，"真是太棒了，谢谢您。当然啦，我会遵守议会采访条款的。"

"但我什么也没告诉你啊。"

"首相将调查内阁同僚，看看是谁在泄露敏感信息。"

他再次停下脚步，转过身，"哦，玛蒂，我不可能发表任何评论。但你真是比你那些脑子进水的同事灵敏太多了。在我看来，这是你的逻辑推断，而不是由我的言语启发的。"

"我不想给您带来任何麻烦。"

"但是，玛蒂，我觉得你很想这样做啊。"他在跟她玩游戏，简直可以算得上是打情骂俏了。

她回望着他，声音小得几乎听不见，"对于麻烦，您的认识肯定比我深多了。你会发现，我是个非常努力刻苦的门徒。"

她不是特别确定为什么要这样说。她本应该脸红的，但完全没有。他眼中的讽刺意味本应完全退却，但仍在其中闪烁不停。

突然间她冲上前去拉住他的袖子，"如果我们一起来玩这个不道德的游戏，那么就必须信任彼此。所以，我要好好说清楚一件事情。

您并未否认首相将发起一场针对内阁同僚行为的调查，不否认就是确认了。"

　　现在轮到他压低声音了，"你可以这么说，玛蒂。我不可能发表任何评论。"

　　"那就是我要写的报道。如果是错的，我请求您，现在就阻止我。"

　　她更紧地抓住了他。他把手放在她的手上。

　　"阻止你，玛蒂？为什么要阻止你呢？我们才刚刚开始呢。"

# 十二

*如果每天都在信贷特权，华服美食与俊俏少年中浪掷光阴，一个男人很快就会感到空虚和不安。但在这三样奢侈品中，我最推崇的，是信贷特权。*

不道德的游戏，这就是他所期望的吗？是的，可能是这样的。厄克特边上楼梯边想。他斜靠在墙面上，大声笑了出来，两个摇着头急匆匆跑过去的同僚都被这笑声吓得惊慌失措。最后他发现自己来到了陌生人长廊，那里有一排排窄窄的长凳，供公众成员旁听下面进行的议院会议。他的目光与一位印度绅士的目光相遇了。他身材矮小，穿着考究，这个旁听的位子还是厄克特帮他搞到的。厄克特对他招了招手，这个男人努力从挨挨挤挤的公众席中走出来，膝盖磕磕碰碰，嘴里还不停道着歉，终于站在了他面前。厄克特一言不发，只是挥了挥手，带着他走向走廊后面的小小门厅。

"厄克特先生，尊敬的先生，这一个半钟头我真是太激动，太长见识了。真的非常感谢您帮我找了一个那么舒服的位子。"他带着浓重的印度次大陆口音，说话的时候还像典型的印度人那样摇头晃脑。

厄克特知道后面这句是在胡说八道，就算是费道思·吉哈布瓦拉这样瘦小的印度男人，也会觉得这里的座位极其不舒服，但他只是笑着点点头。他们礼貌地交谈着，与此同时吉哈布瓦拉从保安台那里接过他的黑色随身密码箱，检查了一下，扣上搭扣。来的时候他坚决拒绝交出这个箱子。后来负责人告诉他，如果他不交给保安，就别想进旁听席。

"真高兴在英国还是能放心将自己的财物交给普通的工人阶层保管。"他十分严肃地说道，并欣慰地拍了拍箱子。

"小声点。"厄克特说。他既不相信普通的工人阶层，也不相信眼前的吉哈布瓦拉。不过，这个选民在自己选区有着十分广泛的业务，生意做得红红火火，给他的竞选活动提供了五百英镑的赞助，不求什么回报，只想亲自到下议院来进行一次面谈。"不是选区的下议院，"他在电话里向厄克特的秘书解释道，"这可是全国性的问题，选区这种小地方不行。"

五百英镑一杯茶，看起来是笔挺划算的生意。厄克特领着这位客人四处看看——中央大厅由英格兰建筑师 A.W.N. 普金设计的无比壮观的马赛克装饰，圣史蒂芬教堂的壁画，威斯敏斯特大厅拱形的橡木天花板高高在上，深深的颜色让抬眼凝望的人迷失其中。那些梁木已经有一千年的历史了，是这座殿宇最古老的部分。吉哈布瓦拉请求在这里静静地站一会儿，"查尔斯国王在这里受刑，温斯顿·丘吉尔的遗体停在这里供公众瞻仰。请允许我在这里静一会儿，万分感激。"

党鞭长惊讶地拱起了眉毛。

"厄克特先生，请别觉得我是个矫揉造作的人，"这个印度男人坚持道，"我的家庭与英国传统的联系要追溯到将近二百五十年以前。那时候不列颠东印度公司辉煌无比，克莱夫勋爵①威风凛凛。我的祖先是他的顾问，还借贷给他大量的资金。在那之前和之后，我的家族成员一直都在印度政府的司法和行政部门担任要职。"他声音里带着确凿无疑的骄傲，但在一口气说出这些的同时，吉哈布瓦拉忧伤地垂下了双眼，"然而，自从印度独立以后，厄克特先生，那片曾经无比伟大的大陆慢慢地分崩离析，进入新的黑暗时代。现代的甘地王朝简直比我的家族服务过的任何一届殖民政府都要腐败。我是个拜火教徒，

---

① 罗伯特·克莱夫，军事冒险家和司令官，建立了英国东印度公司在印度南部和孟加拉的军事霸权，通常认为他是建立英属印度殖民地的关键人物。

在文化上是弱势群体，在新的统治下觉得很是压抑，所以我才来到了大不列颠。我亲爱的厄克特先生，请相信，我觉得自己是这个国家及其文化的一部分，这种归属感比我在当代印度社会的任何时候都要强烈。每天我都满含着感恩之心醒来，因为我是个骄傲的英国公民，而我的孩子们在英国的大学里接受教育。"

"这真是……太感人了！"厄克特回应道。他对外来人口抢占英国大学的名额和教育资源从来都不怎么感冒，并且在一些公共场合也公开表达过这样的意见。他急匆匆地领着他走向大礼堂下面的谈话室。两人的鞋子敲打着老旧的石板，阳光穿过古典美丽的窗户斜斜地照进来，洒在楼梯间，洒在地板上。

"您的具体工作是什么，吉哈布瓦拉先生？"厄克特有些迟疑地问道，很害怕这一问又引得他滔滔不绝，掏心掏肺。

"先生，我是个商人。我不像我儿子，受过良好的教育。印度闹独立的时候一切都太乱，我读书的希望就那样没了。因此，我没法靠脑力谋生，只能更加勤奋，努力工作。很高兴我现在可以说自己已经小有成就了。"

"具体是什么商人呢？"

"我做好些生意呢，厄克特先生。房地产、批发、一点点的地区性金融业。但我可不是心胸狭窄的资本家和财迷，我十分清楚自己对社会，对我们那个社区的责任。这就是我今天想跟您详谈的话题。"

他们来到了谈话室，厄克特邀请吉哈布瓦拉在一把绿色椅子上就座。这个印度男人高兴地用手指抚摸着椅子笔直的皮靠背，边缘装饰的吊门上有纯金的浮雕。

"吉哈布瓦拉先生，有什么能帮到您的呢？"厄克特开口问。

"不不不，亲爱的厄克特先生，是我想帮您。"

厄克特的前额立刻浮现了一道疑惑的皱纹。

"厄克特先生，我没有出生在这个国家，这意味着，我必须要非常非常努力才能在社会上赢得尊重。所以我努力了，我加入了当地的

扶轮社 ①，还做了好多慈善。而且您也知道，我是首相最热情的支持者。"

"恐怕今天下午您看到的不是他的最好状态。"

"所以我认为他现在应该最需要朋友和支持者。"吉哈布瓦拉不容置疑地说。他伸出手掌，重重地拍了拍面前桌上摆着的小箱子。

厄克特眉毛上方的那道皱纹更深了。他努力想要搞清楚来客这番话的含义和方向。

"厄克特先生，您知道，我特别崇拜您。"

"我——知——道。"厄克特警惕地说。

"之前我十分乐意地为您的选举活动提供了一点微薄的帮助，现在我也十分乐意再次这样做。为您，厄克特先生，以及我们的首相先生！"

"所以，您想……捐点钱？"

他又摇头晃脑起来。厄克特觉得这行为真让人厌烦。

"我在想，竞选活动一定非常昂贵，我亲爱的厄克特先生。是否可以允许我捐点小钱，充实一下你们的金库？"

每每涉及外国人捐钱的事情，厄克特就觉得不好处理。这样的事情一次又一次地让政客们卷入麻烦，有时候还让他们锒铛入狱。"这个嘛，我肯定……像你说的……这样的事情是挺费钱的……我想我们可以……"天哪，厄克特，你赶紧给我找回状态！他暗暗对自己吼道。

"吉哈布瓦拉先生，方便询问一下您想捐多少钱吗？"

吉哈布瓦拉的回答是迅速转动起箱子上的密码锁，打开了那两个黄铜扣。箱盖跳了起来，他把箱子转过去正对着厄克特。

"五万英镑能否表达我的支持？"

在那一瞬间，厄克特特别想伸手抓一摞钱来数一数。他拼命克制

---

① 扶轮社是依循国际扶轮的规章所成立的地区性社会团体，以增进职业交流及提供社会服务为宗旨。每个扶轮社的成员来自不同的职业，并且在固定的时间及地点每周召开一次例行聚会。

住了这种强烈的冲动。他看到所有的钞票都是旧旧的二十元英镑，用来捆绑这些钱的也不是银行通用的纸，而是橡皮筋。他有一点怀疑这些钱可能从没正式经过银行的手。

"这……真的很慷慨，吉哈布瓦拉先生。当然啦，真的是太慷慨了。但是……这有点不太寻常，我是说，给党派捐这么多钱……用的是……现金。"

"我亲爱的厄克特先生，您会明白的。印度内战时期，我的家族失去了一切。我们的房子被毁了，生意也一败涂地。我们死里逃生才保住了命。一群亡命徒一把火烧了我们在当地用的银行，所有的存款和记录就那样没了。当然啦，银行的总裁道了歉，但没有了记录，他们只能对我父亲表示遗憾，却无法赔付他在那里存的钱。我可能有点过时了，我很清楚，但我相信现金，不相信银行。"

像是为了保证什么，商人微笑了一下，牙齿闪着光。厄克特打定主意，觉得这是个大麻烦。他深吸了一口气，"我能直说吗，吉哈布瓦拉先生？"

"当然啦。"

"有时候，第一次给我们捐钱的人会以为，党派能够帮他们做些什么事情，但事实上我们的权力是很有限的……"

吉哈布瓦拉还在摇头晃脑，但也抽空点了个头表示理解，"我只想好好地支持首相，和您，厄克特先生，其他什么也不求。您是代表我们选区的议员，您也知道有时候涉及商业利益，我会和当地政府就规划许可或招标合同的问题友好地交涉一下。可能我在某个时刻会向您讨要建议和意见，但我保证，绝不是要让您偏袒或者优待我。我什么回报都不要，绝对不要，不要！当然，有一个小小的请求，等时机成熟，时间合适了，我和我的妻子能够有幸见一见首相，特别是他光临我们选区的时候。这个要求可以接受吗？这对我妻子来说真是天大的喜事。"

出五百英镑喝杯茶，出五万英镑照张相，和这个男人做生意还真是一本万利。

"我肯定可以安排。也许您和您的夫人可以赏光出席唐宁街的招待会。"

"当然可以，这是莫大的荣幸。也许我们还可以跟他私下说几句话，表达一下我对他狂热的崇拜？"

这么说不仅仅是照张相了，但这也是意料之中的事情。

"您应该明白，首相先生本人不可能以个人的名义接受您的捐款。这不——怎么说呢——他不是很方便参与到这类事情中来。"

"当然啦，当然啦，厄克特先生。所以我希望您代表他接受这笔钱。"

"这样恐怕我只能给你打张很潦草的收条。你直接把这笔钱送到党派的财务部会比较好。"

吉哈布瓦拉恐惧地摇摆着双手，"厄克特先生，我不需要收条。您千万别给我开收条。您是我的朋友。我甚至自作主张地将您名字的缩写刻在了这个箱子上。您看，厄克特先生。"他用指尖敲了敲箱子上的缩写。大写的"FU"金光闪闪。

"这只是我的一点小表示，希望您能接受，感谢您在萨里郡做出的卓越功绩。"

"你这狡猾的马屁精。"厄克特一边回应着吉哈布瓦拉灿烂的笑容，一边想着他什么时候会打电话来谈他的规划许可。他本应该把这个印度人赶出去，但却热情地和桌子对面的吉哈布瓦拉握了握手。一个主意开始在他脑海里成型。这个人和他的钱毫无疑问是个麻烦，他现在对这一点十分肯定。问题在于，这会是谁的麻烦呢？

# 十 三

威斯敏斯特曾经是个河畔沼泽地。然后他们改造了这片土地，建造了一座宫殿和雄伟的修道院，到处都是贵族建筑，处处都弥漫着永不满足的勃勃野心。

但在深处，这里依然是片沼泽地。

## 七月二十三日　星期五

帕丁顿区普雷德街有一间破旧肮脏的报刊销售处。白天这里看上去毫不起眼，到了晚上，在当地警察的眼里，则显得太热闹了些。人行道上站着一个踟蹰不前的年轻黑人女性。她深吸了一口伦敦西区的空气，走进了报社。防盗栏和脏兮兮的窗户后面，这家报社显得十分阴暗，散发着一股发霉的味道。

这里的主人是一个过于肥胖的中年意大利人，穿着过紧的 T 恤，唇上叼着一根香烟，正埋头看着一本杂志，杂志上全是图片，没几个字。他很不情愿地抬起眼睛。她问起关于设置临时通讯地址的设备，就是那张他夹在窗户上的卡上做的广告。她想打听打听价钱，并解释说她有个朋友，需要有个私人地址，接收一些私人信件。店主用杂志抹走自己撒在柜台上的烟灰。

"你的这个朋友叫什么？"

她递过一张旧的物业账单，作为回答。

"我不接受信用卡，只收现金。"他说。

"我也只给现金。"她回答道。

他终于对她笑了笑，色眯眯地抛了个媚眼，"跟你来一下，便宜点？"

她看着他隆起的啤酒肚，"你的话得收双倍的钱。"

他嘲讽地扬了扬嘴唇，匆匆记了几笔。她先付了三个月的钱，将作为证明的收据放进手袋，离开了。店主目送她离去，入迷地欣赏着她迷人的身体曲线。但很快就被一个靠领退休金过活的人给打断了。老太太抱怨说早晨总收不到订的报纸。这样他就没看到那位年轻女子进了一直等在外面的出租车。

"都搞定了，佩妮？"奥尼尔问道。佩妮关上车门，坐在他后面的位子上。

"没问题，罗杰，"他的助手回答道，"但他这该死的怎么就不能自己办这事呢？"

"听着，我跟你说过多少遍了，他有些比较棘手的私人问题要解决，需要有个比较隐秘的地址来收取信件，我觉得可能就是些黄色杂志吧。所以别再问问题了，这事儿我们也别再提了好吗？"

奥尼尔心烦意乱，心里很不舒服。厄克特让他发过誓要保密，所以他觉得，要是党鞭长发现他越过底线，让佩妮·盖伊蹚进了这趟浑水，肯定会暴跳如雷的。但他知道佩妮是值得信赖的。而且，他觉得厄克特好像把自己当成个小杂役，让他觉得自己特别滑稽，特别卑贱，这使得他满腹怨气。

出租车发动了，他在车座上坐稳，双手紧张地找来找去，直到摸到衣袋里那小小的塑料包。这个小东西能很快帮他搞定一切，让他重新找回自己。

今天气温一直在升高，在滚滚热浪之中，一个穿着运动外套，戴着软毡帽的男人鼓起勇气走进七姐妹路上的土耳其联合银行伦敦北区分行。他来到一位来自塞浦路斯的柜台职员面前，要求开一个户头。他的双眼隐藏在有色眼镜背后，说话带点轻微又可察觉的地方口音，说不清楚到底是哪儿的。

短短几分钟之后，经理就抽出空来，将这位"准新客户"请进了一间内室。他们互相寒暄，彼此玩笑，之后那个男人解释道，自己住在肯尼亚，但现在会在英国旅居数月，度度假，投资点房地产什么的。他很有兴趣投资一家正在兴建的酒店，地址就在地中海南部海岸，安塔利亚港的土耳其度假村外面。经理回答说他自己并不是很了解安塔利亚这个地方，但听说过那是个非常美丽的去处。而且他表示，银行很高兴为他服务，会尽一切能力帮助他。他给这位未来客户提供了一张简单的登记表，要求填写他的姓名、地址、过去的银行征信①和其他一些具体信息。该位客户抱歉说只能提供来自肯尼亚的银行征信，但又解释说这是他近二十年来第一次踏足伦敦。经理对这位较为年长的人保证说，银行有很多和海外客户打交道的经验，使用肯尼亚的银行征信也没问题。

来客笑了笑。这整个系统的运作需要很长时间，首先，核查征信就需要至少四个星期，等到发现征信是假的，可能又过了四个星期了，这么长的时间足够施展他的计划了。

"那您开什么户呢？"经理问道。

来人打开一个棕色的灯芯绒旅行箱，放在他和经理之间的桌子上，"我想先开个户，存个五万英镑，这是现金。"

"啊！当然啦……"经理一边说一边努力控制自己的狂喜。

弗朗西斯·厄克特靠在椅背上，隔着眼镜揉了揉眼睛。这双眼镜有些年头了，与他现在戴的那一副之间至少隔了两次检查和度数变化，所以他的眼睛有点痛。他这个伪装十分简单，但他觉得够了，虽然可能骗不过最亲密的同僚们的眼睛，但很多人肯定完全认不出他来。所以，作为女王陛下政府中最不知名的高官，还是有一定好处的。

当厄克特故意潦潦草草地填写必要的表格时，经理数完了钱，开始填写一张收据。银行就像水管工，厄克特心想，只要钱在手里，多

---

① 即来自银行的信用记录调查。

99

余的问题一概不问。

"还有一件事情。"厄克特说。

"您尽管说。"

"我不想让这些钱就在目前这个账户里死死地待着。我想请你帮我买些股份，你能安排吗？"

经理高兴地点点头，这意味着更多的佣金。

"请你帮我买雷诺克斯化学公共有限公司的两万支普通股。我想他们现在的价格大概是一股两百四十便士上下。"

经理看了看自己的电脑屏幕，向客户保证说，当天下午四点之前就能完成订单，花费是四万九千二百八十八镑四便士，其中包括了印花税和股票经纪人的佣金。这样新的账户中就剩下七百一十一镑六便士。厄克特又大笔一挥，签下更多的表格，签名照样潦草得难以辨认。

经理笑了笑，将收据按在桌面上推给对面的新客户，"祝咱们合作愉快，科林格里奇先生。"


## 七月二十六日 星期一至七月二十八日 星期三

这个会期已经进入尾声了。这是暑期休会开始前的最后一个工作周。但天公不作美，热浪袭人。很多议员都不来威斯敏斯特了，而坚守岗位的那些则心神不宁，焦躁不安。这座大楼里，"开空调"的意思是打开窗户透透气，同时自己用流程表扇一扇。在这样的地方，忍受八十多华氏度的高温，可真是严酷的考验。但很快这种痛苦就要结束了，大家还有七十二小时的时间好好吵个架。

政府还没有到心猿意马的程度。记录显示，在别人昏昏欲睡之时，他们至少坚守了岗位，发行了一份又一份厚厚的书面答卷。卫生部的官员们特别全神贯注，因为他们发行的众多书面答卷中，有一份是关于推迟医院扩展计划的。多谢那次信息泄露，这已经不是什么新闻，但现在已经变成了白纸黑字的官方记录。他们至少可以见光了，再也不用有人问就忙不迭地躲起来。

当然卫生部还有其他的事情要处理，比如医院的候补名单，关于最近威尔士腮腺炎疫情的新闻通稿，以及对三种新药上市的例行公事宣布。在卫生总长和药品安全委员会的建议下，政府对这三种药品签发了上市通用的执照。其中一种新药叫做赛博诺克斯，是由雷诺克斯化学公共有限公司研发的。之前的试验表明，为染上烟瘾的小白鼠和贝高犬注射少量的赛博诺克斯，就能够显著控制它们对尼古丁的渴望。之后在志愿者的身上大面积试验也达到了同样卓越的效果。现在，所有人都能在医生的处方下买到这种药了。

上市的宣布在雷诺克斯化学公司引起了不小的骚动。第二天公司就开了个记者发布会。市场部总监按下按钮，将一封事先写好的邮件发给了全国所有的全科医生。公司的股票经纪人也向股市通报了拿到新执照的事情。

市场做出了迅速的回馈，雷诺克斯化学公司的股价从二百四十四便士一股飙升至二百九十五一股。两天前土耳其联合银行的股票经纪人买下的那两万支普通股现在已经价值五万九千英镑左右了。

第二天中午十二点之前，土耳其联合银行的经理接到一个电话，指示他卖掉股份，将所有钱重新存回原来的账户中。打电话的人还解释说，很遗憾，安塔利亚港的酒店投资因为种种原因终止了，账户主人准备撤回肯尼亚，请银行对这个账户进行结算和关闭，当天下午晚些时候户主会来银行。

就在银行关门之前的下午三点，也是上次那个戴有色眼镜，头戴毡帽，身穿运动外套的男人走进了七姐妹路上的这家分行。经理邀请他去办公室喝一杯茶，但他拒绝了。他看着经理和一位助手把一摞摞二十英镑一张的钞票堆在桌上，一共五万八千二百五十英镑，另外还有其他面值的钞票共九十二镑十六便士。客户把这九十多镑的钱放在棕色灯芯绒箱子的最底下。这是个为时不久而且简单得没有其他内容的账户，但银行还是收了七百四十二镑的各类费用，对方有些不满，眉毛都拱了起来。但正如经理所想的，他选择不吵不闹。他请银行把一张账户关闭的声明寄到他在帕丁顿的地址，并感谢了经办职员。

第二天一早，费道思·吉哈布瓦拉与厄克特见面后不到一个星期，党鞭长将五万英镑的现金送到党派财政部长那里。以前也遇到过用现金进行大量捐款的事情，财政部长表示很高兴开辟了新的财源。厄克特建议财政办公室像往常一样，做点安排，确保邀请到捐款人及其妻子去参加一两次唐宁街的慈善招待会，还要求把具体时间通知他，这样他就可以和首相的政治秘书做个具体的沟通安排，确保吉哈布瓦拉先生和太太在招待会之前能单独和首相先生待个十分钟。

财政部长认真地记下了捐款人的地址，说他会立刻写一封措辞含蓄得体的感谢信，并把这笔钱锁在了一个保险箱里。

当天晚上，在所有内阁的高官中，一身轻松离开办公室，开始假期的恐怕只有厄克特一个人。

（上部完）

中　倒牌

# 十 四

　　我学生时代曾得过一次校级二等奖，奖品是一本皮质封面《圣经》。扉页用精致的铜版印刷字体写着是为了奖励我的成就。成就？得了第二还算是成就？

　　我把那本《圣经》从头到尾认真读了一遍，注意到圣路加①教导我们要宽恕我们的敌人。我把他的其他教诲，以及所有圣人的教诲都悉数读完。真的，全都读完了。发现没有只言片语讲的是要宽恕我们的朋友。


# 八 月

　　这是供人稍作喘息的时候。大家可以把心中的忧惧与疑惑暂时放到一边，尽情享受夏日的阳光雨露与新鲜空气。吃吃冰淇淋，品尝红草莓，舔舔棒棒糖，然后开怀大笑，重新找回生活的真正含义和快乐。只不过，在这一切欢乐之外，八月份的报纸内容真可谓糟糕透顶。

　　政客们和主要的政治新闻记者都休息度假去了，二线的议会记者们绞尽脑汁想要填补这个空白并借此上位，达到事业上的飞升。所以他们不放过眼前的任何蛛丝马迹，誓要刨根问底，挖出个究竟。比如，周二某条消息还不过是第五版的"豆腐块"，内容也不过是些推测猜想的泛泛之词。但到了周五就有可能成为头版的长篇大论。八月还在跑新闻的这些记者们都想要干出一番事业，而他们几乎不约而同地都

---

　　① 圣保罗的门徒，《圣经·新约》中《路加福音》和《使徒行传》的作者。

把注意力放在了亨利·科林格里奇的名誉上。那些早就无望高升，被时间遗忘的后座议员们发现自己的名字突然荣登重要新闻，并被称为"党内高级官员"，而那些初涉政坛的人们则变成了"政坛冉冉升起的新星"。而且，只要他们表达的观点有料又下流，就有时间畅所欲言，言无不尽。关于首相不信任内阁同僚的谣言甚嚣尘上，当然报纸也大肆报道内阁成员对这位首相的不满。那些有足够权威否认这些谣言的人都不知去哪儿逍遥快活了。于是乎，沉默就被大家自动认作是官方对这些谣言的承认了。推测与炒作愈演愈烈，渐渐变得不可控制。

玛蒂的报道中略略提到了关于对内阁成员泄露机密进行"官方调查"的传言，更是一石激起千层浪。很快，就有人对此进行添油加醋的预测和猜想，认为秋天的时候肯定会有一次姗姗来迟的内阁重组。威斯敏斯特周围的传言是，亨利·科林格里奇的脾气越来越古怪，尽管他现在正在千里之外的法国夏纳附近，于一处私人宅邸中度假。

八月酷热的三伏天，就连首相的哥哥也成为洪水猛兽般新闻报道的对象。当然他的名字主要出现在八卦专栏上。唐宁街的新闻处电话响个不停，很多来电内容差不多，都是听说首相越来越经常地去债主们那里帮"亲爱的老查理"救急，债主甚至包括了国税局，请新闻处就此事发表意见和看法。当然，唐宁街不会发表任何看法——这是私人的事情，跟官方没有关系。于是乎，就像对所有稀奇古怪和天马行空的指控那样，新闻处用官方辞令统一回答说，"不做评论"。这四个字一出现在新闻中，就会引得无数人瞎想，"不做评论"的意思，也就是真有其事？一切都呈现出"山雨欲来风满楼"的危机感。

八月将首相与他一文不名的哥哥空前地拉近。其实查尔斯并没说什么蠢话，他毕竟还是有点常识，懂得远离麻烦。但某家最爱煽风点火的星期日小报接到一个匿名的电话，说查尔斯住在法国波尔多郊外一家便宜的旅馆。这家报纸立刻派出一个记者前去找到查尔斯，给他灌了好多酒，想从他嘴里套点话，并引他做出一些可以"上得了台面"的丑事。结果事与愿违，查尔斯只是吐了一大堆东西在记者和他的笔记本上，接着就昏死过去。记者迅速找来一个大胸妹，让她靠在这摊呼呼大睡的烂泥身上，接着摄影师就拼命按动快门，把"查尔斯和不知名女子的温柔一刻"记录下来，以呈现给后世子孙和报纸的一百一十万读者。

**"我一无所有，糟糕透顶。"查尔斯如是说。**这个头条标题尖叫着吸引所有人的注意。接下来的文章里就详细报道了首相的哥哥如何穷困潦倒，在婚姻失败，弟弟过于杰出和著名的压力下如何濒临崩溃。在这样的情况下，唐宁街仍然不松口，表示"绝对不做评论"，这比平时显得更不近情理。

报道后的第二个周末，同样一张查尔斯酩酊大醉的照片又出现在头版显著位置，不过旁边多了一张首相在法国南部舒适悠闲地度假的照片。在英国民众看来，首相度假的地方和身处窘境的查尔斯的栖身之所不过咫尺之遥。两张对比照片的含义昭然若揭，亨利在豪华舒适的游泳池边乐不思蜀，都不愿意稍微跑跑路，帮帮自己的亲哥哥。也是同一家报纸，上周还详细报道过亨利如何无所不用其极地帮查尔斯解决经济上的困难。但这报道似乎已经被人遗忘了。唐宁街终于沉不住气了，给编辑打了个电话提出抗议。

"你们他妈的还想干吗？"对方回应说，"我们的报道都是很公正、很全面的。在整个选举期间我们都全心全意地支持他、捧他。现在应该寻找一下平衡嘛！"

是的，八月的报纸内容真是糟糕透顶，真他妈的糟糕透顶。

## 九月至十月

后来更是每况愈下。九月伊始，反对党领袖宣布自己将辞职让位，而新来的这位将运用"更强大的臂膀高举我们的旗帜"。这位领袖讲话一向有点啰啰嗦嗦，这也是他被迫让贤的原因之一。当然啦，最大的原因还是输掉了选举。合力挤掉他的这些仁兄都是他周围比较年轻的得力助手，比他更有活力，更有野心，悄无声息地行动上位，等他意识到引狼入室的时候，为时已晚。当时他正在威尔士腹地自己的选区接受一次深夜访谈，说到动情处，就宣布了自己辞职的打算。但到周末的时候，他就好像有些动摇了，因为他那仍然野心勃勃的妻子给了他太多压力。不过，他很快就发现，在自己的"影子内阁"①中，他已经没有一个死忠，没有一票会坚定地投给他。不过，他一退位，反对党这边嘴巴上还是对这位前领袖歌功颂德。他的牺牲让这个政党空前地团结在一起，比他在任时团结多了。

旧人的黯然离去，新政党领袖的到来让媒体就像打了鸡血一样兴奋无比，他们就像饿虎扑食一样抓着这块新鲜的肉不放。当然，这块肉满足不了他们，只不过是道开胃菜，让他们想吃更多。一个领袖倒下去，还有更多领袖会倒下去吗？

接到赶快回办公室的命令时，玛蒂正在卡特里克母亲的家中，这是一所古老的石质屋舍，母女俩坐在厨房里谈心。

"你来了还没多久啊，亲爱的。"她寡居的母亲十分不舍。

"他们离不开我啊。"玛蒂安慰她说。

这话让妈妈很是受用。"你爸爸会很为你骄傲的。"她一边说着，玛蒂一边从刚刚自己烤焦的一片吐司上把黑屑刮下来。"你真的不是赶回去见什么小伙子吗？"她满脸笑容地打趣女儿。

"是工作，妈妈。"

"不过……你在伦敦真的没有遇到什么人，让你有想法什么的？"母亲不屈不挠地问道，一边把新鲜出炉的培根和煎蛋摆到玛蒂面前，用打探的目光看着女儿。玛蒂回家以来的这几天安静得有些不像话。肯定有什么事情不对劲，"你和那个谁分手的时候我特别担心你。"

"托尼，妈妈，他有名字，托尼。"

---

① 影子内阁（Shadow Cabinet）指实行多党制的国家中不执政的政党。与执政党相对，也叫"预备内阁"、"在野内阁"，亦喻指不掌权的人。

"他那么蠢，居然不要你，在我这儿就叫'那个谁'。"

"是我不要他的，妈妈，你知道的。"托尼不是个坏人，甚至可以说是好男人，但根本不想南下，就连跟玛蒂一起去闯都没勇气。

"那么，"她妈妈用茶巾擦着手，小声问道，"在伦敦，遇到合适的人了没？"

玛蒂没说话，她直直地看着窗外，再也无心美味的早餐。这无声的回答已经很明确了。

"刚开始，是不是，我的乖女儿？嗯，挺好的。你知道吗？你去伦敦的时候，我有多担心啊。那个地方举目无亲，没有朋友。但如果你觉得挺开心的，我就没问题。"她往茶杯里放了一勺糖，搅了搅，"可能我不该说这话，但你也知道，你爸最担心你的是什么。你安定下来，成家立业，他肯定比什么都高兴。"

"我知道，妈妈。"

"能说说他叫什么名字吗？"

玛蒂摇摇头，"不是你想的那样，妈妈。"

但做母亲的早已经看出端倪。玛蒂脸上的表情明显可以看出，她的心思早就飞回了伦敦，从她一到家就看得出来。她用手搭住玛蒂的肩膀。

"一切都刚刚好。你爸爸会很为你骄傲的，乖女儿。"

"他会吗？"玛蒂很是怀疑。她只是牵了牵那个男人的袖子，但接下来的好几个星期都对他念念不忘，辗转难眠，电话一响就跳起来，希望是他打来的。如果父亲还在，这个男人都比他还年长三岁，而她却对他想入非非。不，父亲永远不可能理解这种行为，更别提赞赏了。玛蒂自己也不太明白自己的感情，所以，她一句话也没说，只是埋下头继续吃起已经变凉的早餐。

# 十 五

党派会议有时候特别欢乐。大家像一窝叽叽喳喳的布谷鸟。这时候你可以安静地坐着，看乱哄哄你方唱罢我登场，大家都拼了老命要把别人挤出窝去。[①]

十月初，反对党年度大会之前不久，该党派就推选出了新的领袖。选择新"代言人"的过程好像给反对党注入了新的活力，给了他们新的希望，让他们貌似系上了象征复兴与拯救的红丝带。当党派的全体成员聚集在一起开会时，面貌焕然一新，早已不是仅仅几个月前输掉选举的那群乌合之众了。整个大会在欢庆的气氛中举行，大家的头顶上悬挂着一条巨大而简单的横幅：胜利。

而接下来的一周，科林格里奇召集同僚们开会时，气氛和情绪则形成了鲜明对比。位于伯恩茅斯的会议中心聚集了四千名党派成员。如果他们充满热情，一心一意地支持自己的领袖，那现场气氛一定热烈得快要掀翻屋顶了。但此时却好像少了什么东西，没有精神，没有野心，没有勇气。砖墙上空空如也，什么也没挂，现场的设备和装饰也冷冰冰的。唯一的作用就是强调聚集起来开会的这帮人有多么消沉颓废。

如此一来，奥尼尔就面临着重大的挑战。作为宣传处处长，他的任务就是"包装"整个会议并提振大家的士气。然而，他却不得不

---

① 布谷鸟（杜鹃）从来不做窝，它在画眉等鸟的巢里产下自己的卵，布谷鸟的卵孵化得快，小鸟出世早，又贪吃，长的又大，常把别的幼鸟挤出巢外摔死。

带着越来越激动不安的情绪，和党派成员们一个个地谈媒体上那些乌七八糟的报道。他不停地道歉、解释、讲道理，并把责任推给别人。特别是在喝醉的时候，他会指名道姓地批评威廉姆斯勋爵。党主席把各类预算都削减了，对各类问题迟迟下不下决断，根本把握不住局势。四处传播的谣言说主席想让党派会议进行得低调些，因为他觉得会议上首相可能不太好应付。**"执政党对科林格里奇的领导能力表示怀疑"**，这是伯恩茅斯会议期间，《卫报》第一则相关报道的标题。

会议大厅中，根据之前设定的严格程序，激烈的辩论继续着。讲台上方悬挂着巨大的标语："找到正确的道路"。在很多人眼里这话显得十分矛盾。每个人上台发表讲话都拼尽全力想尽量符合党派的指导方针，但往往离题万里。会议厅里议论纷纷，负责维持秩序的干事们根本控制不了。小小的咖啡厅和休息区处处都是围做一团的记者和政客，他们搅着杯中茶，脸上全都忿忿然露出明显的不满。所到之处，媒体听到的全是批评之声。最近刚丢掉席位的前议员们诉说自己的沮丧与挫败，但大多数人都要求报道里不要引用他们的话，因为害怕下次选举再次当选无望。然而，他们的选区主席可丝毫没有这样的警惕性，大肆发着牢骚。他们不仅仅丢掉了议员的席位，接下来还要忍受长达好几年反对党成员在当地市政对他们发号施令，呼风唤雨，提名市长和委员会主席，享受各种特权，把所有功劳都揽到自己头上。

而且，根据一位前首相的经验之谈，可能将一个已经身处困境的人推向愤怒和绝望的巅峰的考验，就是"事件，亲爱的，大事件"①。本周最引人注目的大事件之一，就是定期于周四举行的一次补选。多塞特东区的议员，安东尼·金肯斯爵士，在大选开始的四天前突然中风。当选之时，他正在重症监护室，在应该发表效忠宣誓的当天，他则尘归尘，土归土，下了葬。于是多塞特东区又将经历一次选举之战。他的选区离伯恩茅斯的集会地不过数英里之遥，而且政府在当地的多

---

① 出自英国战后首相哈罗德·麦克米伦之口。

数票占了将近两万张，因此首相决定在党派大会周举行补选。有人建议不要这样做，但他认为总的来说这还是值得冒险的。对会议的宣传会提供一个很好的选举活动背景，而且会有很多人因为安东尼爵士的逝世投出坚定的同情票（但这位爵士的代理人咕哝着抱怨了一句，说真正了解那个老混蛋的人可不会投同情票）。在会议现场工作的党派人手将离开几个小时，到最需要他们的拉票活动中去。等他们完成了任务，政府成功得到这一席位，首相可以在自己的党派会议演讲中亲自欢迎这位得胜的候选人，这样一来大家都会很满意（而且也省了一笔额外的宣传费）。计划差不多就是这样。

然而，早上参加完拉票活动，一车车往回赶的会议工作人员们带回的报告却并不乐观，甚至有的还充满了抱怨。当然啦，这个席位还是能保得住，没人怀疑这一点，从战后起党派就一直稳坐这个位子。但科林格里奇所希望的那种一边倒的压倒性胜利却一天天悄然走远。

糟糕！这个星期将过得很艰难，党派高层们所计划的胜利庆祝与狂欢看来是无望了。


## 十月十三日　星期三


玛蒂醒来之后，发现头痛得厉害。她看着窗外，有一道长长的灰白云朵横架在天空中。海上正吹过一阵湿润的冷风，令海鸥上下翻飞，让她的窗户咔嗒作响。"这真是天堂里的又一天啊。"她自嘲地嘟囔了一声，把被子掀起来，甩到身后。

她没什么"忘恩负义"的理由。作为一家国家性大报纸的代表，她是有幸在总部酒店占得一屋栖身的少数几位记者之一。其他人则需要去更远的地方自己找住处，遇上下雨，等他们来到会议中心时，浑身已经湿透了。而玛蒂则成为"被选中的人"，住在这家酒店里，自由自在地和政客、党派官员们混在一起。这也是导致她头痛的原因之一。昨天晚上她有些太自由自在了，甚至有两位男士主动向她求欢。

先是一名同事，过了很久之后则是一位内阁官员。玛蒂自然拒绝了他，而他很快忘记了这种尴尬，把注意力转移到一位公关公司的年轻女士身上。两人往停车场走去，身影渐渐消失在灯红酒绿之中。

玛蒂对这样的事情也不是什么假正经。她和同事常常有意给政客们灌酒，而如果劝酒的气氛过于热烈，她们就得付出代价。酒吧里的政客一般有两个目标，要么一夜缠绵贪欢，要么中伤诽谤他人。这样一来，在酒吧中各种各样的偶遇就给玛蒂提供了收集流言蜚语的大好机会。最大的问题在于，第二天早上，她还处在宿醉状态时，稀里糊涂的脑袋能把多少信息整合到一起。她伸展了一下双腿，努力想让全身恢复流畅的血液循环，并试着做了几个健美操的动作。全身每一块肌肉都发出痛苦的尖叫，这可不是什么克服宿醉的好方法。因此她换了种方式，打开窗户想透透气，结果马上就意识到这是今天做的第二个糟糕决定。这家小旅馆修建在高高的悬崖顶上，是进行夏天日光浴的理想地点，但秋天的早上则浓云密布，海风呼啸。数秒之内，本来暖气过于充足的房间就变成了一个冰窖。因此，玛蒂想，应该先吃点早餐略略垫垫肚子，再做下一个决定。

她冲了澡，从浴室里晃悠悠地走出来，忽然听到走廊上传来一阵喧哗嘈杂的脚步声。有人送东西来了。她赶紧围上一条浴巾，开了门。在门厅的地毯上堆着一摞摞晨报，这就是她即将开始的工作。她抱起来，漫不经心地往床上一扔。一份份报纸四散分开，让本来就凌乱褶皱的羽绒被显得更为烦乱。一张纸在空中哗啦啦地自由飞舞着，掉到了地上。她揉了揉眼睛，捡了起来，接着又揉了揉眼睛。眼前晨间的雾气逐渐驱散了，她清楚明白地看到刻在这张纸开头的白纸黑字："第四十号民意研究调查，十月六日。"更突出的是另外两个字，用大写的粗体字强调着："机密"。

她坐在床上，又揉了揉眼睛，想确认一下这是不是真的。他们肯定没有随意地把这样的东西跟着《每日镜报》到处乱发吧，她胡思乱想着。她知道党派每周都会进行这样的民意研究调查，但发行的范围是非常有限的，仅限于内阁官员和少数几个党派高官。她在少数几个场合拿到过几份，但仅仅是因为里面有些好消息，党派想稍稍传播一下。不然的话，这些调查就被严格保密。两个问题立刻闯进玛蒂的脑海：一，最近的调查中可能会有什么样的好消息呢？二，为什么送来的时候这文件被包得跟鳕鱼薯条一样随便？

她拿起调查读了下去，双手开始难以置信地颤抖。几周前得到百分之四十三投票，赢得大选的党派，现在只有百分之三十一的投票了。而反对党则上升到进步势头的百分之十四。这无异于天崩地裂，但更糟糕的还在后面。首相受欢迎程度的调查结果数字令人万分震惊。他的支持率和反对党新领袖的支持率差了十万八千里。科林格里奇的受欢迎程度大概和一只蛔虫差不多，支持率比声誉受挫时期的安东尼·艾登①还低。

玛蒂重新裹紧了身上的浴巾，盘腿坐在床上。她已经明白这种绝密信息为何会到达自己手里了。这可谓是重磅炸弹，她唯一需要做的，就是点燃导火索。如果这种消息在党派会议期间爆炸开，那造成的损害绝对是灾难性的。这是一次有意的破坏，但也是一则绝佳的报道，这是属于她的报道，只要她确定自己是第一个得到这份报告的记者。

她抓起电话，迅速拨了个号码。

"什么事？"电话那头有个睡眼惺忪的女人打着哈欠。

"您好，是普雷斯顿夫人吗？我是玛蒂·斯多林。不好意思打扰您睡觉了。格雷在吗？请帮我叫一下他好吗？"

电话那头传来一阵窸窸窣窣的声音，接着，她的编辑接了电话。"有谁死了吗？"他劈头就问。

---

① 英国政治家，第二次世界大战时担任外相，后来在 1950 年代出任英国首相。大众普遍认为，他要对 1956 年的苏伊士运河危机负绝大部分责任。2004 年，一所研究机构举行了一场评选，让 139 位学者对 20 世纪的英国首相进行评分，结果艾登得分最低。同样的，英国 BBC 电台早前亦进行了类似调查，结果丘吉尔得票最多，而艾登则得票最少。

“什么？”

“有谁他妈的死了吗？不然你他妈的这么早给我打电话干吗？”

“没谁死了，我是说……对不起。我忘了这是什么时间了。”

“去死。”

“但什么时间不重要，”她收回本想回敬的粗口，“我有个绝妙的新闻。”

“什么新闻？”

“我在送来的晨报里发现了这则新闻。”

“嗯，真让我安心啊。我们现在只比别人晚了一天而已嘛。”

“不，格雷。你听我说好吗？我拿到了党派最新的民意调查数字。简直太轰动了！”

“你是怎么拿到的？”

“就放在我门外的。”

“还跟礼物一样似的包起来了，是吧？”总编从未如此努力地想掩饰住讽刺的口吻，更别提是在大清早了。

“但真的令人难以相信，格雷。”

“肯定难以相信啊。所以是谁把这小礼物放在门外的呢，圣诞老人吗？”

“呃，这个，我不知道。”一丝疑惑终于潜入了她的声音当中。浴巾已经滑落了，玛蒂现在赤身裸体。她感觉上司正盯着自己。现在她是完完全全地清醒了。

“嗯，我觉得应该不是亨利·科林格里奇亲自放在那儿的吧。那你觉得是谁想泄露给你呢？”

玛蒂沉默了，这暴露了她的疑惑。

“我想你昨晚没有跟哪位同事寻欢作乐吧，啊？”

“格雷，那跟这事儿有什么关系啊？”

“这是个圈套，我无知的小姑娘啊。他们此时此刻说不定正坐在酒吧里，喝着以毒攻毒的解醉酒，大声嘲笑着你呢。我简直不忍心再说下去。"

"那你怎么知道呢？"

"我他妈的不知道。但问题在于，神力女超人啊，你他妈的也不知道啊！"

玛蒂那边又是一阵尴尬的沉默，她想把滑下去的浴巾再提上来，结果没成功。接着她孤注一掷地对总编进行最后的说服，"你难道不想听听调查内容吗？"

"不想。你连调查从哪儿来都不知道。记住，看起来越是轰动，你被陷害的可能性就越大。这他妈就是一次恶作剧！"

"啪！"挂电话的声音在她耳朵里炸开来。就算她没有宿醉，这一声都够头痛上许久了。她脑子里已经成型的头版大标题渐渐消散在清晨灰蒙蒙的浓雾中。这次宿醉比之前难受何止百万倍。她需要来一杯黑咖啡，万分需要。她自己把自己弄成了一个大笑话。这也不是第一次了。但像这样一丝不挂，还是头一遭。

# 十六

*在沙子里画一条线有什么意义呢？不知不觉中，罡风刮来，你又回到了起点。*

玛蒂一边走下旅店宽大的楼梯，走向吃早饭的餐厅，一边用自己才能听到的声音咒骂着总编。时间还早，只有几个极富工作热情的人已经来了。她独自选了张桌子坐下，对天祈祷别有人来打扰她。她需要一点时间从刚才的打击和不舒服的感觉中恢复过来。她把自己隐藏在一个凹陷的角落，拿一份快报遮住脸，希望大家以为自己在努力工作，而不是克服宿醉的不适感。

第一杯咖啡的效果就像打水漂那样微乎其微。第二杯起了点作用，至少稍微起了。那种攫紧整个心灵的沮丧和颓废慢慢消散，她开始注意到周遭的其他事情。她的目光在这间小小的维多利亚式房间中搜寻。一个远远的角落中，另一个政治新闻记者正在和一位官员亲密交谈。还有一位党内高层和几个人共进早餐，包括他的妻子、一位新闻评论员、一个来自某份星期日报纸的编辑和另外两个玛蒂似曾相识但暂时叫不出名字的人。邻桌有个年轻人，她肯定自己不认识。他的坐姿和玛蒂差不多，都有种希望餐厅里的人看不见自己的态度。他身边的椅子上堆着一摞报纸和几个文件夹，看上去有点邋遢学者的味道。她得出的结论是，这应该是个党派研究员。并不是因为她的脑子已经清醒得开始高速运转了，而是因为在他桌上挨挨挤挤的茶和吐司之间，摆着一个文件夹，上面有个很大的党派标志，标志下面是"K.J.斯宾塞"这个名字。

随着咖啡因稳定地发挥着作用，职业的本能逐渐回到她身上，她把手伸进随身常带的背包里，拿出一份党派内部的通讯录。这份通讯录不知是何时她向谁讨来的或是偷来的，她也记不大清楚了。

"凯文·斯宾塞，分机号 371，民意调查部。"

她重新看了一眼文件夹上的名字，试图一步一个脚印地稳扎稳打。她经历的糟糕事情已经太多了，可不想傻到把事情再搞砸了。至少在午饭前最好别再闹出什么笑话来。总编的冷嘲热讽让她对泄露给自己的那份民意调查数据没有了信心，但她还是拼命想挽狂澜于既倒。也许她能拼一把，打探出真实的数据。正当此时，她和那人的目光相遇了。

"凯文·斯宾塞，对吧？在党派总部工作？我是《每日纪事报》的玛蒂·斯多林。"

"哦，我知道你是谁。"他有些慌张地回答道，但被认出来他还是很高兴的。

"能和你一起喝杯咖啡吗，凯文？"她问道，没等对方回答，就来到他的桌前。

凯文·斯宾塞三十二岁，但看起来略显老相。他是未婚人士，一直为党派这个庞大机器卖命，年薪是少得可怜的一万零两百英镑（没有补贴）。他很腼腆，戴着一副眼镜，行动笨拙，有时候有点咋咋呼呼，完全不知道和一位年轻女士共进早餐应该如何得体地表现。玛蒂跟他握了握手并报以微笑，很快他就滔滔不绝地详细解释起选举期间他要为首相和党派的战术委员会提供的常规性报告了。

"整个选举活动期间，他们都宣称自己几乎没有在意民意调查，"她带着些刺探的口吻说道，"他们说唯一重要的调查就是——"

"——选举当天出来的那份，"他接过话茬，很高兴两人能有共同的话题，"是的，这是我们的一个小小谎言。只有他们认真看待这些调查，我才能保住工作。不过你我之间就说个不该说的，斯多林小姐——"

"叫我玛蒂就好。"

"有些人可能过分看重这些调查了。"

"怎么会呢，凯文？"

"总会有些误差幅度的。还有些小调查，你不需要的时候，这些烦人的小东西还是一直往你的眼前蹿！"

"就像我刚刚看到的那个？"玛蒂说着感到一阵刺痛，还在为早上的尴尬遭遇耿耿于怀。

"你什么意思？"斯宾塞问道，突然就变得警惕起来，把茶杯放回托盘。

玛蒂看着他，发现这位本来和蔼可亲的好好先生突然变得正式刻板起来。他的双手交握，放在桌布上，脸从脖子红到了耳根，眼中已经没有了那种面对美女的急切。斯宾塞并不是一个训练有素的政客，完全不知道如何运用技巧去隐藏自己的真实想法。他的困惑不解一目了然，但他为什么这么慌张呢？玛蒂突然灵光一现。当然，那些烦人又惊人的数据也许不是正确的，但为什么不故意说出来看有没有人自投罗网呢？她今天一早上就已经做了好几个"滚翻"了，还傻乎乎地做了笑柄，因此，再蹦跶一下完全无损她的职业自豪感。

"我懂的，凯文。你这边的数据很让人失望啊。特别是跟首相有关的那些。"

"我不明白你在说什么。"他依然双手紧握，似乎在祈祷，抑或是在阻止它们颤抖？接着，为了分散注意力，他拿起茶杯，结果把茶给弄洒了。他绝望而无助地抓起餐巾，想把这一团糟清理干净。

与此同时，玛蒂再次把手伸进背包里，拿出那张神秘的纸，抚平放在桌布上。做完这一切之后，她首次发现在纸的底部，赫然印着凯文名字的缩写"KJS"，最后一丝宿醉的感觉消失了。

"这些不就是你的最新数据吗，凯文？"

斯宾塞想把那张纸推得远远的，就好像自己面对的是严重的传染病源。"你到底是怎么拿到这个的？"他有些绝望地看着周围，希望没有人注意到这里安静的闹剧。

玛蒂拿起那张纸，大声念起来，"第四十号民意研究调查——"

"请你别念了，斯多林小姐！"

他可不是个善于遮遮掩掩的男人，别人一眼就能把他看透。他自己也清楚这一点。凯文不知道如何摆脱目前的窘境，于是将唯一的生存希望系在了面前这位早餐同伴的身上，希望向她屈服能换来一点怜悯。他把声音压到最低，用哀求的口吻对她说，"我不应该跟你谈论这个的，这是严格保密的。"

"可是凯文啊，这不过就是张破纸罢了。"

他的双眼再次扫过整个房间，"你不知道事情的严重性。要是这些数字泄露了，大家都会认为是我给你的。那我就彻底完蛋了，没救了，完完全全地没出路了。每个人都在找替罪羊，周围流言蜚语满天飞。首相不信任主席，主席不信任我们。不会有人可怜我这么个倒霉蛋的。我喜欢我的工作，斯多林小姐。把绝密的数字泄露给你，我可承担不起这个责任啊。"

"我还不知道党内的士气竟然这么消沉呢。"

斯宾塞看上去十分垂头丧气，"你根本想象不到。我还没遇到过这么糟糕的时候。坦白说，我们都夹着尾巴做人，低着脑袋走路，这样一旦发生了什么大事，我们才能明哲保身，尽量少受损失。"他第一次与她四目相对，"玛蒂，我求求你，别把我拉进来。"

有时候她讨厌自己的工作，也讨厌自己。此刻就是如此。她不得不榨干他的最后一点利用价值，直到这只"小老鼠"吱吱求饶。"凯文，你没有泄露这份报告。你清楚，我也明白。我也会把这件事情告诉任何想要知道的人。但如果要我帮你的话，我自己也需要一点帮助。这就是你最新的民意调查报告，对吧？"

她把那张纸又推到他面前。斯宾塞再次带着极度痛苦的表情看了一眼，点了点头。

"这份报告是你写好，然后在很小的范围内传播的。"

对方又点了点头。

"我唯一需要你告诉我的，凯文，就是谁能拿到这份报告。这还算不上是国家机密，对吧？"

对面的男人已经完全丧失了斗志。他好像憋了很久的气，才开口回答道："只印了很少的一些，用双重封口的信封装起来，只发给了内阁官员和五个高级的总部官员：副主席和四个高级主管。"他拿起茶杯，想润润嘴唇，发现自己早就弄洒了大部分茶水。"你到底是怎么拿到这个的？"他可怜兮兮地问道。

"我们就说某人不小心弄丢了吧，好吗？"

"不是我的办公室吧？告诉我不是我的办公室！"

"不是的，凯文。你自己算算。你刚刚给了我超过两打的名字，这些人都能看到你的报告。再加上他们的秘书或者助手，这样可能走漏风声的人有五十好几个了。"她向他展露出自己最宽慰人心的温暖笑容，"别担心，我不会把你卷进来的。"

他的面部表情顿时完全松懈下来。

"但我们得保持联系。"她补充了一句。

玛蒂离开了早餐厅。斯宾塞对她千恩万谢感激不尽，这让她感觉好了些；她手里还握着斯宾塞的家用电话号码，这让她感觉更好了。她心里有点小小的激动，想着自己即将写出的头版报道她就兴高采烈，再想到可以当面羞辱自己的编辑，给他当头一棒，她就觉得更为满意了。整个新闻界会为此轰动至少一个星期。然而，在这所有的情绪当中，她感到一种最为强烈的顾虑。现在，那个陷害科林格里奇、泄露这张纸的"叛徒"嫌疑人有五十个之多，到底他妈的是谁呢？

这间旅店的伍六一号房间可远远够不上五星级。这是整个酒店最小的房间之一，离大门很远，位于顶楼的走廊尽头，可怜地挤在屋檐下。这里可不是党派政要们待的地方，绝对是为那些累死累活的工作人员准备的。

佩妮·盖伊有个不速之客。房门啪的一声打开了，在这之前她没听到任何有人接近的脚步声。她箭一般地从床上弹起来，呆坐在严重的惊吓中，露出一对完美的乳房。

"他妈的，罗杰，你难道就学不会敲门吗？"她向这位出其不意的访客扔了个枕头，有些恼怒却并不生气，"而且你这么早就起来干吗？你一般不到午饭时间不露脸的啊。"奥尼尔已经在床那头落座了，她根本就没费心去遮一遮自己的双乳。两人之间的气氛非常轻松友好，根本不存在任何性爱的感觉。大多数人要是知道这俩人从来没有发生过性关系，肯定会大吃一惊。奥尼尔总是和她打情骂俏，特别是在众目睽睽的公共场合。当别的男人靠近佩妮的时候，他也表现出独占欲和保护欲。但有几次佩妮接收了错误的信号，准备提供秘书之外的服务时，奥尼尔对她深情而温柔，喃喃地说着太累了，算了。于是她猜想，这应该不是她的问题，他对所有女人都是那样的。而且在他那些阿谀奉承以及含沙射影的背后，心中深藏着一种对性爱的不安全感。他结过一次婚，那是很多年前的事情了。随着时间流逝，往事模糊了，但痛楚还在。他总是对这部分私生活缄口不言。

佩妮已经在奥尼尔手下工作将近三年了，对他忠心耿耿，喜爱有加，非常想减轻他的不安全感。但他好像从没放下过防备。那些不太了解他的人觉得他外向开朗，好玩有趣，举手投足间充满了魅力，是一个有想法，有活力的好男人。但佩妮却眼睁睁地看着他变得越来越古怪。最近几个月以来，政治生活的压力越来越难克服，但他却更加沉迷其中，这让他在爱情关系上的警惕性甚至是妄想和偏执更为严重。这段时间，中午之前他几乎都不在办公室露面。他开始打很多很多的私人电话，之后就焦躁不安，甚至突然消失。佩妮完全不是个幼稚的女孩，但她的确很爱他，而这种深爱让她盲目。她知道这个男人依赖自己，如果他在床上不需要她，那么在其他的每个方面，他都需要自己。两人之间有着联系十分紧密的纽带。即便目前这些并不都是她想要的，但她也心甘情愿地静静等待。

"你这么早起来，就是想上来泡我的，是不是？"她戏谑地说道，坐在床上噘了噘嘴。

"穿上衣服，你这古灵精怪的小东西。这不公平。它们太过分了！"他大喊着，指着她的胴体，特别是那对乳房。

她调皮而挑逗地把身上的被单揭开，这下她一丝不挂的完美身体就完全暴露了。

"哦，妮妮，我亲爱的，我真希望能把这一刻永远保留下来，画成油画，挂在我墙上。"

"但不放在你床上。"

"妮妮！求你了！别闹了！你知道这么一大清早的，我状态没那么好。"

她很不情愿地伸手去拿睡衣，"是啊，对你来说真的太早了，罗杰。你不是一宿没睡吧？"

"嗯，昨晚有个漂亮的巴西体操运动员教了我一系列的新动作，我们没有任何体操设备，所以挂在吊灯上练的，满意了吗？"

"闭嘴，罗杰。"她坚定地说，她的心情变得像清晨的天空般灰蒙蒙的，"到底怎么了？"

"你是说我这么年轻的帅哥怎么就愤世嫉俗起来？"

"你从来没让我失望过。"

"哪方面没让你失望？是我年轻英俊还是愤世嫉俗？"

"兼而有之。你觉得是什么就是什么吧。跟我讲讲你来这儿的真正原因。"

"好吧，好吧。我必须到附近去送点东西。所以……我觉得应该过来跟你说声早上好。"他几乎就要把全部真相和盘托出，但他克制住了。他没提到在报纸里放文件的时候差点被玛蒂·斯多林抓个正着，所以需要个地方藏身。他迅速跑向走廊尽头，就好像是英式橄榄球比赛时为英国队冲向得分线一样，使出吃奶的劲儿跑啊跑。真有意思啊！这样党主席就有麻烦了。真是太妙了。这个坏脾气难相处的老混蛋在过去几周以来对他特别苛酱，就像厄克特之前指出的那样。奥尼尔自从厄克特那里得到风声后，就满心恐慌，完全没注意到，威廉姆斯其实对谁都挺吝啬的。

"我就当你说的是实话吧，"佩妮说，"但你可怜可怜我吧，罗杰。下次来说早上好的时候，先敲个门。而且早上八点半以后才来。"

"别跟我过不去。你知道我离了你可活不下去。"

"别跟我虚情假意的，罗杰。你想干吗？你来肯定是有原因的，对吧？就算不是要我的肉体。"

他眼里突然有种急躁的神情，好像一个罪恶的秘密被暴露了出来。"实际上，我是来请你做件事的。实在有一点难办……"他把自己做推销员时积累的过人魅力全盘使出，开始讲起头天晚上厄克特一股脑向他灌输的故事。"妮妮，你还记得帕特里克·伍尔顿吧，就是外交大臣，选举期间你帮他写了一些演讲稿，他对你当然是有印象的。我昨晚遇见他了，他问起你。他对你简直神魂颠倒。不管怎么说，他想知道你愿不愿意和他共进晚餐，但他不想贸然直接来问你，免得你拒绝他甚至生气。所以，你知道，我就算是答应了他，说私下找你谈谈，你拒绝我比当面拒绝他要容易些。你明白的吧，妮妮？"

"哦，罗杰！"她的声音里带着哭腔。

"怎么啦，妮妮？"

"你在帮他拉皮条呢。"她的语气更加苦涩，令这句话像一句悲愤的控诉。

"不不不，完全不是，妮妮，不过是顿晚餐而已。"

"从来都不只是晚餐。从我十四岁开始，晚餐就不单纯了。"她是第二代英国移民，在兰仆林周围拥挤的廉价居住区里长大，对于一个年轻的黑人女孩在白种男人的世界里打拼需要付出什么样的牺牲，她一清二楚。她并没有因此而过度沮丧或悲情，而是觉得这给了她往上爬的机会。然而，她绝不会因此就将尊严完全丢弃，眼前就是她不愿意低头的情况之一。

"他可是外交大臣啊，妮妮。"奥尼尔抗议道。

"可他臭名远扬呢，跟英吉利海峡隧道一样，久负盛名啊。"

"但你又有什么损失呢？"

"我的自尊。"

"哦，妮妮，别这样。这很重要。你知道，不重要的话我不会跟你开这个口的。"

"你到底是怎么想我的，该死！"

"我觉得你很美，真心觉得。我们每天朝夕相处，能给我生活带来欢笑的事物为数不多，你是其中之一。但我现在很绝望。求求你了，妮妮，别问我太多，但是……这件事你一定得帮我。只是一顿晚餐而已，我发誓。"

两人都热泪盈眶，他们都深爱对方。她知道，对她提出这种要求，他也很心痛，而且出于某种原因，他发现自己别无选择。因为爱他，她不想知道原因。

"好吧，只是一顿晚餐而已。"她悄声骗自己。

他突然扑到她身上，高兴地亲来亲去。接着又像刚才突然闯进来一样，气喘吁吁地夺门而去。

五分钟后他回到了自己的房间，打电话给厄克特，"东西已经送到，晚餐已经约好，弗朗西斯。"

"太棒了，罗杰。你真是太能干了。我希望外交大臣也会感激你。"

"但我还是不太清楚你要怎么让他邀请佩妮共进晚餐。这一切到底有什么意义？"

"意义，亲爱的罗杰，这个意义就在于，他根本不用亲自邀请她共进晚餐。他今晚要来出席我的招待会。你带着佩妮来就好了，我们喝上一两杯香槟，互相介绍介绍，看看事情如何发展。以我对帕特里克·伍尔顿的了解——作为党鞭长我当然很了解他——二十分钟之内他肯定就会提出，可以帮助她练习和改进一下法式礼仪。"

"但我还是不明白这能给我们带来什么好处。"

"罗杰，现在我们还不知道会发生什么，一切就看这两个人啦。

不过，无论发生了什么，我们都会了如指掌的。"

"我真的不知道这到底能有什么用。"奥尼尔抗议道，还是希望电话那头的人会改变主意。

"相信我，罗杰，你必须要相信我。"

"我当然相信您，我不得不相信您。我没有其他选择，对吧？"

"很对，罗杰。你现在已经看得很清楚了。这样的知识就是力量啊。"

电话挂断了。奥尼尔觉得自己已经懂了，但还不是很确定。他还在拼命想弄清楚自己到底是厄克特的合作伙伴，抑或不过是他的囚徒。被这个复杂问题纠缠不清的他在床头柜里一阵乱翻，拿出一个小小的纸盒，吞下几粒安眠药，衣服也没脱就瘫倒在床上。

# 十七

*政客的办公室正如人生，你对它的态度，取决于你是走马上任，还是挥手再见。*

"帕特里克，感谢你抽时间见我。"厄克特向前来开门的外交大臣送上一句问候。

"电话里你听起来很严肃。党鞭长说他急需跟你谈谈，这一般就意味着那些丑闻照片之类的把柄已经被他抓在手里了，可是《世界新闻报》却不幸掌握了负面消息！当然得赶紧抽出空来啦！"

厄克特笑了笑，步态轻盈地穿过房门，走进伍尔顿下榻的套间。现在已经是下午晚些时候了，狂风不再嚣张肆虐，但伍尔顿门厅里那把还滴着泥水的雨伞说明今天的天气可真是糟糕可怕。厄克特此行并没走多远，实际上不过是从他自己那套位于酒店一楼一系列豪华小别墅中的套房走了几米来到这里而已。那些小别墅是为内阁官员预留的，每一栋都有二十四小时的警察轮班保卫服务，花费巨大。当地警察局因此将这里命名为"加班巷"。

"喝一杯？"这个亲切友好的兰开夏郡人拿出好客之道。

"谢谢你，帕特里克，来杯苏格兰威士忌。"

此时此刻埋首忙碌于一个小小的酒柜之前的是尊敬的帕特里克·伍尔顿，女王陛下的外交与英联邦事务总大臣，默西赛德郡众多成功的外来移民之一。看起来，今天下午他已经在这里消磨了不少时光。而厄克特则将自己带来的红箱①放在属于帕特里克的那四个旁边，五个红箱就并排放在雨伞下面形成的泥水坑边缘附近。这些颜色鲜亮的皮质箱子是高官的标志之一，他们每天都携带着这个伙伴，里面装着官方公文、演讲稿和其他机密文件。作为一个外交大臣当然需要好几个红箱。而党鞭长不会发表会议演讲也不会处理外交危机，所以来到伯恩茅斯时，厄克特的红箱里装着三瓶十二年的麦芽威士忌。酒店提供的酒水通常贵得令人咋舌，他这样向妻子解释，更别说老是找不到你想要的那个牌子了。

现在他面对着伍尔顿，两人中间隔着一个摆放着散乱文件的咖啡桌。没有寒暄，他开门见山，"帕特里克，现在我得要你一句话，要对这件事情严格保密。在我看来，我们俩这次会面根本就不应该发生。"

"我的天哪，你不会真的有些不该有的照片吧？"伍尔顿惊叹道，语气里的玩笑成分减去了很多。他对于漂亮年轻女士的"色心"已经让他走了好几次险路。十年前刚刚开始从政时，他就曾经忍受过十分痛苦而煎熬的时日，接受路易斯安那州立警察局的盘问，解释他周末在新奥尔良一家汽车旅馆的行径。当时和他一起同床共枕的，是个年轻的美国女孩，看上去二十出头，举止行为像三十多岁，实际年龄却不过刚满十六岁。这件事情遮遮掩掩地就过去了，但伍尔顿可永远不会忘记，在大好的政治前程与宣判强奸罪之间，到底该选择什么。这可是"失之毫厘，差之千里"的事情啊。

"我这件事情比艳照严重多了，"厄克特小声说道，"最近几个星期我听到了一些不太好的传闻，是关于亨利的。你也应该感觉到了吧，内阁也有些人对他不满，媒体也老是说他坏话，对他特别不利。"

"这个嘛，当然没什么理由期待选举以后'蜜月'还继续啦，我

---

① 红箱是指英国首相和大臣们携带的红色机密箱。该箱子由陈年松木和红色公羊皮制作而成，可防子弹。从 1860 年引入以来，红箱一直作为英国官员的公文包。1998 年后，英国政府开始以互联网替代"红箱"的文件传递功能，使用红箱的英国官员大为减少。如今仅有首相、财政大臣等高阶官员依然保留着用红箱的传统。

是这么觉得的。不过嘛，暴风雨来得也太快了些。"

"帕特里克，就咱哥儿俩我才敢说这样的话，有两个特别有影响力的平民党员来找我。他们说各个地方的感觉非常糟糕。我们上周输掉了两个重要的地方补选，本来那应该是很安全的席位才对。未来的几周我们还会再丢掉好几个席位。"

"明天就是该死的多塞特西区补选了。估计这次也够呛，我们说不定也会挨上当头一棒，你记住我的话。我们现在就连去竞选当地的捕狗员都有困难。"

"帕特里克，现在有种看法，"厄克特接着说，声音里带着浓重的忧虑和不安，"说亨利这个人不得人心，害得整个党派都跟着他沉下水去。"

"坦白说，我同意这个看法。"伍尔顿说，抿了口威士忌。

"问题在于，亨利需要用多长时间才能解决问题？"

"多数席位只有二十四个，他没多少时间了。"伍尔顿自我安慰般地双手合握着酒杯，"再有几次补选失败，我们就要提前进行大选了。"他没有看眼前的同僚，而是盯着黑褐色的杯中酒，"那你有什么看法呢，弗朗西斯？"

"作为党鞭长，我没有看法。"

"你这老狐狸总是这么精明谨慎，弗朗西斯。"

"但作为党鞭长，也有那么一两个高层同僚要求我稍微地试探一下，看问题究竟有多严重。我们就简单谈谈吧，帕特里克。这对我来说不容易，你也会理解的……"

"你他妈的一口酒都还没碰呢！"

"再给我一小会儿。别人请我去刺探一下，看同僚们觉得我们到底陷入了多大的麻烦。我们就把牌摊到台面上来说吧。亨利现在还是你心中最合适的领袖吗？"他举起酒杯，目光如炬地凝视着伍尔顿，接着喝了一大口，重新放松，在椅子上坐好。

屋子里一阵沉默，外交大臣感觉到一股压力在推着他赶快回答这个问题。"好吧，该死的，已经走到这一步了，是不是？"他从兜里摸出一个烟斗，接着拿出一个烟丝袋和一盒天鹅火柴。他慢吞吞地往烟斗里填好烟丝，用拇指向下压紧，然后再拿出一支火柴。这一系列动作好像一个复杂的仪式。在一室的沉默中，点燃火柴时"嚓"的一声显得格外刺耳。伍尔顿不停嘬着烟斗，直到香甜的烟草都被点燃，他周围慢慢变得云雾缭绕。在挥之不去的蓝色云雾中，他的面目都有些模糊不清了。他挥了挥手将烟气拂去，不再遮遮掩掩，"你必须原谅我，弗朗西斯。在外交部干了四年，我已经很不习惯回答这么直接的问题了。也许我已经不习惯大家直截了当直奔主题了。你这简直是攻我不备啊。"

当然，这些都是胡说八道。伍尔顿正是以直接甚至有时候很具攻击性的从政风格而闻名的，这一点让他在政坛的日子不好混，好不容易才在外交部找到了用武之地。他说刚才那番话不过是在争取时间，好理一理思路。

"我们先试着把所有主观看法放到一边——"他又吐出一大口烟，好像是为了掩饰这话中非常明显的伪善意味，"——像一份行政意见书那样，来分析一下这个问题。"

厄克特点点头，心中暗笑。他知道伍尔顿的个人看法，他也知道目前假设的这个行政意见书到底会得出什么结论。

"首先，我们有问题吗？答案是肯定的，而且还是比较严重的问题。我那些兰开夏郡的乡亲们简直都暴跳如雷啦！我觉得你不动声色地来调查调查还是很正确的。其次，有没有什么柔和的，无痛的方法来解决掉这个问题呢？可别忘了，我们可他妈的是赢了大选的啊。但我们赢得不那么漂亮，没有达到预期的效果。而这都是亨利的责任。但是——"他挥了挥烟斗，表示强调，"如果真的要做出什么行动来把他换了——这正是我们目前所讨论的最关键问题……"

厄克特故意对伍尔顿这番直率的言辞展露出痛苦的表情。

"这会在党内引起巨大的骚乱和恐慌，而且反对党那帮混蛋就该狂欢庆祝了。事情可能会变得很糟糕、很混乱，而且也不敢保证亨利就会安安静静地下台。这也会被看做是孤注一掷的绝望之举。一个新的领袖至少需要一年才能把各种缝隙填平。所以我们不应该骗自己，把亨利赶下台我们的日子就好过了。不是这样的，先生。但是，再次，即便刚才说的这些都是事实，亨利能自己找到解决问题的方法吗？嗯，你知道我对这个问题的看法。玛格丽特走了之后，我就反对他坐上这个位子，我现在也初衷不改，选他当首相是个错误。"

厄克特低下头，冰冷的脸上面无表情，仿佛是在对他的直言不讳表示感谢，实际上，他心里正在进行一场盛大的庆祝。他实在把眼前这个人的心理摸得太门儿清了。

伍尔顿一边给两人的杯里续酒，一边继续分析道，"玛格丽特成功做到了在保持个人强硬风格的同时，也保持清晰明确的方向和目的。不得已的时候，她可以做到残酷无情；而不必要的时候，她也还是挺冷酷的。她永远显得那么忙碌，脚步匆匆地赶往下一个目的地；所以她没有时间去理会可怜的俘虏，甚至也不介意在赶路的途中绊倒几个朋友。这一切都不那么重要，因为她是个手腕强硬，永远站在风口浪尖的弄潮儿。这个女人让你不服也得服。但亨利根本就没有明确的方向，只不过喜欢坐在这个位子上的感觉。没有方向，我们就输定了。他想效仿玛格丽特，但他根本就没那个气场。"他把一大杯酒重重地放在同僚的面前。"所以我们现在就像握着个烫手山芋。想让他下台，很难办。但如果让他继续稳坐首相的位子，我们的麻烦就他妈大了。"他举起酒杯，"我们只能搅乱敌人的视听，弗朗西斯。"他仰起脖子一饮而尽。

厄克特有将近十分钟的时间一言不发了。他的中指指尖一直慢慢地抚摸着杯沿，发出的声音如同刺耳的低泣。他抬起眼睛，那一片深蓝仿佛穿透灵魂，"可谁是敌人呢，帕特里克？"

帕特里克也同样注视着他，"谁最有可能导致我们下次选举一败涂地，谁就是敌人。到底是反对党的那个混账领袖呢，还是亨利？"

"你觉得呢？你到底说的是谁？给个准话吧，帕特里克？"

伍尔顿哈哈大笑，"对不起，弗朗西斯。这里面可是太多外交辞令了。

你也知道，我就连早上给妻子一个吻，她也会想我有什么企图。你想要直截了当的回答吗？好吧。我们的多数席位太少了。从目前的趋势来看，我们下一次就会被彻底给搞砸。我们不能再像现在这样下去了。"

"所以有什么解决方法呢？我们必须找个解决方法啊。"

"我们等待时机，就应该这样做。等几个月，制造好公共舆论，给亨利施加压力促使他下台。这样，他真的下台时，我们这样做就是符合民意，而不是因为党内的纷争。公众舆论是非常重要的，弗朗西斯，我们需要时间来使万事俱备。"

你也需要时间来准备好自己的竞选演说，厄克特心下暗想。你这该死的老骗子，你一直都流着口水想赶紧爬上这个位子。

他很了解伍尔顿。这个男人可不傻，什么事情都看得透透的。他肯定已经在暗地筹划，多花点时间在下议院的走廊和酒吧里转转；加强一下已经建立起来的关系；交交新的朋友，去选区多走走，做出一副廉政为民的样子；在报纸上多露露脸，跟编辑和专栏作者搞好关系，建立起自己的好名声。他的官方记录会变得一尘不染，他会大大减少去国外访问的时间，多多地在英国国内飞来飞去，发表演说，谈谈未来十年这个国家面临的挑战和机遇。

"那是你的工作，弗朗西斯，而且是个特别难的工作。你要帮助我们决定什么时机最合适。太早了，我们就会像一群迫不及待的弑君刺客。太晚了，党派就会分崩离析，彻底完蛋。你必须要竖起耳朵，把任何风声都收进来。我想你也在其他人那里进行了暗中调查吧？"

厄克特小心翼翼地点点头，沉默着表示肯定。他这是提名我去做卡西乌斯①啊，他心想，把匕首放到老子手里来了。但厄克特发现，

①　古罗马将军、刺杀恺撒的主谋者之一。早年随克拉苏征战帕提亚（安息）。公元前53年，克拉苏败亡后，收集余部打败帕提亚军（在幼发拉底河一带）。前49年返罗马任保民官。"内战"时追随庞培，法萨罗战役中指挥舰队，失败后逃往赫勒斯滂，后得恺撒宽宥，任大法官，并接任叙利亚总督。公元前44年3月15日，与布鲁图等合谋刺死恺撒，旨在恢复共和制度。旋即赴叙利亚掠取财富，积聚力量；至希腊，同布鲁图会合。前42年，腓力比战役中，所率队伍被安东尼打败，自杀身亡。

伍尔顿不介意因此会引起的轰动，一点也不介意。这让他精神振奋。

"帕特里克，很荣幸你掏心掏肺跟我说这么多坦白的话。真的很感激你对我的信任。对我们所有人来说，接下来几个月都会很艰难，我需要你在我背后，不断给我意见和建议。你会看到，我将一直是你坚定的朋友。"

"我知道你会的，弗朗西斯。"

厄克特站了起来，"当然，我们今天的对话一个字也不会传到外面去。天知地知你知我知。"

"我政治保安队的那些伙计们总是跟我唠叨，提醒我说隔墙有耳。我真高兴是你住在我隔壁！"伍尔顿提高了声音，玩笑般地拍了拍厄克特的肩膀，还带了那么一点高人一等的骄傲。接着他的访客大步走过去，拿起自己的红箱子。

"今晚我有个会议招待会要开，帕特里克。所有人都在那儿。这个聚会很有利用价值的。你会出席的，对吧？"

"当然啦。在你办的派对上我总是特别开心。要拒绝你递上来的香槟那可真是太粗鲁了。"

"那咱们几小时后见。"厄克特回答道，拿起其中一个红箱子。

伍尔顿在他身后关上了门，又给自己倒了杯酒。他会缺席下午在会议大厅进行的辩论，洗个澡，打个小盹，准备好晚上的一系列活动。他回想了一下刚才的对话，有点担心自己的各种感官和心智是不是被威士忌麻痹了。他努力回想厄克特是怎么表达自己对科林格里奇的反对的，但怎么也想不起来了。"这个精明的老混蛋，让我把什么话都说了。"不过，党鞭长不就是干这个的吗？而且，他可以相信弗朗西斯·厄克特的，对吧？他陷在舒服的椅子里想着自己刚才是不是太坦白了一点，却没有注意到，厄克特拿走的，不是他自己的红箱子。

午饭后不久，玛蒂就把自己写的文章发了出去，自那以后，她就一直情绪高涨。民意调查令人震惊。这是独家的头版新闻。而此时此刻，她周围那些虎视眈眈的竞争者们还毫不知情。毫无疑问，她是这次会议到场记者中绝对的王者。这个下午她花了很多的时间，兴奋而渴望地幻想着在自己眼前慢慢打开的那些机遇之门。她刚刚在《每日纪事报》干满一年，她的能力也逐渐得到了赏识。再这样奋斗一年，也许她就能做好迈出下一步的准备了。比如做个助理编辑，甚至是专栏记者，可以有自己的版面，写一写严肃的政治分析，不再只满足于每日吸引眼球的新闻了。而且，有了弗朗西斯·厄克特这样的朋友，她永远不用为得到内部消息而发愁。

当然，这些都是需要付出代价的。她的母亲仍然以为她在伦敦有了喜欢的人，有了可以共度一生的伴侣。但现实却是，每当深夜回到自己的小公寓，早上起来又拼命在脏衣篮里寻找还能凑合穿的衣服时，她就觉得伦敦的日子变得越来越艰难而孤独。她有很多的需求和目的，事业成功带来的虚荣无法完全满足；而这些需求越来越强烈，强烈到难以用拼命工作来忽略。

同样无法忽略的还有她快到五点时收到的一条口信，十万火急地让她给报社办公室打个电话。她刚刚在酒店平台上和内政大臣喝了杯茶，聊了聊天。这位大臣很想让《每日纪事报》明天登登自己的会议演讲。另外，比起在同僚们冗长无比的演说中度过另一个昏昏欲睡的下午，和一位年轻漂亮的金发女郎交谈一个小时显然在任何时候都要有趣得多。正聊得起劲呢，一个接线员就把写有口信的纸条塞进玛蒂手里。酒店大堂人很多，但其中一个公用电话没人，于是她决定忍受一下这些喧闹的噪声，就在那儿打电话。电话打通以后，普雷斯顿的秘书说编辑大人正在打电话，就给她接通了一位副总编辑，约翰·科拉杰维斯基。那是个温柔的大个子男人。夏天闲下来的时候，她跟他熟悉了一些，两人共同分享上乘的红酒，而且他的父亲和她的祖父都是战争期间逃到英国来的欧洲难民。有了共同的喜好和背景，两人的感情迅速升温。但并没有发展到上床那一步，应该说是"还没有"。他曾经明确表示过他希望两人不仅仅停留在办公室闲聊的朋友这么简单，不过，此时此刻，他的舌头突然打结了，声调也变得很不自然。

"嗨，玛蒂。我想对你说，呃……哦，他妈的。我不想说太多废话了。我们不会——他不会——登你的报道。我真的很抱歉。"

电话那头是一阵惊异的沉默。她把这句话翻来覆去地想，确定自己没有听错。但不管怎么翻来覆去，意思都是一样的。

"你说不会登，到底是他妈的怎么个意思？"

"就是不会登，玛蒂。不会见报。" 科拉杰维斯基显然很难招架眼前的对话，他的声音里有种深切的痛苦，"很抱歉我不能跟你细说，因为是格雷亲自处理的，我自己没有看到报道本身，请相信我。但很显然你写了个很轰动的新闻，我们尊敬的总编大人觉得不能在完全确认之前就登出来。他说我们一直都是支持政府的，他可不能因为一张匿名的纸，就完全抛弃我们的方针和立场。行动之前我们必须要完全确定，现在我们不知道信息的来源，所以没法完全确定。"

"我的天哪，这张纸从他妈的哪儿来根本就不重要。不管是谁给我送来的，如果那个人知道这样做可能会让自己的名字传遍整个新闻界，那他就不会给我送来了。唯一重要的是，数据是对的，我确认过了。"

他叹了口气，"相信我，我明白你现在的感受，玛蒂。我希望自己跟这件事情完全没关系，隔着十万八千里。我只能告诉你，格雷很坚决，他不会刊登这篇报道的。"

玛蒂特别想爆发出一声长长的尖叫，再大声咒骂那个该死的编辑。她突然很后悔选择了这么个人挤人的大堂来打电话，"让我跟格雷通个话。"

"对不起。我想他正忙着打另一个电话。"

"我在这儿等着！"

"事实上，"副总编辑的声音里满是尴尬，"我想他会一直都很忙。是他坚持让我跟你说这事的。我想他是想跟你说清楚的，玛蒂，但要等到明天。今晚你是不可能说服他的了。"

"明天就他妈的晚了！我们什么时候因为格雷在打该死的电话就

冒失去一次独家报道的风险的？"玛蒂把自己的鄙视一吐为快，"我们到底想不想办好报纸了，约翰？"

她听到电话那头的副总编辑清了清嗓子，找不到合适的话说。"对不起，玛蒂。"这是他能想到的唯一回答。

"你他妈的去死吧，约翰！"这也是她能想到的唯一的话。接着她把听筒重重摔了回去。不应该这么跟他说话的，但她的文章就应该被枪毙吗？她又一次拿起电话，想听听他是否还在电话那头，并告诉她这只不过是一场愚蠢的恶作剧。但她只听到那头响起冷冰冰的忙音。"他妈的！"她骂了一声，再次把听筒摔了回去。正在隔壁打电话的一个会议管理人员不满地看了她一眼。她凶狠地瞪了回去。"妈的！"她又故意咒骂了一声，用他刚好能听见的声音。接着她就穿过门厅，走向酒吧间。

玛蒂来到目的地时，酒保刚刚把吧台打开。她气冲冲地打开包，拿出一张五英镑的钞票摔在吧台上。"来杯酒！"她大声宣布，一腔怒气不知如何发泄，结果胳膊不小心碰到了旁边的一个人。这人比她来得还早，靠在漆得光滑无比的吧台上，显然已经在等着喝今晚的第一杯酒了。

"对不起。"她狂躁地说了声抱歉，声音里却毫无歉意。

那个酒客转过身来面对着她，"年轻的女士。你说你要来杯酒。你看起来也的确需要来杯酒。我的医生跟我说，酒对身体毫无益处。但他知道什么？你不介意我这个老得能当你父亲的人做你的酒友吧？顺便介绍一下，我姓科林格里奇，查尔斯·科林格里奇先生。但请你叫我查理，大家都叫我查理。"

"好吧，查理，只要我们不谈政治。很高兴认识你。请允许我的编辑做今天的第一件体面事，请你喝上一大杯！"

# 十八

在威斯敏斯特这个小世界里，前进的动力是野心、疲惫和酒精。当然还有欲望，特别是欲望。

这个房间有着低矮的天花板，此刻天花板之下挤满了人。窗户全都敞开着，但这条"加班巷"看起来仍然很像一个第三世界国家水泄不通的机场航站楼。如此一来，厄克特的选区秘书正在发放的冰镇香槟就前所未有的抢手。热气与酒精让人人都摘下彬彬有礼、循规蹈矩的面具。如此看来，这场子可能是党鞭长主持的会议招待会中比较放松随意的那一类了。

不过，我们的党鞭长厄克特先生却没有站在主人的位子上维持秩序并接受来客的致意。他被大腹便便的本杰明·兰德里斯死死地堵在一个角落里。这位伦敦东区的报业巨头满头大汗，外套脱了，衣领也扯了下来，露出厚重的绿色背带，像降落伞绳子一样拉着他不断滑落的无比肥大的裤子。兰德里斯一点也没注意到自己的窘态，他的全部注意力都集中在被自己堵住的这个猎物身上。

"但一切都他妈的乱了套了，弗兰基，你自己也清楚。上次选举的时候我把我的整个报业集团都拉动来支持你了。我把我的整个全球总部都搬到伦敦来了。我在这个国家投资了好几百万了。我觉得你欠我个大人情啊。但现在，如果亨利不赶紧撤，下次选举的时候，我们全都得他妈的完蛋。我对你这么好，跟你这么亲，如果那群反对党的混蛋胜利了，他们就会把我就地处死，把尸体挂着示众！所以别他妈的再说空话了，干点有用的事情，求你了！"

他停下来，从裤子口袋里掏出一张巨大的丝绸手帕，擦了擦眉毛上的汗珠，厄克特开口安慰他。

"当然没那么糟糕啦，本。所有的政府都会遇到不好办的时候嘛。我们以前也都经历过这些破事儿，都熬过来了呀。"

"胡说八道！这些都他妈是自说自话，你怎么会不清楚呢，弗兰基？你看到最新的民意调查了吗？他们今天下午打电话跟我说了。真他妈的糟糕！如果今天就举行选举，那肯定完了。你们他妈的肯定下台了！"

厄克特想象着明天早上《每日纪事报》的头版头条，心中涌起一阵舒服和得意，但肯定不能表现出来，"妈的，你是怎么拿到的？明天补选的时候，那个调查肯定对我们不利啊。"

"别一拉一裤子，弗兰基。我告诉普雷斯顿不要登出来。当然，最后肯定会泄露出去的，但是会在补选之后了。"他伸出一只肥胖的手指戳着自己的胸口。"我简直是救了你这场派对，否则这里就是个活埋坑！"他深深叹了口气，"你他妈的值得我这样做吗？"

"我知道亨利会很感激你的，本。"厄克特感到深深的失望。

"他当然得感激我。"兰德里斯低声咆哮着，现在他的手指戳到厄克特的胸口了，"但从耶稣顶上十字架以来最不受欢迎的首相，他感谢你能有个屁用啊，能存进银行吗？"

"你什么意思？"

"现实点吧，弗兰基。政治上的受欢迎程度就是财源啊。只要你们掌权，我就可以继续做生意，做我最擅长的事情——赚钱。所以我才支持你们。但你们这艘船一开始进水，那就是人人自危了。股市会狂跌，大家都不愿意投资了。工会也要站出来闹。我简直不愿意再往下看了。从六月份以来就是这么个情况。首相大人现在没什么竞争力了。就算他去亲个小婴儿，都会被认为是人身侵犯。他要把整个党派都拉下水了，我的生意也要跟着一起完蛋了。除非你赶快采取行动解决问题，不然的话，我们都他妈的要被活埋在坑里，彻底消失了。"

"你真有这样的感觉？"

兰德里斯停顿了一下，只是为了向厄克特表明，这并非几杯香槟下肚后一时兴起的胡言乱语。

"我的感觉很强烈。"他又低声咆哮了起来。

"这样看来，我们还真有问题。"

"说得真他妈对。"

"你想让我们做什么呢，本？"

"弗兰基，要是我的股东们看见我像亨利这样混吃等死，那我午饭时间都撑不到了，马上就把我赶下台了。"

"你的意思是……？"

"没错。把他干掉。再见啦，拜拜啦！"

厄克特高高地扬起眉毛，像兰德里斯这种男人，一旦跨上了马背喊了"驾！"那就怎么也拉不回来了。"生命太短暂，别支持蠢蛋，弗兰基。我这二十年拼了老命地挣钱、奋斗，可不想眼睁睁看着你老板一泡尿撒得到处都是，把我给毁了。"

厄克特感觉到这位客人用巨大的手指紧紧抓着自己的胳膊，抓得生疼。这满身横肉的男人背后是有真正力量的，厄克特开始明白为什么兰德里斯总是什么事都能办成了。如果他用钱和商业运作办不了的事，他就用身体的力量实打实地进行肉搏，或者张开三寸不烂之舌到处去游说。厄克特一直讨厌别人叫自己"弗兰基"，全世界只有这个男人坚持不改口。但只有在今晚，他不会提出任何抗议和反对。这场争辩，他心甘情愿，甚至欣喜若狂地主动认输。

兰德里斯靠得更近了，他脸上写满了凶狠的阴谋，把厄克特更紧地逼在角落里。"我私下给你举了例子，好吗，弗兰基？"他四处看了看，确保没人偷听，"有个'包打听'跟我说，很快联合报业集团就要被挂牌出售。如果消息属实，我就要把它买下来。事实上，我已经跟他们进行过好几场认真的讨论了。但有个断子绝孙的律师居然告诉我说，我已经有了个报业集团了，政府不会允许我买另一家。我问他们，你们是在跟我说，就算我已经把所有的一切奉献给了支持政府的事业，我也不能够成为全国最大的报业集团老总？！"他的脸上汗水横流，但他毫不在意。"你知道他们怎么回答的吗，弗兰基？你知道那些笨蛋跟我说什么吗？他们说，正是因为我特别支持政府，所以我才有麻烦。我就算向联合报业眨个眼，反对党都会愤然站起来反抗，把屎盆子扣在我头上，把我给彻底搞臭。而且没有人会有勇气站起来替我说话。他们就是这么说的。我如果真的去接管这个集团，就会被上报到垄断和并购委员会，然后就会处理好几个月，麻烦不断，还得花好多钱去请律师，我得在委员会的办公室坐着，听一群他妈的软蛋教训我怎么管理我自己的生意。还有，你知道真正让我特别他妈的生气的是什么吗，弗兰基？"

厄克特有些受惊吓地眨了眨眼。靠得这么近，眼前这个男人的确很吓人，"我不知道，本。你给我讲讲。"

"我真的特别他妈的生气，"他的手指又戳到厄克特胸口来了，"就是不管我怎么申辩，不管我说什么，最后政府也不会让我做成这笔生意。为什么呢？因为他们没有抗击反对党的勇气，根本不像男人！"他一口烟圈吹到厄克特脸上。"因为你们政府不像男人，我他妈的也要被阉了。你们把自己的事情弄得一团糟不说，你们也要把我给搞臭！"

说完这番话，兰德里斯才把手指从招待会主人的胸口收回来。厄克特被戳得很痛，他很肯定早上会发现那里淤青了。

他缓缓地开了口，"本，你一直是我们党派的好朋友。比如我就特别欣赏和感激你为我们所做的一切。如果我们不能回报这份友情，那简直是不可原谅的。这一点上我无法代表首相。事实上，现在我发现在任何事情上我都越来越没法代表他了。但就我个人来说，只要你需要，我肯定赴汤蹈火，义不容辞。"

兰德里斯点着头，"很高兴能搞清楚这一点，弗兰基。我很喜欢你说的话。只要亨利能稍微果断点就好了。"

"恐怕他本来就不是这样的性格。但我知道他一定会很感激你的。"

"感激什么？"

"感激你把民意调查的结果保密了。我很难想象，要真是出版了，对他会造成什么样的灾难性后果。这样一来整个会议就会变成斗兽场了，你死我活，头破血流。"

"是啊，会有这样的效果，对吧？"

"我提醒你一句，有些人坚信，不经过点冲突和牺牲，就永远不会有进步。"

兰德里斯眉宇间充满沮丧和忧愁的皱褶慢慢展开，变成一个笑容。他的皮肤粉嫩而柔软，他的脸上眉开眼笑，"我想我知道你的意思了，弗兰基。"

"知道我什么意思了，本？"

"哈！我想我们特别懂得彼此，你和我。"

"是的，本，我觉得我们是知己良朋。"

兰德里斯再次握了握党鞭长的胳膊，但这次是温柔友好的，满含感激的。接着他看了看表，"我的天，这么晚了吗？我得回去做事儿了，弗兰基。还有三十分钟第一版就没法改了。我得去打个电话。"他抓起外套，套在胳膊上，"谢谢你的聚会，很开心。我不会忘了这份盛情的，弗兰基。"

厄克特注视着这位实业家离去的身影，被汗水湿透的衬衫紧紧贴在宽大的后背上，他吃力地挤过拥挤的人群，消失在门口。

这个拥挤房间的另一端，罗杰·奥尼尔正藏在一群人的身后，与一个年轻而迷人的与会者亲切交谈。奥尼尔显得特别激动，手指不停地躁动着，双眼像被烫伤了一样乱翻，讲话语速飞快，让人不禁感到奇怪。和他坐在一起的这个来自罗瑟勒姆的年轻姑娘早就已经被奥尼尔抛出的那些名字和他分享的秘密给惊呆了。这番对话她插不上嘴，就是个无辜的旁听者。

"当然啦，首相一直都处在我们这边安保人员的监视和保护中。总是有安全威胁的。爱尔兰人、阿拉伯人、黑人激进分子。他们也要来害我，企图这样做已经有几个月了。特警队的孩子们在整个大选的过程中坚持要给我提供保护。一份攻击名单上有我们俩的名字，亨利和我的。所以他们给我二十四小时的保护。当然，这件事没有公开，但所有内部人员都知道。"他烦躁地从唇边扯下烟头，开始剧烈咳嗽。接着拿出一张脏兮兮的手帕，大声擤着鼻涕，看了看手帕上的"成果"，再塞回口袋里。

"但为什么要害你呢，罗杰？"他年轻的听众鼓起勇气问道。

"我这个靶子打了也没关系，而且还很容易就能打到。但一打就会造成很强烈的舆论反应。"他一股脑全分析了，"如果他们打不到首相，就会拿我这样的人开刀。"他紧张地四下乱看，眼珠子不停地翻转。"你能保守秘密吗，一个真正的秘密？"他又深深抽了口烟，"今天早上我发现有人对我的车子动过手脚。拆弹组的伙计们过来好好检查了一番，每个角落都没放过。他们发现有个前轮的轮壳螺帽被拆走了。想想吧，我正坐车在高速上往家里赶呢，时速达到八十的时候轮胎没了，扫路机又得忙活好久了！他们觉得这是故意破坏。现在重案组的人正要过来问我话呢。"

"罗杰，这真是太吓人了。"她倒抽一口凉气。

"千万不能跟任何人说啊。特警队想趁那帮混蛋不备把他们拿下。"

"我根本不知道你和首相关系这么近。"她声音里有着越来越明显的敬畏，"这个时候真是太可怕了……"她突然惊叫起来，"你还好吗，罗杰？你的情况看上去很不妙啊！你的，你的眼睛……"她吓得语无伦次，结结巴巴。

奥尼尔的眼睛疯狂地旋转着，把他的大脑带进了更为疯狂和眩晕的幻觉当中。他的注意力好像游走到了别处，眼前这个年轻女人已经与他无关了。他来到了另一个世界，进行着另一场谈话。有时候他的眼神会回到她身上，但转瞬间又飘走了。他双眼充血，眼眶泛泪，眼神没有焦点，鼻涕不断从鼻孔流出，好像冬天里虚弱的老头，他扬起手背草草地擦了一下，没什么用。在她的注视下，他的脸色逐渐变得灰白，身体不断抽搐，突然间蹦跳一样地站了起来。他脸上充满恐惧，仿佛四周围的墙正在倒塌，要将他活埋。

她在旁边无助地看着，不知道他到底需要什么，也不好意思闹出什么大动静。她走过去拉着他的胳膊，支撑着他。但她这么做的时候，他却转过身面对着她，结果失去了平衡。他抓住她，稳住自己的身体，接着又拉扯她的上衣，几颗扣子崩开了。

"别挡我的路，别挡我的路。"他咆哮着。

他近乎暴力地把她往后推，她倒在一个摆满玻璃杯的桌子上，接着又弹回到沙发上。酒杯哗啦啦地掉在地上，一切谈话瞬间停止了，屋子里的所有人都转过头来看看究竟发生了什么。女孩身上的扣子几乎都掉光了，她的左胸就这样袒露在大家面前。

屋子里静得吓人，奥尼尔跌跌撞撞地向大门走去，把更多的人纷纷推向一旁，接着一头扎进夜色中，留下一屋子惊诧万分的脸和一个拼命拉着破衣服，忍着屈辱泪水的年轻姑娘。一个稍微年长些的女客走过来帮她整理了一下，领着她往卫生间走去。卫生间的门一关上，屋子里顿时出现各种猜测的声音，很快就变成高声的议论，这将是整个晚上所有人津津乐道的谈资。

佩妮·盖伊并未加入这些议论。几分钟以前她还在快乐地笑着，完完全全沉浸在帕特里克·伍尔顿那睿智幽默的谈吐和特有的默西赛德郡式魅力当中。厄克特在一个多小时前介绍了他们认识，也确保他们的谈话一直有美酒香槟陪伴左右。然而，眼前的喧哗与骚动让这魔法时刻迅速消失了，佩妮明艳闪亮的笑容黯淡下来，满脸都是可怜兮兮的沮丧和痛苦。她拼命想忍住眼泪，却没能成功。泪水顺着她的双颊倾泻而下。伍尔顿一直在旁边给她安慰和鼓励，还递过来一张白色大手帕，但她就是无法停止哭泣，这种痛苦太真实了。

"他真的是个好男人，特别擅长自己的工作。"她解释道，"但有时候他好像压力过大，变得有点疯狂了。这实在是太不像他了。"
她用哀求般的语气对伍尔顿说道，眼泪更猛烈地砸了下来。

"佩妮，我很抱歉。亲爱的。听我说，你需要离开这个该死的地方。
我就住在隔壁。我们去那里给你擦干眼泪，你看如何？"

她就知道会发生这种事，但看上去已经不那么重要了。她感激地
点点头，两人艰难地穿过挨挨挤挤的人群。他们走得很谨慎，似乎没
人注意到他们溜了出去，除了厄克特。他的目光跟着两人走出兰德里
斯与奥尼尔曾经穿过的房门。厄克特从内心感到高兴，看来这将是个
永生难忘的聚会。

# 十九

大多数补选候选人只不过是法律上的一个形式罢了。法律要求我们要让补选胜利者觉得自己做了一件特别了不起的事情，实际上他一文不值。

## 十月十四日　星期四

"你他妈不会养成习惯，每天早上都叫我起床吧，你说说？"就算两人只是在打电话，普雷斯顿也用语气明确表示，这是一个指示，不是一个问题。

玛蒂的感觉比昨天早上更糟糕。为了套话，她跟查尔斯·科林格里奇一起灌了很多酒。此刻的她，很难察觉眼皮子底下的细枝末节。

"他妈的，格雷。我昨晚睡觉的时候，觉得我会杀了你，因为你不愿意刊登那个民意调查的报道。今早我醒来的时候，发现整个头版都是那个报道的删改版，署名居然是什么'本报政治新闻员工'。我现在不觉得自己会杀了你，我肯定我会杀了你。但我先要问清楚，你为什么要毁了我的报道？你为什么改变了主意？是谁改写了我的那一版？还有，如果不是我的话，到底谁他妈的是'本报政治新闻员工'？"

"冷静点，玛蒂。深呼吸，别把你的紧身胸衣撑爆了。"

"我不穿劳什子的紧身胸衣，格雷！"

"你昨晚上也没穿吧，是不是？你在干吗呢？朝某个能干的精英抛媚眼，还是在什么女权主义的大集会上把你的胸罩烧了？哎哟，我可不清楚啊。我一直给你打电话，你一直他妈的没接。只要你把电话带在身边，你就能知道来龙去脉了。"

玛蒂开始回想起昨晚的一幕幕。在脑子一片昏昏沉沉的时候，这可是一件难上加难的事情。她注意力一转移，普雷斯顿就抓住机会继续说。

"我想科拉杰维斯基已经告诉你了，昨晚，我们的一些编辑觉得你的报道缺乏有力的支撑，也没有足够的证据，所以今天不应该刊登。"

他听到玛蒂愤慨地哼了一声。

"坦白说，我很喜欢这篇报道，从头到尾。"他补充了一句，尽量让语气显得真诚，"我想让它见报，但在这篇报道将这个国家的首相大卸八块之前，我们需要进行更多的调查求证，毕竟今天可是一次重要的补选。仅仅是一张不知来源的纸，肯定不够啊。"

"我可没有把首相大卸八块，是你干的！"玛蒂试着插嘴，但普雷斯顿抢先一步抢过话头。

"所以我跟党派内的一些高层熟人聊了聊，昨天深夜我们得到了所需的支持和证据。刚刚好赶在发稿截止时间之前。"

"但我的报道——"

"你的报道需要修改，我们还会继续跟踪下去的。我一直在给你打电话，但你一直不接，所以我就自己改写了一下。我可不想拱手交给别人，这个题材太劲爆、太好了！所以，这样说来，'本报政治新闻员工'就是我。"

"我只不过写了一篇关于民意调查的报道，你就把它变成了对科林格里奇的彻底批判。有些话出自什么'高级党派官员'之口，尽是些批评和谴责。除了我，你到底还派了谁到伯恩茅斯来？"

"我的这些信息来源是我的事，跟你没关系，玛蒂。这一点你要搞清楚！"

"一派胡言，格雷。我他妈的才是你派到这个会议来采访的政治记者。你不能这样对我遮遮掩掩的。报纸上的报道把我原来那篇整个旋转了一百八十度，把科林格里奇彻底搞臭了。几个星期之前，你签发的报道里把他的形象塑造得那叫一个好啊，就像背后都带着太阳的光辉。而现在的他，你怎么说来着，'是个灾难般的威胁，可能随时都会将整个政府吞没'。这个报道一出，我今天早上就别想走出去了，估计人人都像躲瘟神一样躲我。所以你至少得告诉我到底是怎么回事！"

普雷斯顿试过了。他提供了一个解释，并非事情的真相，但这又怎么样呢？现在，他觉得是时候摆摆架子，胡乱用几句话应付过去就好了。"我来告诉你怎么回事。一个他妈的精彩的独家报道，就是这么回事。还有你可能没注意到，玛蒂，我是这家报纸的总编辑，也就是说，我不用浪费时间向遍布全国的每个乳臭未干的记者解释我的决定。你按照指示行动，我遵守命令做事，我们俩就相安无事，继续工作。明白了吗？"

"那谁他妈的给你下命令，格雷？"玛蒂咄咄逼人地问道。但回答她的是"嘟嘟嘟"的忙音，电话已经挂断了。她沮丧地捶了一下椅子的扶手。她不能也不愿意再多忍受一秒了。她一直以为新的机遇之门正在她面前打开，结果她的编辑却一扇扇关上，压住了她前去开门的手指。她无法理解，也不愿接受。

三十分钟后，她已经坐在早餐餐厅了。她喝了好几杯咖啡，试图理清自己的思绪，但仍然无法理解眼下的情况。唯一让她感到轻松的是，凯文·斯宾塞没有出现在这里。她的脚边放着一摞今天早上送来的报纸。她不得不承认普雷斯顿是对的，这是一个精彩的独家专题，是今天所有报纸中最出色的头版。数字很有说服力，引用的话极具冲击力。格雷维尔·普雷斯顿只不过是坐在伦敦的办公室打了几个电话，怎么可能写出这么好的东西呢？她百无聊赖地玩着报纸上的纵横填字游戏，突然感觉到一片阴影从餐厅那头蔓延过来。她抬起头，发现高大肥胖的本杰明·兰德里斯正在那一头靠窗的餐桌边坐着，与党派的财政大臣皮特森勋爵进行交谈。这位大老板宽大的肚腩挤在一张完全无法承受其重量的椅子里，尽量向另一边倾斜着，直到肚子再也不能动。他正在对皮特森微笑，握手，完全无视玛蒂的存在。电光火石间，她有点明白了，一切好像渐渐清晰了起来。

首相的政治秘书畏缩了一下。桌子对面的新闻秘书长已经第三次把今早的报纸狠狠推到他面前了，他也是第三次试着把报纸推回去。现在他有点理解圣彼得 ① 的感受了。

"我的天哪,格雷厄姆,"新闻秘书长咋咋呼呼地开了口,音量很大,"我们不可能把伯恩茅斯每一份他妈的《每日纪事报》都藏起来。他肯定会看到的。还不如你拿去给他看。就是现在！"

"为什么必须是今天啊？"政治秘书嘟囔着抱怨了一声,"马上就要进行补选了。我们熬了一晚上帮他准备明天的演讲。现在干吗啊？难道要他把整个报告全部重写吗？我们去哪儿找这个时间啊？他肯定会暴跳如雷的！"他带着一点软弱的沮丧和挫败,把公文包重重地关上了。"前几个星期压力已经够大的了,现在又出了这档子事。真是没有一刻安宁啊,是不是？"

他的同伴选择不作回答,装作欣赏酒店窗外海湾对面的风景。雨又下起来了。

政治秘书拿起报纸,紧紧地卷了起来,扔到了房间对面。纸卷落到垃圾桶里,造成了强烈的冲击。垃圾桶倒了,杂七杂八的东西全散落在地板上。作废的一页页演讲草稿,混合着烟灰,还有几个空空的啤酒罐和番茄汁瓶。"他应该安心地吃顿早饭,可怜可怜他吧。早饭以后我再告诉他。"他说。

这并不是一个明智的决定。


亨利·科林格里奇正享受着眼前的蛋料理。今天清晨,他弄完了会议演讲的稿子,让手下稍微收拾了一下熬夜留下的狼藉,在睡觉之前把正式的稿子打了出来。这个觉不算长,但睡得挺沉。这可能是几

---

① 根据《圣经》记载,当耶稣被抓到公会受审时,彼得连续三次不认耶稣,虽然不久之前,他还信誓旦旦地表示他为耶稣基督牺牲的决心,这是他的软弱和失败,为此他出去痛哭。

个星期以来睡的第一个好觉吧。

会议闭幕时的演讲就像一片乌云罩在他的头顶上。他丝毫不热衷于这里大大小小的会议，虚情假意的寒暄，远离家人的一周时间，晚餐桌上过度放肆的灯红酒绿，当然还有演讲。他最不喜欢的就是演讲了。为了这个演讲稿，他要在烟气熏人的酒店房间里进行长时间的痛苦讨论，有时候好像稍稍有点眉目，有点进展了，讨论又得戛然而止，得去为什么舞会开幕，或者参加什么劳什子的招待会。很久以后再继续，大家又都不知道之前到底说到哪儿了，浪费很多时间来回想。如果最后出来的演讲稿不怎么精彩，大家还是会假惺惺地说不错，但离开的时候就等不及地议论纷纷，说什么这里不行，那里紧张了啊。算了，是祸躲不过，硬着头皮上吧。

不管怎么说，就要结束了，只要把演讲稿当众念出来就好。首相感到相当轻松，甚至在早餐前提出和妻子沿着小道散个步，把脑子里乱七八糟的想法都清除出去，才不管这雨下还是不下呢。首相保安特警队的指挥人员们就在几步之遥的地方跟着。两人一边散着步，科林格里奇一边和妻子讨论着冬歇时去安提瓜岛或斯里兰卡该有多惬意快活。"我觉得今年还是去斯里兰卡吧，"他说，"你可以随心所欲地待在海滩上，萨拉，但我肯定是想去山里走几趟的。山里有些很古老的佛寺，听说野生动物保护区也很有看头。斯里兰卡的总统去年还跟我说起过，听起来真的非常……亲爱的，你根本没在听嘛！"

"对不起，亨利。我只是……在看那位男士的报纸。"她朝一个男人扬扬头。这是个列席会议的小人物，海风吹得他差点拿不住手里的报纸。

"报纸比我有趣多了，是不是？"

然而，说完这句话，他难能可贵的轻松心情就随风而逝，开始感到局促不安。他想起还没人给他带来每日媒体简报呢。当然，要是有什么特别重要的事情，肯定会有人告诉他的。但是……几个月前，他犯过一个错误，当时手下的人说服了他，不用每天花很多时间来读那些报纸，读一读综合简报就可以了。但做简报的工作人员可能目光会比较狭窄和短浅，他们眼中重要的内容不可能和首相的看法完全一致。他在他们的简报中发现越来越多的漏洞，特别是关于重要的政治问题。当有坏消息时，这种情况尤其严重。当然，他们是想保护他，但他一直害怕，他们为他编织起来的茧蛹可能最终会让他窒息而死。

他还记得任职的第一天，从白金汉宫驾车一圈，首次作为首相踏进唐宁街十号的情景。喧闹的人群和电视摄制组都在外面，那扇巨大的黑门在他身后轰然关闭，他看到一个离奇的景象。从大门边延伸到另一头的巨大门厅中，聚集了两百多名公务人员，热烈地对他鼓掌，就像欢迎撒切尔、卡拉翰、威尔逊和希斯一样。未来他们也会这样欢迎他的继任者。在门厅另一端，面对着这群公务人员的地方，站着他手下的政务员工，这是一群忠实的支持者，在他接任玛格丽特·撒切尔的计划和选举活动开始之初，由他亲自匆忙但细心地挑选出来，他专门邀请他们到唐宁街来共享这历史性的一刻。这个小团队只有七个人，在新的环境下，每个人都显得有些矮小。不，仅凭他们几个人在这样的环境下根本毫无挣扎还手之力。在接下来的六个月里，他几乎看不见这些党派的智囊，因为他们被各种公务缠身，被政府这架巨大的机器榨干吃净。现如今，最初的那些人都已经走掉了。不，完全依赖这些官员不是什么好主意，他暗暗下定了决心。他决定不再看新闻简报，而是像过去一样认真读报。但这几天可能没什么时间了。下星期一定要重新开始。

他的注意力回到那份报纸上来，拿着报纸的男人又重新把它展开了。离他们有几米的距离，这么远他有点没法聚焦。他努力不要盯得太使劲。慢慢地，报纸上的文字清晰起来。

"民意调查危机打击政府"，每一个字都好像在尖叫。

他紧走几步，从目瞪口呆的男人手里夺过报纸。

"个人危机拖垮党派，首相前景堪忧，"他情不自禁地读了出来，"补选恐遭灾难性失败。"

"亨利！"他的妻子警告般地大喊起来。

"你他妈的怎么——"男人气急败坏地开口，等认清了抢报纸的人是谁，一下子就呆住了。

"您没事吧，首相先生？"特警队的一个警探关心地问道，站在两人之间保护首相。

科林格里奇垂头丧气，"原谅我，我本来不想……真不好意思。"他喃喃地道着歉。

"不不不，首相先生，抱歉的是我。"男人的神智稍稍恢复过来，"您不应该被他们这么写。"

"是不应该，是吧？"科林格里奇仍然喃喃道，接着转过身，步伐沉重地走回了酒店。


首相从垃圾桶的香烟灰烬中找出那张被揉成一团的《每日纪事报》，这当然不会让他的脾气变好。

"我竟然是从一个他妈的陌生人那儿看到这个消息的，格雷厄姆。这么重大的事情，偶尔也不要最后一个告诉我好吗？"

"实在对不起，对不起，首相先生。我们是想等您吃完早餐马上就给您看的。"秘书小心翼翼地回答道。

"你觉得弄完这个我还有胃口吃早餐吗？看看这堆垃圾！这样不够，格雷厄姆，这就是他妈的不——"

他蓦地停住了。他读到了《每日纪事报》独家专题的关键点，在这里，本来应该出现的板上钉钉的事实，被猜测和假设所代替了。

"党派最新秘密民意调查中所显示出来的大幅度支持率下跌，"报纸上写道，"必定会给首相带来巨大的压力。他明天会在伯恩茅斯发表会议演讲，这演讲有着非凡甚至决定性的意义。自从大选结束后，首相的表现让很多同僚失望，针对科林格里奇领导风格和效率的非议从未停歇过。最新的民意调查结果一定会加深这些质疑，数据显示，在该项调查进行的四十年来，科林格里奇的个人支持率比之前的每一位首相都低。"

"哦，他妈的！"科林格里奇一边往下读，一边无声地爆了句粗口。

"昨晚，一位高级官员评论道：'内阁和众议员缺乏一种强大的控制力。党派内部动荡不安。我们本来良好的基础地位被缺乏力量的领袖动摇了。'政府某些部门的官员甚至表达了更为严厉的看法。党内高层人士认为党派正急速走向一个十字路口。'我们必须在重新开始和缓慢滑下的衰退与失败中做出抉择，'一位高层人士说，'自从大选结束以来，我们遭受了太多不该遭受的挫折。我们已经伤不起了。'有一种看法更不乐观，认为科林格里奇是'一个灾难般的威胁，可能随时都会将整个政府吞没'。"

"妈的！"科林格里奇大声喊了出来，他再也憋不住了。

"今天将会在多塞特西区举行议会补选，这本来是政府志在必得的席位。现在看来，补选结果将对首相未来何去何从至关重要。"文章的结尾写道。


一个人可能大半生都位于政治权力阶梯的顶端，学会了如何克服恐高心理。但有时候，就有那么一瞬间，头一晕，他无法承受，就会轰然坠落。

"把这个幕后人渣给我揪出来，格雷厄姆！"科林格里奇突然爆发了，揉小鸡一样揉碎了双手间的报纸，"我要知道是谁写的？说这些混账话的是谁？谁把民意调查泄露出去了？明早的餐桌上，我要活吃了他们！"

"我是不是该给威廉姆斯勋爵打个电话？"政治秘书建议道。

"威廉姆斯！"科林格里奇再次暴跳如雷，"他妈的，泄露的就是他那该死的调查！我不要谁向我道歉！我要答案，我要答案！把党鞭长给我叫来。找到他，不管他在做什么，都让他先到这里来。现在就去！"

秘书鼓足了全身的勇气，克服了重重心理障碍，又开了口："他来到之前，首相先生，我能建议一下，您再改改您的演讲吗？可能需要有些大的改动——因为今早上的新闻——而且我们没多少时间了……"

"演讲稿不改了！就那样了！一个字也不许动。我可不会因为那些混账的报纸在外面乱传我的破事儿就要推翻一篇优秀的演讲稿！你现在先给我去找厄克特，现！在！"

电话铃响起的时候，厄克特正坐在自己的房间里。不是首相打来的，电话那头是外交大臣。令厄克特松了一口气的是，伍尔顿语气轻松，还有点笑意。

"弗朗西斯，你他妈真是个笨蛋啊！"

"我亲爱的帕特里克，我不明白——"

"下次应该给你的威士忌里多注点水。你昨天拿走了我的一个红箱子，把你的留下了。我这儿大概是你的早饭三明治吧，你那儿可能是什么最新的秘密计划，要么是入侵巴布亚新几内亚，要么是其他什么他们要我这周签字的胡说八道的玩意儿。我想在我因为丢失机密政府财产而被捕之前，咱俩还是换回来吧。我二十秒之内就到。"

很快，厄克特就满脸堆笑地在向这位同僚道歉了。但伍尔顿挥挥手，表示毫不在意。

"没关系的，弗朗西斯。事实上，我根本没时间看这些破玩意儿，至少昨晚没有。跟你说句实话，我真得感谢你。昨天晚上真是太棒、太刺激了。"

"真高兴听到你这么说，帕特里克。这些会议竟让你这么开心。"

然而，咯咯直笑的伍尔顿一离开，厄克特的表情就变得严肃起来，眉头紧锁，显得十分忧虑。他从里面把房门反锁，还按了按把手，确保已经绝对锁紧了。他一秒钟也没耽误，立刻又把窗帘拉上了。等到他确保没人会看到自己时，才小心翼翼地把红箱子放在桌子上。他认真地检查了一下，看有没有开过的痕迹，接着从口袋里掏出一大串钥匙，拿了其中一把，谨慎地插进锁孔中。箱盖打开后，里面既没有什么文件，也没有三明治，而是填满了一块厚厚的高分子塑料板。他拿出这块板子，放在一边，接着翻到红箱子底部。他很小心地掀起红皮的一角，削下一小块，露出一个刺穿了箱子边缘的小洞。这个小凹槽不到两英寸，里面安安稳稳地放着一个无线电传送器以及迷你供电设备。这是一个完美的日本制造高科技产品。

两周前，厄克特去过托特纳姆法院路，进了路边的安保商店，说自己想要监视某个不诚实的员工。经理一副见怪不怪的样子，只说了一句，"这是常有的事儿。"等到介绍自己商品的功能时，他就显得热情多了。他解释说，这是市场上能找到的最简单但最敏感的传送器，保证在没有障碍的情况下，能够接收到五十米以内的任何声音，并把它们送回到专为客户定制的接收器和声控录音机上。"你只要确保麦克风基本上是指向声源的，我保证，您就像听马勒[1]的交响曲那样好好听着吧。"

厄克特来到自己的衣柜前，又拿出另一个红箱子打开，里面是一个高分子塑料板包裹的调频便携收音机，收音机经过了改装，有内置的卡带录音机，调到了和传送器一样的波长。厄克特满意地看到，他放进去的长时录音带已经走到了尽头。这么说，那边发出了很多声音来启动这个录音机。

"我想这声音不仅仅是因为你的呼噜吧，帕特里克。"厄克特开了个玩笑给自己听。这时设备再次启动了，运行了十秒钟，又停下了。

他按下了倒带按钮，注视着不停转动的磁带。此时，电话铃声大作，召唤他去见首相。电话里的声音十分急切，看来他又得去干善后的脏活、累活了。

"没关系，"他的手指抚摸过两个红色的皮箱，"你就再等等吧。"

他仰天大笑，走出门去。

---

[1] 奥地利音乐家。

# 二十

在某些政客眼里，高层位置之于他们，就像大海之于水手。这是他们伟大的冒险，全是不可预知的紧张和兴奋。他们觉得这是通向最终辉煌命运的大道。而我认为，他们也许会在中途就不幸落水，葬身鱼腹。

## 十月十六日　星期六

首相发表演讲后仅仅一天，将他这次的演讲评价为一场灾难的报纸，就不仅仅是《每日纪事报》了。几乎所有其他的报纸都加入了进来，甚至还有好多政府的后座议员，当然更包括了反对党领袖。

多塞特东区的补选失败了，这一消息在周五清晨的会议现场引起了不小的轰动。一开始，大家都有些发懵，竟然团结一致同仇敌忾起来。但到了早餐时间，这种感觉就消失了。大家一边吃着牛奶什锦早餐或英式全餐，一边尽情发泄着自己的沮丧与不满。当然啦，发泄的靶子对准了一个人——亨利·科林格里奇。

到午饭时间，聚集在伯恩茅斯的记者们周围好像都围满了不具名的高层党派官员，每个人都宣称自己警告过首相别在会议周举行补选。大家都纷纷要和补选失败撇清干系，表示自己毫无责任。而与此同时，处于绝望之中的首相办公室也开始寻找替罪羊——当然没有记者把这个见诸报端。办公室说责任在于党总部，也就是说，该负责的是威廉姆斯勋爵。然而，很多人都对这样的解释充耳不闻。群体本能导致大家根本听不进首相的辩解。

一份一直以来都忠于政府，被政府看做盟友的报纸这样写道：

"昨天首相又迎来了另一次失败。他本应该好好利用这次演讲的机会，平息越来越强烈的关于自己领导力的质疑。然而一位内阁同僚却形容该演讲'软弱无力，很不得体'。在灾难性的民意调查之后，本来志在必得的补选又令人羞耻地失败了。面对如此窘境，党派需要进行非常现实的分析，并得到重振士气的安慰和保证。然而，用一位代表的话来说，'我们得到的不过是一篇对过去的大选演讲略作修改的陈词滥调。'"

对科林格里奇的批判变得更为公开和放肆。莱斯特郡北区边缘席位的议员皮特·贝尔斯特德昨晚说道："选区用选举结果给了我们催人猛醒的当头一棒。选民们将不再满足于老生常谈和井底之蛙般的自鸣得意。也许首相是时候退位让贤了。"

泰晤士河南岸的一栋办公大厦里，行业领先的热点事件跟踪节目"周末观察"的编辑一边研究着报纸内容，一边召集手下们开紧急会议。二十分钟后，节目组原本计划第二天公布勒索成性的房地产商内幕的议题被搁置了起来，整个六十分钟的节目内容全都改变了。贝尔斯特德受邀参加，座上客还包括一些民意调查机构负责人和权威人士。新节目的标题是——**"该走了吗？"**

引领市场走向的巴克莱投资银行高管，在自己位于爱普索姆郊外林荫环绕的家中给两位同事打了电话。三人达成协议，周一一定要早早地到办公室。"政治上这些乌七八糟的事情会让市场失望。在其他混蛋开始抛售之前，我们要抓紧转移些股票。"

周日，《每日邮报》联系了在多塞特东区补选中落败的候选人。记者特地等到他吃完午饭，舔舐完伤口之后才打的电话。这位候选人对党派领袖怀着很强烈的敌意，**"是他让我失去了席位。他觉得自己的位子就坐得很稳吗？"**这真是绝妙的头版标题。

而厄克特此时正身处自己位于汉普郡新森林地区的家中，这个家按照帕拉迪奥式风格修建和装饰，是一处美妙绝伦的乡村胜景。他的电话被好几个忧心忡忡的内阁同僚和高层后座议员打爆了。党派的平民执行委员会主席也从约克郡给他打了电话，表达了同样的忧虑。"你也知道，我一般都是找党主席说这些的，弗朗西斯。"这个直率单纯的约克郡男人解释道，"但看来党总部和唐宁街现在公开宣战了。我可不想就这么卷进去，两边不是人。"

与此同时，白金汉郡郊外，绵延不绝的绿色草坪和密不透风的安保措施中的首相官方宅邸里，科林格里奇刚刚坐下来，完全不理会手边的官方文件，显得毫无生气。巨石已经顺着山路轰然滚落下来，而他没有任何解数去阻止。

那天下午晚些时候又爆出了另一件大事，几乎让所有人都感到震惊，就连厄克特都不例外。他原以为《观察家报》至少还需要几周时间调查求证，看收到的那一摞文件和复印件是不是真的。这些都是他发给他们的，当然是完全匿名的。他本以为《观察家报》至少会去找个律师咨询一下刊登这些东西的合法性，但看来他们是怕竞争对手也收到了同样的爆料。"不登是死，登了也是死，索性一不做二不休，登！"编辑在报社喊出这句荡气回肠的话。

电话打来的时候，厄克特正在车库里欣赏自己收藏的一九三三年罗孚"飞行员"汽车。常常随心所欲地驾驶着这辆汽车飞驰在新森林地区的小路上，"高兴得像披着粉红皮囊的小蟾蜍 ①"，他妻子总是这么说。两人都知道在这儿超超速没什么关系，不会有哪个警察这么小气，给这么漂亮的英国经典名车开罚单的。就算出了什么岔子，郡警察局局长还是同一个高尔夫俱乐部的"球友"呢！此时厄克特放下手边正在修整的三缸化油器去接电话，原来是莫蒂玛从屋里打来的。"弗朗西斯！首相别墅来的电话！"他拿起车库墙上的壁挂电话，小心谨慎地在一张油腻的破布上擦了擦手，"我是弗朗西斯·厄克特。"

_____

① 出自动画片《伊老师与小蟾蜍大历险》。

"党鞭长，请等一等，首相找您。"电话那头传来一个女声。

接着一个磕磕绊绊的声音传来，厄克特简直都听不出这是谁。这声音黯淡、飘忽而又疲乏，"弗朗西斯，恐怕要跟你说些坏消息了。《观察家报》给我打了电话。这些个狗娘养的。他们说明天要刊登一个报道。我没法解释。但他们说我哥哥查尔斯利用内部消息——政府的内部消息，买过某些公司的股票。他们看到这消息简直激动死了。他们说他们那儿有文件上的证据——银行的票据，股票经纪人开具的发票，一应俱全。他们说，他买了价值五万英镑的雷诺克斯，就在我们批准他们新药上市的几天前。批准后的第二天他就卖了，赚了很多。所有这些留的地址都是帕丁顿的一个假地址，这都是他们跟我说的。这个报道会登在头版头条。"说这些话好像用尽了全身的力气，他停下来歇了一会儿，似乎再没说下去的动力。"弗朗西斯，所有人都会认为他是从我这儿得到内部消息的。我到底该怎么办啊？"

回答这个问题之前，厄克特先舒舒服服地坐在历久弥新的皮质车座上。他坐在这个位子上驾车兜风，进行了多少刺激的冒险啊，"你跟《观察家报》说什么了吗，亨利？"

"没有。我觉得他们可能并不想从我这儿得到任何评论。他们只是想找找看查理在不在我这儿。"

"他在哪儿呢？"

"死了吧，我倒希望。我费了好大的劲找到他了。他……又喝醉了。我叫他把电话线拔了，谁敲门也别去应。"

厄克特抓住方向盘，久久地凝视着前方。他有一种莫名其妙的超然感。他发动的这台机器力量实在太大，自己已经完全没有能力去控制了。他已经无法确定在下一个转角将会出现什么情况。而速度已然太快，已经远远超越了安全范围。他停不下来，也不想停下来。这时候想改变主意？为时已晚。

"查理在哪儿？"

"在伦敦的家里。"

"你必须派个人去看着他。他一个人我们可放不下心，亨利。听着，我知道你肯定很痛苦。但我们先解决问题。多佛附近有个很隐秘的诊所，党鞭办公室专门把需要帮助的后座议员送到那里去。你放心，绝对保密，而且服务也很好。诊所的负责人是克里斯丁医生，医术很高明。我待会儿给他打电话，让他去找查理看看。恐怕你还得安排某个家人去那儿守着，免得查理剧烈反抗什么的。你觉得呢？比如可以请你妻子萨拉去看看？我们必须赶快行动，亨利。因为几个小时后《观察家报》一上市，你哥哥家就会被包围的。我们必须要先发制人不让那些混蛋占上风。查理目前这个状况，还真不知道他会说出什么话，干出什么事来。"

"但我们接下来怎么做呢？我不可能把查理永远藏起来啊。他迟早都得面对这件事的吧，不是吗？"

"对不起，亨利，但我得问问，他做了没有，买股票的事儿？"

电话那头传来一声长叹，好像入土已久的棺材里钻出一缕陈腐的空气。"我也不知道。我就是不知道。但是……"他犹豫中带着无限的疑惑与挫败，"很显然我们的确批准了雷诺克斯的新药上市。不管谁买了他们的股票都会得到很多收益。但查理都没有钱负担基本的生活开支，更别说买那么多股票了。而且他怎么会知道雷诺克斯这档子事的呢？"

厄克特的语气不容置疑，"等我们把他照顾好了，再担心这事儿吧。他现在需要帮助，不管他到底想不想要。我们也得给他一些呼吸的空间。你和我，亨利，我们一定要照顾好他。特别是你，一定得万分小心谨慎，亨利。"他短暂地停了一下，让首相把这话好好听进去，"你这一步可不能走错了。"

科林格里奇在电话那头喃喃了一句赞同的话，他太累了。他已经没有了任何争辩的意志和能力。他也很高兴自己的党鞭长这时候能够独当一面，雷厉风行地帮他拿主意，就算这样做会让他的家族骄傲不再，也会让他的尊严荡然无存。

"我还需要做什么，弗朗西斯。"

"什么也别做。我们得先把查理转移走。我们做好一切准备，有备无患。我们先看看《观察家报》到底是怎么报道的，然后再跟他们抗争。与此同时，我们什么也别说。"

"谢谢你，弗朗西斯。麻烦你打电话给你那位克里斯丁医生，问问他肯不肯帮忙。萨拉如果现在出发的话，只需不到两个小时就能到我哥哥家。帮我摆平这些事情。唉……这他妈都是怎么了。"

厄克特听到首相的声音里带着就要爆发的激烈情绪。

"别担心，亨利。船到桥头自然直，"他安慰道，"相信我。"

查尔斯·科林格里奇的弟妹用备用钥匙自作主张地开了门，进了哥哥的住所。主人倒是没反对，她发现他瘫在一张扶手椅里鼾声大作，身边散落着这放浪形骸的一下午喝光的酒瓶。她努力了五分钟想把他摇醒，却沮丧地发现收效甚微。最后她取了点冰包在一张茶巾里放在他脸上，才把他叫醒。这时候他开始反对弟妹的"入侵"了。等他弄清楚萨拉说的话，是要让他"出去躲几天"，抗议声就更大了。而当她开始问关于股票的问题时，两人的对话开始牛头不对马嘴。她完全不明白他在说什么，也无法说服他离开这里。

等到大概一小时后，克里斯丁医生和一位初级党鞭赶到，情况才稍微有了一点进展。他们帮他收拾好了一个小旅行袋，三个人把还在忿忿然抗议着的哥哥强行塞进了克里斯丁医生的汽车。那汽车专门隐秘地停在大楼背后视线看不到的地方。

对他们来说,幸运的是查理因为酒精的作用四肢无力,动作不协调,也没法进行剧烈地反抗。而不幸运的是，整件事情很费时间。因为花费了过多的时间，等到医生的福特格兰达轿车从大楼背后疾驰上高街时，后座的萨拉和查尔斯被刚刚到达现场的独立电视新闻公司摄制组尽收眼底。

畏缩在汽车后座上仓皇出逃的查尔斯，以及陪伴着他的忧心忡忡的首相夫人，成为当天晚间电视新闻的热门头条。

# 二十一

忠诚也许是件好事，但忠诚很少能给你带来好的建议。

## 十月十七日　星期日

　　"周末观察"播出的时候，"亡命天涯"的查尔斯·科林格里奇仍然牢牢占据着各大媒体的头条。这期节目是手忙脚乱制作出来的，很多边边角角的细节都没处理好。节目控制室内弥漫着恶臭的汗味与陈腐的烟草味，已经没有时间从头到尾彩排一遍了。主持人对着观众说"你们好"时，工作人员还在忙乱地打着后面部分的台词。

　　他们没有说服任何一个部长级官员上镜，他们越是努力邀请，对方就推辞得越决绝。最后只好退而求其次地找了些研究这方面的权威专家，而且还有个好不容易才说服的专家没有来到现场。制作经理开始举起手指倒计时，整个直播就要开始时，音效师还在绝望地寻找可用的电池。节目组委托盖洛普民测公司连夜做了一份最新的民意调查，公司的首席执行官戈登·希尔德要亲自发布结果。他一整个上午都跟电脑耗在一起，脸上微微有些潮红，这不仅仅是灯光的原因，民意调查的结果让他激动。首相的支持率又下降了，这就是此次新民调的发现。是的，大大下降了，希尔德承认道。不，过去从来没有任何一个如此不受欢迎的首相赢得了选举。

　　由此诞生了很多十分悲观的预测，两位报社新闻高级分析员表示同意这些预测，一位经济学家甚至更加悲观，认为短短几天之内金融市场就会爆发骚乱。但他滔滔不绝的话还没讲完，就被主持人打断了，注意力集中到了皮特·贝尔斯特德身上。一般来说，远在东米德兰兹地区的议员都是提前录好片段再插到直播中播出的，这次时间实在太紧，他就直接上了直播。导演的题本上，他最多只有两分钟五十秒的发言时间，然而，一旦打开了话匣子，这位尊敬的莱斯特北区小个子议员就发挥了自己喋喋不休的特长，简直像一只坏脾气的獾，根本阻止不了。

"那么，贝尔斯特德先生，你觉得党派现在到底有多大麻烦？"

"这个要看情况了。"

"看什么情况？"

"看我们还要跟现在的首相凑合多久。"

"所以您仍然坚持自己本周早些时候的说法，也许首相应该考虑一下自己的去留了？"

"不，不完全是这样。不是考虑去留，我的意思是，他应该辞职。他正在毁掉我们这个党派，现在自己也被家族丑闻扣上了屎盆子。这一切不能再继续下去了。真的不可以！"

"但您觉得首相会辞职吗？毕竟，我们才刚刚进行过大选，下一次可能要等到大概五年后了。这让你们有很多时间来将功补过，'收复失地'啊。"

"我们没办法——我现在告诉你——没办法和这个首相一起再撑过五年！"这位议员情绪激动，焦躁不安，身子在摄影棚的椅子上来回摇动，"这种关键时刻，我们需要的是头脑清醒的智者，不是内心软弱的懦夫。而且我很坚决，党派必须就这件事情达成决策。如果他不主动辞职，那我们就让他辞职。"

"怎么做呢？"

"强行发动一次领袖选拔比赛。"

"谁来比？"

"管他的，要是没人上，我就上好了。"

"您要挑战亨利·科林格里奇的党派领导地位？"主持人惊得语

速飞快，"但您肯定赢不了吧？"

"我当然赢不了啦，"贝尔斯特德的回答甚至带着点轻蔑的语气，"但这样就能把那些'凶猛野兽'的注意力集中在我们这片'丛林'中了。他们都在抱怨首相领导不得力，但没有任何一个人有勇气去做些什么。所以他们要是不行动，我就会行动。咱把所有事情都敞开了来干。"

主持人的嘴唇一直颤动着欲言又止，不知道该在什么地方插话，"我并不想打断您，但很想弄清楚一点，贝尔斯特德先生。您的意思是说，首相必须辞职，否则您就奋起反对他，争夺党派的领导权？"

"必须要赶在圣诞节之前进行一次领袖选举：选举之后说了算的是党派。我知道一般情况下这都不是什么重要的事情，只是走走形式而已。但到这时候，就必须是一场真刀真枪的较量了。我的同僚们可必须下定决心一战到底啊！"

主持人脸上的表情看上去很是痛苦。他按住自己的耳机，听到控制室有人在大声嚷嚷，剧烈争吵。导演要求他继续这极富戏剧性的采访，让事先的题本和安排见鬼去吧！编辑则大喊大叫，说赶紧结束，不然这个该死的混蛋可能念头一变，话锋一转，把这个能造成轰动的节目弄得平淡无奇地收尾。一个烟灰缸被摔在地上打碎了，有人嘴里冒出恶毒的咒骂。

"广告之后马上回来。"主持人宣布。

# 二十二

英文的"政治"（Politics）来源于古希腊语"Poly"，
意思是"很多"；后面的"tics"则来源于"ticks"，意思是"吸
血的小虫子"。

## 十月十八日 星期一至十月二十二日 星期五

东京金融市场一开放，英镑汇率就开始大幅下降。此时的伦敦将
近午夜。到早上九点，所有周一的晨报都在头版用尖叫般的文字强调
科林格里奇面临的挑战，富时全股指数①下降了六十三点。到午饭时间，
又下降了四十四个点。金融家们可不喜欢这样的"惊喜"。

首相的状态也和英镑一样，呈现颓势。自从周六傍晚，他就未曾
合眼，甚至没说几句话，一直沉浸在强烈的抑郁当中。当天早上，萨
拉没允许他回到唐宁街工作，而是把他留在首相别墅，给医生打了个
电话。科林格里奇的"御用"医生维恩·琼斯经验丰富又忠心耿耿，
他给首相开了镇静剂，并嘱咐他要好好休息。镇静剂带来了立竿见影
的效果。从一周前党派大会开始以来，科林格里奇直到今天才睡了个
囫囵觉。但他的妻子还是能够看到他阖上的双眼下颤动的紧张与不安。
即使是在睡梦中，他的十指仍然紧紧地抓着床单。

周一下午的晚些时候，从药物作用中醒来后，科林格里奇指示身
陷囹圄的唐宁街新闻办公室告知所有人，他当然会参加领袖竞选，并

---

① 富时指数指英国富时集团计算并管理富时全球股票指数系列。

164

且很有把握能够力压群雄。办公室还对外宣布，首相处理政务太过繁忙，没时间接受任何采访。但在那一周的晚些时候会站出来说点想说的话。查理也没有接受任何采访。他现在还完全说不清楚股票的事情，因此官方的回答永远是"无可奉告"，这可完全不足以稳定他们家族那风雨飘摇的声誉。

身在党派总部的威廉姆斯勋爵下令迅速进行更多的民意调查，他想知道全国民众的真实想法。而剩下的党内机构行动却没这么迅速。有人翻箱倒柜找出蒙着尘灰的领袖竞选上岗规则条款，发现一点儿也不明确。按照规定，竞选过程的控制者和负责人是党派的后座委员会主席汉弗莱·纽兰兹爵士，而掌握举行时间的选择权则留在了现任党派领袖手中。这种混乱和疑惑始终未得到解决，反而变本加厉。因为大家发现，本来就表现得很不会选择好时候的汉弗莱爵士在前一个周末离开伦敦，去西印度群岛的一个私人小岛上度假了，很难联系上。于是乎，媒体上匆忙出现了各式各样的猜测文章，认为他是故意躲开的。只要保持这样一言不发，低调处事，党内高层就有时间调动令人敬畏的权力，说服那头"莱斯特雄狮"不要再闹事，劝服贝尔斯特德放弃自己的坚持。

周三的时候，《太阳报》发现汉弗莱爵士正躺在圣卢西亚岛附近的一片银色沙滩上，和友人共度好时光，陪伴左右的包括三名穿着极度暴露的年轻女子，看上去简直比爵士年轻了将近一百岁！官方宣布说，一有安排好的航班，爵士就会立刻返回伦敦。和查理·科林格里奇一样，爵士的夫人也没有对此事发表任何公开评论。

此时的政坛若是大海，那也是暴风大作，生死未卜。亨利·科林格里奇逐渐觉得自己是飘在狂风巨浪中的一叶孤舟，他再也不愿意听从自己老谋深算而又睿智远见的党主席了。当然，他说不清不信任威廉姆斯的具体原因，但媒体上连续不断地报道两人出现嫌隙，起到了三人成虎的效果。于是这件事情发展到如今的地步，很显然已经不仅仅是大家不负责任的猜测和议论了。猜疑的关键在于你的思想和心理，与事实无关。年事已高的党主席有自己的骄傲，他觉得不能在没人询问他的情况下就提供建议和意见，而科林格里奇则把他的沉默当做不忠诚的证据。

萨拉去探望了查理，很晚才回来，情绪十分低落，"他看上去很糟糕，亨利。我从来都不知道他把自己的身体折腾成什么样了。喝了这么多的酒。医生说他差点就把自己喝死了。"

"这是我的错，"亨利喃喃道，"我本来可以阻止他的。要是我没那么忙……他说了什么关于股票的事情吗？"

"他基本上就是语无伦次，他只是一直说：'五万英镑？什么五万英镑？'他发誓说从来没去过什么土耳其银行。"

"该死的！"

"亲爱的……"她咬着嘴唇欲言又止，最终还是艰难地开了口，"有没有可能……"

"他真的做了？我真的不知道。但我有什么选择吗？他必须是无辜的，因为如果他真的买了这些股票，那只有傻子才会相信不是我让他去做的。如果查理真的做了这件事，那我就完了。"

她警告般地抓住他的胳膊，"你就不能说查理生了病，不知道自己在做什么。而且不知怎么的，他……在你不知道的情况下自己发现了那些信息……"她的声音渐渐小了下去，即使是她也无法相信这样的借口。

他将她拥入怀中，紧紧抱着她，用身体的温度来给她语言无法提供的安慰。他吻了吻她的前额，感觉到她的热泪滴在他的胸膛上。他知道自己的眼泪也快要夺眶而出了，他毫不为此感到羞耻。男儿有泪不轻弹，只是未到伤心处啊。

"萨拉，我不会做那个结果查理的人。天知道，他自己一直都在努力结果自己。但我还是他的弟弟，一直都是，无法改变。在这件事情上我们只有两条路，要么熬过去重见天日，要么鱼死网破，与舟同沉。但无论发生了什么，我们都是一家人，要一起去承受。"

党派会议季对记者们来说，是六个星期的睡眠不足和挥汗如雨。而在这之后，玛蒂希望能有一点休整的时间。只要一个稍微长点的周末就好。然而，不管多少美味的智利红酒下肚，不管看多少部经典老电影，她的思绪还是禁不住飘回工作上去。想着科林格里奇、厄克特和普雷斯顿，特别是普雷斯顿。她晃晃脑袋，捡起几张砂纸，开始给她这个维多利亚式公寓里的木器抛光。但无济于事，不管她多么用力和集中地去擦拭那些老旧的漆痕，脑子里的思绪始终挥之不去。她仍然对自己编辑的行为万分愤怒。

　　第二天早上九点半，她就迫不及待地回到了办公室，稳稳地坐在普雷斯顿办公桌前的皮椅上，等着反攻他。这次可不是打电话了，他不能电话一挂就了事。但她的反攻计划没能成功。

　　她在那儿坐了将近一个小时，结果他的秘书带着抱歉的表情在门边探头探脑，"对不起啊，玛蒂，编辑大人刚打电话来，说他要出去赴个约，午饭后才来办公室呢。"

　　整个世界都在阴谋反对玛蒂，让她诸事不顺。她很想拼命尖叫，内心也在运气，准备实施。所以说，约翰·科拉杰维斯基选择此时此刻来找总编辑真是太会把握时机了。

　　"我不知道你在这儿，玛蒂。"

　　"我不在这儿，至少以后再也不在这儿了。"她站起来往外走。

　　科拉杰维斯基局促不安地站在原地，他总是站在她这一边的，尽管这种行为给她带来的安慰微乎其微，"玛蒂，上周我可能有十几次的样子，拿起电话想打给你，但是……"

　　"但是什么？"她劈头盖脸地问。

　　"我想我不必自讨苦吃，免得你把我给吞了。"

　　"这么说你很……"她犹豫地住了口，本想咄咄逼人地说他说得对，但把这句伤人的话给咽了下去。"你挺聪明的。"她说，语气略微舒缓了些。

自从妻子两年前在一场车祸中不幸身亡，科拉杰维斯基就成了一个基本没有自信的男人。对女人和自己的事业都怯懦不前，优柔寡断。生活仍然在继续，但他为了保护自己，竖起了重重心门，像打不破的壳。有好几个女人试图接近他，被他颀长高挑的身材和忧伤的双眼所吸引，但他要的不仅仅是她们的同情和怜悯般的性爱。他想要的东西，想要的人，应该可以让他重新振作，开始新的生活。玛蒂就是那个他想要的人。

"你想谈谈这事儿吗？要不然我们一起吃个晚饭？从这里逃走，避一避，躲一躲。"他有些恼怒地指了指总编辑的办公桌。

"你这是要压榨我的休息时间啊。"她的嘴角出现了一丝不易察觉的笑容。

"只不过温柔地邀请你共进晚餐而已。"

她拿起背包，甩到肩膀后面。"八点！"她命令般地说道，拼命想装得严肃一些，但没能成功，只好迅速与他擦肩而过，走出了办公室。

"我会准时的，"他在她身后喊道，"我肯定是个受虐狂，但我会准时的！"

他说到做到。实际上，他提前十分钟就来到了约定的地方，在她来之前先喝了一杯啤酒。他清楚地知道，自己需要壮壮胆才能撑过这次约会。两人的晚餐地点是街区转角处的恒河餐厅，距离玛蒂位于诺丁山的公寓仅一步之遥。这是个孟加拉式的小餐厅，有个巨大的黏土炉灶，还有个很善于经营的业主。他不论国事，从不花时间反对政府，只是一心做生意，打理餐厅。玛蒂迟到了五分钟，坐下来就点了瓶啤酒，两人一直不痛不痒地交谈着，直到盘中食物被吃得精光。她把盘子推开，好像要清理些空间出来。

"我想我犯了一个严重的错误，约翰。"

"馕里放了太多的蒜？"

"我想做一名记者，一名好记者。内心深处，我一直觉得我有成为一名伟大记者的素质和潜力。但有那么一个混蛋做我的编辑，我这个梦想是实现不了了，对吧？"

"我想格雷有些地方是不那么惹人喜欢。"

"我放弃了很多东西才南下来到伦敦。"

"真有趣，我们这些从埃塞克斯来的小伙子都说是'北上'来伦敦。来这里可是人往高处走啊。"

"我决定了，下定决心了，我不会再忍受格雷维尔·普雷斯顿这个烂人了。我要辞职走人。"

他深情地看着她的眼睛，里面涌动着骚动与激情。他握住她的手，"别着急，玛蒂。政坛正在崩塌，你需要一份工作，一个就近坐山观虎斗的位子，要参与进来，做实况报道。在你没做好准备之前，不要跳槽。"

"约翰，你真让我吃惊。我本来以为副总编辑会慷慨激昂地劝我为了团队留下呢？结果你没有！"

"我现在的身份不是副总编辑，玛蒂。"他握紧她的手，"无论如何，你是对的。格雷就是个烂人。他唯一的长处就是特别擅长，特别坚持如一地做一个烂人。在这一点上，他从来没让人失望过。你知道吗，有天晚上……"

"赶紧说，不然我就扯你的蛋。"

服务员又拿来了新一轮的啤酒，他砰地开了一瓶。

"马上就要到截稿日期了。那天晚上挺安静的，没多少重大突发新闻。格雷正滔滔不绝地跟我们吹牛呢，我们听得都哈欠连天了。他说布莱顿爆炸①那天他正和丹尼斯·撒切尔②一起喝酒。没人相信他的鬼话。丹尼斯·撒切尔死也不可能和格雷一起出现，更别说和他喝酒了。而且特刊的罗琳发誓说，当时他正在霍夫海滩骚扰她呢。不管怎么说，他都一直在吹牛皮。终于他秘书喊了声'电话'，他才停下来跑去办

---

① 爱尔兰共和军于 1984 年 10 月 12 日在布莱顿饭店制造的爆炸案。爆炸主要针对正在开年会的英国保守党成员。爆炸共造成 4 人死亡，34 人受伤。

② 撒切尔夫人的丈夫。

公室接电话了。十分钟以后他回到编辑室，看起来特别激动，好像有人在他脚下点了风火轮似的。'所有的东西都停下来，'他朝我们喊，'我们要把头版改了。'我们都在想，天哪，肯定有人枪杀了首相之类的，因为他真的特别激动和紧张。接着，他就让我们把你的报道拿出来，说这就是头版头条，但必须改得更劲爆一些。"

"这没道理啊。他之前把这篇文章毙了就是因为内容太劲爆了！"她抗议道。

"闭嘴好好听着。更精彩的还在后面呢！他随便找了个记者，坐在屏幕前，直接指挥他做改动。有些地方要扭曲事实，有些地方要加点料，把所有内容都改成对科林格里奇的人身攻击。'我们要让那个混蛋无地自容。'这是他的原话。你还记得重写的那一版里那些高级内阁成员说的话吧？我想都是他现场编的，每一句话都是他现编的。他手里没有任何笔记，直接开口就来，从头到尾都是纯属虚构。玛蒂，相信我，你应该庆幸自己的名字没在上面。"

"但这是为什么呢？为什么要编个这样的故事呢？他为什么这么快就改变主意了呢？到底是谁让他改变主意的？他跟谁通的电话？谁是这个所谓的'伯恩茅斯的线人'？"

"我不知道。"

"哦，我觉得我知道，"她略一思忖，小声说道，"肯定是，只能是他妈的本杰明·兰德里斯。"

"我们这个地方已经不是一家报纸了，是个滥用私刑的暴徒聚集之地，纯粹是为了讨我们的大老板高兴。"

两人都沉默下来，喝了会儿啤酒，想用酒精麻醉自己的沮丧和痛苦。

"哦，不过肯定不止是兰德里斯一个人，对吧？"玛蒂说，好像刚才的几口啤酒让脑袋开了窍似的。

"不是吗？"科拉杰维斯基趁喝酒的时候又偷偷看了玛蒂好久。他的心思渐渐转移到和眼前这个美女谈情说爱上来，但她的注意力却越来越集中了。

"你看，没有我的报道，格雷也捏造不出一篇那样的新闻，而没有被泄露的民意调查，我也写不出那篇报道。你可能会认为这只是巧合而已，但肯定有某个人，某个党内的人，在泄露这些机密，是操纵一切的幕后黑手。"

"什么意思，就是自从选举之后泄露那些事情的也是这个人？"

"当然啦！"她庆祝胜利般地将杯中剩下的啤酒一饮而尽。血管里的肾上腺素逐渐升高，让她血脉贲张。这将是她一生中做的最好的报道。这就是她南下所要追寻的东西。

"约翰，你是对的！"

"哪里是对的呢？"他有些困惑地问道。他多喝了几口啤酒，早就有些迷糊了。

"现在肯定不是撂挑子不干的时候。就算要我去杀人，我也得把这件事情一查到底。你会帮我的吧？"

"只要你需要——当然了。"

"别他妈这么没精神啊！"

"只是……"哦，算了，管他的呢，别犹豫了，"你还记得，你说过，要是我不把整件事情和盘托出，你就要阉了我，是吧？"

"你已经说了啊。"

"但你能不能，还是……扯我的蛋呢？"

"你的意思是……"是的，他是这个意思，他的眼神把一切都说清楚了，"约翰，我不和同事谈恋爱。"

"谈恋爱？谁说要谈恋爱？我们俩喝了那么多啤酒还谈什么恋爱啊？现在我就想好好地来上一炮。"

她大笑起来。

"我想我们俩都应该好好来上一炮，应该的。"他坚持不懈，不屈不挠。

他们俩手牵手离开了餐厅，她仍然狂笑不止。

唐宁街发布了一个声明，或者说是一个简报，因为并没有以新闻通稿的形式发布，而是通过新闻秘书长弗雷迪·雷德芬之口公之于众的。他说得言简意赅，"首相从未向自己的兄长提供任何形式的敏感商业政府信息。他从未与他讨论过任何关于雷诺克斯化学制药的问题。首相的兄长病情十分严重，目前处在严密的医疗监控之下。主治医生说他的身体状况无法接受采访或回答问题。然而，我向你保证，他直截了当地否认了购买任何雷诺克斯股票的事情，也坚决说自己在帕丁顿没有假地址，并肯定自己与这件事情没有任何关系。目前我能说的就这么多。你们能写的也就这么多。"

　　"省省吧，弗雷迪，"人群中的一名记者咄咄逼人地说，"就说这么点你可走不掉。如果科林格里奇两兄弟是无辜的，那《观察家报》那篇报道你到底怎么解释？"

　　"我无法解释。可能身份弄错了，那是另一个查尔斯·科林格里奇。我怎么说得清呢？但我结识亨利·科林格里奇已经很多年了，就像你我也是老朋友一样。我清楚他的为人，他做不出这么肮脏下流的事情来。我这位老朋友是无辜的。这一点你们可以相信我！"

　　他的语气十分激烈，将自己的名誉和首相拴在一起。记者们面对这位过去的同事，起了一丝敬意，今天就暂且饶过科林格里奇吧。

　　**"我们是无辜的！"** 第二天《每日邮报》头版就出现了这个醒目的标题。其他人也没能挖出更新鲜的定罪证据，所以大多数报纸都写了类似的标题，但也只是暂时而已。


　　"弗朗西斯，这种时候就只有你还笑得出来。"

　　"亨利，一切都会好转的，我向你保证。只要线索没了，那些猎狗崽子们就会退散的。"

　　两人同坐在内阁会议室，棕色的桌布上散落着一份份报纸。

　　"谢谢你的忠诚和陪伴，弗朗西斯。这个时候这对我意义重大。"

　　"暴风和乌云正在渐渐散去呢。"

但安慰没什么作用，首相重重地摇了摇头。"我也希望是这样。但你我都清楚这不过是个喘息的片刻。"他长叹一声，"我完全不知道同僚中我还有多少坚定的支持者。"

　　厄克特没有反驳他这个观点。

　　"我可不能逃避。我必须给他们一些可以信赖的东西，告诉他们我没有什么好遮掩的。现在又是需要争取主动的时候了。"

　　"你打算干什么呢？"

　　首相静静地坐着，咬着笔头。他抬头看了看眼前高耸的油画，画中人是罗伯特·沃波尔①，他任期最长的前辈。就这样百年不变地站在大理石壁炉上方，"他熬过了多少丑闻和危机呢，弗朗西斯？"

　　"肯定比你要多得多。"

　　"我没他那么能干。"科林格里奇悄声说道。他直视着画中人睿智深沉的黑色眼睛，想从里面找到一点鼓舞与灵感。突然间，阳光穿透了秋日灰白的天空，洒满了整个房间。这给他带来了些微的希望，生活还将继续。

　　"'周末观察'那帮狗娘养的邀请我周日去上节目，为自己辩护，说要平衡一下，听听双方的说法。他们就是一窝毒蛇，我要相信他们才怪呢！不过，我想我必须去赴这个约——然后表现得很好！他们承诺说，讨论《观察家报》上那些胡说八道的东西不会超过十分钟，然后就讨论一下整体的政策和我们对第四次连任的期望。我主要是去引导一下人们的视线，从那些乱七八糟的事情转移到比较重要的政策方针上来。你觉得如何？"

　　"我觉得，首相？我是党鞭长，我没有什么'觉得'要发表。"

　　"我知道我让你失望了，弗朗西斯。但现在我身边最好的战友就是你了。等这件事情结束了，我向你保证——你想要的一切都会有的。"

　　厄克特感激地缓缓点了点头。

---

173

"你会去吗？如果你是我的话？"科林格里奇又一次发问，"弗雷迪·雷德芬说太危险了。"

"什么也不做也危险啊！"

"所以呢？"

"这种火烧眉毛的时候，这么危急的关头，我觉得应该听从你的内心。"

"很好！"科林格里奇大喊，高兴地拍了拍手，"很高兴你是这么想的。因为我已经接受了邀请。"

厄克特赞许地点点头，但首相突然咒骂了一声。他正看着自己的双手，钢笔的墨水漏了，他手上全脏了，嘴上也是。

佩妮·盖伊以为帕特里克·伍尔顿今天会来电话。他不知道怎么找到了佩妮的内线电话号码，然后就一直打，想邀请她再出去一次。他坚持不懈，她却固执不从。那只是党派会议的一夜风流，没别的了。尽管她不得不承认他很幽默风趣，作为这个年纪的人也很健壮。那是一次错误，但也算是愉快的回忆。然而，眼下的这个电话来自厄克特，想跟她的老板通话。她接通了电话，几秒钟之后，老板办公室的门被小心地关上了。

又过了几分钟，佩妮听到奥尼尔提高了声音，不过她听不清他喊了些什么。过了一会儿她这边电话的灯灭了，说明电话打完了。奥尼尔那边没有传来任何响动。她又犹豫了几分钟，接着在好奇和关心的双重驱使下，她轻轻敲了敲他的门，小心地推开了。

奥尼尔坐在房间角落的地上，就在两堵墙之间，头深深埋在双手之中。

"罗杰……？"

他抬起头，一脸惊异，眼中全是混乱与痛苦。他的声音低沉沙哑，说话内容语无伦次。

"他……威胁我，妮妮。他妈的……威胁我。说我如果不做，他就……我必须要改文件……"

她跪在他身边，把他的头揽进自己的双乳之间。她从没见过他如此慌张和彷徨，"什么文件，罗杰？你必须要做什么？"

他无力地摇了摇头，拒绝回答。

"让我来帮你吧，罗杰。求你了。"

他猛地抬起头，脸上出现近乎疯狂的表情，"没有人能帮我！"

"我送你回家。"她一边说着一边试着把他扶起来。

他狠狠地推开了她。"从我这儿滚出去！"他大吼大叫，"别碰我！"接着他看到她眼中的痛苦，心中的怒火似乎减轻了一些。他瘫倒在角落里，像个做了错事的小男孩一般羞愧地低着头，"我毁了，你看。完全毁了。你什么也做不了。谁也帮不了我。你走吧。"

"不，罗杰——"

但他又把她推开了，动作很野蛮，她仰面跌倒，"滚开，你这小荡妇！……你走吧。"

她满眼热泪，满心疑惑，慢慢站了起来。他低下了头不敢看她，一言不发。她走了，听到门在她身后"砰"地关上了，并且从里面上了锁。

# 二十三

*雄心壮志彻底破灭之后，散落的烟尘能汇聚成最壮美的夕阳。我热爱傍晚散步，看夕阳无限好，只是近黄昏。*

## 十月二十四日　星期日

"周末观察"，这是全国观众瞩目的节目。这是基督徒要喂入狮口的时候。至少一个基督徒要去送死。节目开始后，科林格里奇渐渐放松了。两天以来他一直都在努力排练，现场提的问题都是预料之中的。他抓住机会畅谈了一番未来几年的雄心壮志。他坚持让节目组把关于查理和《观察家报》报道的问题留到最后。他可不想让控制室那些婊子养的不按原来说好的只问十分钟。不管怎么说，他都想自己控制采访的步调。在整整四十五分钟畅谈国家利益和美好未来之后，恐怕任何神智正常的人都会觉得提出关于他弟弟的问题有点恶毒并且离题万里吧？

进最后一段广告的时候，萨拉就坐在演播室里边上的一个座位，脸上带着鼓励的微笑。他向她飞了个吻。常务经理向他们挥了挥手，意思是又要开始直播了。

"首相先生，节目的最后几分钟我想谈谈上周《观察家报》对您哥哥查尔斯的报道，还有这其中关于不正当交易的可能。"

科林格里奇点点头，表情严肃，但并没有畏缩的意思。

"我知道本周早些时候唐宁街发表了一份声明，否认您的家族和这件事情有任何关系，并暗示这其中可能是搞错了人。对吗？"

"没有关系，没有。完全没有。可能是另一个查尔斯·科林格里奇，他们给搞错了。但我没什么资格来解释《观察家报》那篇精彩的报道。而且我可以告诉你，我家的任何一个人都和雷诺克斯的股票没有任何关系。我用我的名誉保证。"他一字一句缓缓地说出这席话，身子向前倾，直视着主持人。

"您的哥哥也否认，说自己从来没有在什么帕丁顿的烟店开假的居住地址。"

"当然没有，"科林格里奇斩钉截铁，"大家都知道他现在状态不太好，但是——"

"原谅我打断您一下，首相先生，我们没多少时间了。本周早些时候我们的一个记者寄了一个信封，收件人写的是自己，注明转交给查尔斯·科林格里奇，用的是开账户的同一个帕丁顿的地址。那是个很醒目的红色信封，这样才能确保显眼，能收到。昨天他跑到那个地址去收信，我们跟拍了整个过程。我想请您看一下监视器，不好意思，拍得不是很清晰，但我们必须用隐藏摄像机，因为店主非常不合作。"

主持人把椅子转过去，好让自己和观众都能看到自己身后的大屏幕，里面播放的片子很不清晰，但仍然可以辨认。科林格里奇有些担心地看了眼萨拉，然后警惕地转过了身。


片子里记者走到柜台，从钱包里拿出几张卡片和纸张亮明身份，然后向店主解释说，有一封委托他转交给查尔斯·科林格里奇的信，用的地址就是他自己的邮件地址。店主，就是几个月前跟佩妮打过交道的那个大腹便便，总是一副别人都欠了他钱样子的店主说，除非有人能拿出当时的收据，不然他没法把信交出来。"有很多重要的信件，"他吸着鼻子说，"不能来个人就交给他啊。"

"但您看看嘛，就在那儿，那个红色的信封，我在这儿都能看到。"

店主挠了挠肚子，不确定地皱了皱眉头，转过身，从身后一个编了号的邮箱里拿出几个信封。一共有三个。他把红色的信封放在柜台旁的记者面前，另外两个信封放在一边。他看着信封上的名字，某某某转交查尔斯·科林格里奇，和记者身份证件上的名字一样。而此时摄像机推近到另外两个信封上。几秒钟后才对好焦，信封上的文字清楚地映入眼帘。两封信的收件人都是查尔斯·科林格里奇。一个上面印着土耳其联合银行的标志，另一张来自党派位于史密斯广场的销售与文献办公室。

主持人再次转向眼前的采访对象，手无寸铁的基督徒此时走投无路了。

"第一个信封是来自土耳其联合银行的，看上去应该确认了是这个地址用来购买和出售了雷诺克斯医药化学公司的股票。但让我们想不明白的是，您自己的党派总部竟然寄去了一封信。所以我们给销售与文献办公室打了电话，假装是持有查尔斯·科林格里奇账单的供应商，但不太清楚他的地址。"

科林格里奇知道自己必须要做什么。他必须要阻止这场对他哥哥名誉的中伤，谴责节目组所使用的卑鄙阴险的手段。但他突然发现自己口干舌燥，张开口却找不到合适的词汇，整个演播室充满了电话录音的声音：

"……所以您能帮我们确认一下科林格里奇先生的地址吗？这样我们就能马上把货发给他了。"

"请您稍等一分钟，"一个急于表现的年轻声音说道，"我马上用电脑查一查。"

接着传来敲击键盘的声音。

"啊，找到了。查尔斯·科林格里奇。伦敦 W2, 帕丁顿区，普雷德路 216 号。"

"谢谢你，非常感谢。你帮了我的大忙了。"

主持人再次转向科林格里奇，"您想对此发表什么看法吗，首相先生？"

首相先生呆呆地盯着屏幕，一言不发，心想自己此时是不是该直接走出演播室。

"当然，我们也十分严肃地考虑您的解释，可能是身份搞错了，可能是另一个查尔斯·科林格里奇。"

科林格里奇很想大喊说这不是"他的"解释，这不过是他的新闻秘书长私下里义愤填膺说出的话。但还没等他开口，主持人已经继续往下说了，没给他留下一条活路。

"您知道伦敦的全市电话簿上还有多少个查尔斯·科林格里奇吗，首相先生？"

科林格里奇没有回答，但表情僵硬，面如死灰。

"不知您有没有兴趣知道，伦敦电话簿上没有其他的查尔斯·科林格里奇了。事实上，英国电信公司的人告诉我们，整个英国记录在案的只有一个查尔斯·科林格里奇，那就是您的哥哥，首相先生。"

接着他又故意停顿了一会儿，示意首相可以进行回应，但那边却毫无反应。

"既然这件事情看起来是内部信息滥用。我们询问了雷诺克斯医药化学公司和卫生部，是否曾有位查尔斯·科林格里奇在他们那里工作过。雷诺克斯告诉我们，他们自己和旗下的子公司都没有和没有过叫科林格里奇的员工。卫生部的新闻处更小心些，说查清楚再给我打电话，但我们再也没接到过他们的回应。不过，他们的工会办公室就合作得多了。他们确认了在卫生部全国的五百零八个办公室中，没有任何叫做科林格里奇的员工。"主持人翻看了一下笔记，"很显然两年前在考文垂办公室有个叫做米尼·科林格里奇的员工。但她现在已经回牙买加了。"狮子闭上了血盆大口，心满意足地微笑着。

从自己坐的地方，科林格里奇能看到舞台下的萨拉，她的脸颊上挂着两行清泪。

"首相先生，我们节目快要接近尾声了。您还有什么要说的吗？"

科林格里奇坐在那里，凝视着萨拉。他想跑到她身边，拥抱她，骗她说没什么好哭的，一切都会好起来的。直到节目的主题音乐想起，演播室里怪异的沉默被打破，他还是坐在那里，一动不动。

一切都结束了，一切都完了。

一回到唐宁街，科林格里奇就径直去了内阁会议室。他动作僵硬迟缓，眼神筋疲力尽。他慢慢地绕着酷似一口棺材的内阁会议桌走了一圈，手指抚摸着厚厚的棕色粗呢桌布，停在桌子的另一端。那是他在内阁坐的第一个位子，当时他还是最新和级别最低的成员。一切看上去都那么遥远，远远不止十年。中间好像隔着漫长的一生。

他又来到自己现在的位子，就在会议室的正中央，抬头便是那"伟大的幸存者"沃波尔，正从巨大的肖像上瞪视着他。他伸手去拿记事簿边的那个电话。唐宁街的接线总机是个传奇般的存在，大家都将其简称为"接线"。电话那头的女接线员似乎有种魔力，能够让达官显贵们在任何时候找到他们要找的任何人，"请给我接财政大臣。"

不到一分钟，大臣就接电话了。

"科林，你看节目了吗？市场的反应得有多糟糕啊？"

财政大臣给出一个令人尴尬但十分诚实的观点。

"他妈的真该死，是不是？好吧，我们等着瞧吧。我再跟你联系。"

科林格里奇接着和外交大臣通了电话，"有什么损害吗，帕特里克？"

"有什么没被损害的呢，亨利？我们多年以来一直给布鲁塞尔的兄弟们塞东西，结果现在他们反过头来嘲笑我们。"

"还有恢复的希望吗？"

科林格里奇得到的回答是持续的沉默。

"那么糟糕啊？"

"很抱歉，亨利。"

有那么一瞬间，科林格里奇感觉这句道歉是真心的。

接着就轮到党主席了。威廉姆斯是元老了，经验丰富，过去也不是没经历过大风大浪。他清楚，遇到这种事情，最好正式一些，别感情用事。"首相先生，"他开了口，他面前的对象是身份明确的首相，不是一个沮丧的男人，"过去一个小时，我接到了十一个地区主席中七个人的来电。我很遗憾地告诉您，七个人无一例外地都认为目前的情况对党派造成了灾难性的打击。他们觉得我们现在已是覆水难收了。"

"不，泰迪，"科林格里奇虚弱地反驳道，"他们觉得我覆水难收。这是有区别的。"

他最后又打了个电话给他的私人秘书，请他和白金汉宫约一下，第二天午饭时间会个面。秘书四分钟后打电话来说，女王陛下将在明天一点钟和他见面。

这样一切都结束了。

他本应该感到释然，肩膀上沉重的担子终于卸下了。但他身上的每一块肌肉都剧烈疼痛着，好像他被足球流氓们来回踢了好几个小时。他抬头看着沃波尔棱角分明的坚毅脸庞。"哦，是的。是你的话，肯定会跟那些混蛋战斗到底，可能也会赢得最终的胜利。但这里已经毁了我的哥哥，现在又要毁掉我。我不能让它也毁了萨拉的幸福。"他轻声说道，"我最好现在就跟她说一声。"

过了一会儿，他离开会议室去找妻子，在这之前他擦干了脸上纵横的泪水。

（中部完）

下　发牌

# 二十四

如果无法抗拒改变的大潮，那就到了顺应改变的时候。换句话说，如果你紧紧扯着一个男人的蛋，那他肯定会紧跟你的脚步。

## 十月二十五日　星期一

"周末观察"那灾难性直播的第二天，上午十点之前，内阁成员聚集在覆盖着毛呢桌布的会议桌前。他们是每个人各自接到的电话，并非作为一个正式的内阁团体被叫到唐宁街的。内阁会议一般是在星期四举行的，所以大多数人都很惊讶地看到同僚们也纷纷到场。空气中有种随时会爆发的紧张感，人人手里都拿着近期的热门报纸，上面有爆炸性的社评。等待首相到来的时间里，会议桌上的人们全都在低声议论。

大本钟悠扬的报时声传进了会议室，门开了，科林格里奇走了进来。

"早上好，女士们、先生们。"他的声音出奇的柔和，"很感激你们都按时赶到了。我不会耽误你们很长时间的。"

他坐在自己的位子上，那是整间会议室唯一有扶手的椅子。他从随身带的皮面文件夹中拿出一张单薄的纸，小心地摆在自己面前的桌子上，缓缓地扫视了一眼同僚们，双眼带着失眠已久的疲惫和阴冷。整个房间里鸦雀无声。

"很抱歉没能通知你们今早的会议是整个内阁都要到场的。我希望确保把你们都召集来此，但不引起过分的注意和猜测。"他环视着他们的脸，想看看都有什么反应，能不能找到那个巴拉巴①。"我要向你们宣读今天晚些时候我将发布的一份简短声明。下午一点我将去白金汉宫，把声明内容正式传达给女王陛下。我必须请求你们所有人，像发表就职宣誓那样，发誓不要在这份声明正式发布之前，将内容泄露给任何人。我必须确保女王陛下首先从我，而不是媒体那里听到其内容。这是对王位的基本尊重和礼仪。同时，我也是以个人的名义，请你们每个人帮我个忙，为我保密。"

他拿起那张纸，开始用一种刻板缓慢的声音读了起来，"最近，媒体对我和我的家人进行了一系列商业事务方面的指控。这些指控目前仍然没有任何缓和的迹象。我不断声明，今天也再次重复，我从未做过任何应该感到羞耻的事情。我严格遵守了作为一个首相应该遵守的行为规范和道德操守。"

他用舌头舔了舔干燥的嘴唇，拿着纸的双手在颤抖。

"报道中暗示的对我的指控是任何领导人可能面临的最严重的指控，暗示我利用自己的职权，为我的家人谋利。我无法解释媒体提到的那些引起这些指控的奇怪事件，因此我已经要求内阁秘书长对其进行正式的独立调查。我相信内阁秘书长进行的正式调查最终会使事情真相水落石出，还我以完全的清白。"

他眨了眨眼，揉了揉筋疲力尽的眼睛，"不可避免地，这个调查需要花些时间去完成。与此同时，那些甚嚣尘上的疑问和暗示已经对政府的正常运行和工作产生了非常负面的影响，同时也对我的党派以及我爱的人们伤害很大。政府的时间和注意力，应该集中于实施我们最近重新确定的那些项目上。但最近似乎并未做到。首相办公室的公信力受到了质疑，而我的第一职责就是保护这个办公室。"

他清了清嗓子，好似一声含混的雷鸣。

---

① 《圣经·新约》记载的一名强盗。彼拉多曾将他与耶稣一同带到犹太群众前，询问二者中释放哪一位。结果巴拉巴获释放，耶稣则被判处死刑。

"自从我成人以来,就把整个生涯都贡献给了对政治理想的追求,"他继续读下去,"就这样离开这个位子,我实在是一万个不愿意。我不是在逃避那些指责,而是想确保一切尽快地水落石出。同时我也想为我的家人带回片刻安宁。我相信历史将证明,我做出了正确的判断。"

　　科林格里奇将那张纸放回文件夹,"女士们、先生们,衷心感谢!"他简略地收了尾,迅速走出门,扬长而去。没人来得及在他面前发出叹息,更别说做出什么回应了。

# 二十五

*所有的内阁成员都被称为"正确的值得尊敬的绅士"[①]。*
*这个称谓里面，只有三点是错误的……*

厄克特坐在内阁会议桌的那头，目瞪口呆。周围逐渐起了纷纷议论，倒抽凉气的声音也不绝于耳。但他没有也无法加入进去。他只是久久地，久久地凝视着空荡荡的首相座位。

他做到了，单枪匹马扳倒了整个国家最有权力的人。周围的人还不明就里，困惑不已，只是各自胡乱猜测着。而厄克特的思绪已经飘回了四十年前，那时他还是一个愣头愣脑的新兵，正在林肯郡训练场上空两千五百英尺的高空准备自己人生的第一次跳伞。坐在那架带双联发动机的小型飞机那打开的舱门旁，双腿垂在强烈的气流当中，低头一望，就能看到仿佛隔着几百万里的地面风景。跳伞是需要坚定信念的行动，要完全相信自己的命运，对那些别人闻之变色的危险行动嗤之以鼻。然而，在高空看到的景色让一切危险都"值回票价"。他和另外两个一同跳伞的战友在空中相遇。他把他们推向一边，一个断了条腿，另一个摔伤了肩膀。但厄克特一落地立刻就想升上天空，重新再跳一次。

现在，凝视着空空如也的扶手椅，他的感觉与当时如出一辙。他心中爆发出欢快愉悦的呐喊，脸上的表情却控制得很好，看起来与周围的人们一样无比震惊。

---

[①] 英文原文是"Right Honourable Gentlemen"，中文一般翻译为"某某阁下"。

其他人都留在会议室不愿离去，没弄清楚究竟怎么回事。厄克特则缓步来到咫尺之遥的唐宁街十二号党鞭长办公室。他把自己锁在一个小房间里。到上午十点二十分的时候，已经打了两个电话了。

十分钟以后，罗杰·奥尼尔召集了党派总部的整个新闻办公室来开会，"今天你们所有人都得把午餐的安排取消。我听到风声，一点过后不久，我们会得到来自唐宁街的重要声明。这是完全保密的。我无法告诉你们声明的内容，但大家必须做好万全的准备，把其他所有事情都放到一边。"

一个小时内就有五名议会记者们接到抱歉的电话，说午餐约会取消了。其中两名发誓自己会保密，结果被告知，"唐宁街要发生大事件"。只要稍微有点脑子的人都能猜得到，这肯定跟"科林格里奇事件"有关。

午餐约会被取消的其中一名记者就是联合社的曼尼·古德柴尔德。他没有耽误任何时间，利用广阔的人脉和他多年来结交的人情确定了内阁的每个成员都取消了本来的安排，于今天上午一起赶往唐宁街，尽管唐宁街十号的新闻办公室拒绝确认此事。他是一条经验丰富、反应灵敏的老猎狗，一闻到血腥味就知道哪儿有猎物。于是他碰运气般地打通了白金汉宫新闻办公室的电话。也和唐宁街一样，什么也没说——至少没有做任何官方表态。但是那儿的新闻副秘书长多年前曾经与古德柴尔德在"曼彻斯特晚间新闻"共事。在要求不被报道和不被具名的情况下，他确认，科林格里奇会在一点前来白金汉宫。

上午十一点二十五分，联合社就已经在报道秘密内阁会议和白金汉宫即将发生的会面了。这是一次完全只叙述事实的报道。正午时分，独立社的当地电台开始以夸张和轰动的新闻导语，报道说首相"马上会前往白金汉宫密会女王陛下。过去一个小时以来，威斯敏斯特猜测四起，议论纷纷。大家认为他要么会撤销几个内阁高级官员的职务，通知女王陛下将会进行一次重大的内阁重组，要么会承认自己和哥哥进行过内部交易。甚至还有谣言说，有人建议女王陛下运用宪法赋予她的特权，让首相下台。"

唐宁街挤满了大大小小的媒体，他们横冲直撞，急于想得到第一手新闻。街道那头那扇著名的黑色大门被长枪短炮的摄像机和照相机，还有迅速支起来的电视灯淹没了。

　　十二点四十五分，科林格里奇出现在唐宁街十号的门阶上。他知道，眼前的人山人海意味着内阁又有人背叛了他，提前把消息放出去了。他每走一步都感觉到脚底如被钉子穿透般剧烈疼痛。他完全不理会媒体发出的尖叫，根本连眼皮都没抬一下，不会让他们占到一丝一毫的便宜。他驱车进入白厅，后面跟着很多摄影车。他还能听到头顶上一架跟拍直升机的轰鸣。白金汉宫的门口等着另外一大群摄影师。他本想有尊严地辞职隐退，现在却像当众被钉上十字架一样，颜面扫地。

　　首相要求大家没有十万火急的事情别打扰他。从白金汉宫回来以后，他躲在唐宁街后面的私人公寓，希望和妻子单独待几个小时，但他的希望又一次落空了。

　　"非常抱歉，首相先生，"他的私人秘书不好意思地说，"但克里斯丁医生来电话了，他说是非常重要的事。"

　　电话接了过来，听筒里响起微微的嗡嗡声。

　　"克里斯丁医生，有什么事吗？查理怎么样了？"

　　"恐怕我们有麻烦了，"医生开口道，语气中满怀歉意，"您知道的，我们一直努力让他静养，不看报纸，不看新闻，这样他就不会被那些满天飞的谴责和指控所打扰了。一般情况下电视新闻时间我们会关电视，然后找点事情转移他的注意力，但是……事实上，我们没料到会突然插播关于您辞职的新闻。非常遗憾您不得不辞职，首相先生。但查尔斯是我最重要的病人。我必须把他的利益放在首位，您理解的吧？"

　　"我十二万分地理解，克里斯丁医生。您的主次分得非常清楚。"

　　"今天上午他听说了一切。所有那些关于股票的指控和谴责，当然还有您辞职的消息。他非常沮丧，也非常震惊。他觉得发生这一切全怪他。我不得不告诉您，他嚷嚷着要自残。我以为我们对他的治疗已经取得了明显的进展，但现在我怕非但没有进展，反而面临着危机。我并不想对您危言耸听，但他真的需要您的帮助，万分需要。"

萨拉看到丈夫的脸上渐渐布满了极度痛苦的表情。她坐到他身边，拉着他的手。那只手在颤抖。

"医生，我能做些什么呢？我什么都可以做，只要您吩咐。"

"我们需要找点方法来安慰他，让他安心。他很绝望，也很困惑。"

"我能跟他说说话吗，医生？就现在，趁一切还没发展得太快。"

几分钟后，他的哥哥被带到电话前。科林格里奇能听到电话那头传来抗议的声音，同时显得略微有点困惑。

"查理，你怎么样了啊，老哥？"亨利温柔地问道。

"亨利，我到底干什么了？"

"你什么也没干，查理。你绝对什么也没干。"

"我毁了你，我毁了一切！"查理的声音听上去那么苍老，嘶哑中满含痛苦和恐慌。

"查理，伤害我的不是你。"

"但我在电视上都看到了。你跑到女王那里去辞职。他们说是因为我和什么劳什子的股票。我不懂，亨利。我搞砸了所有的事情。我不配做你的哥哥。什么都没有意义了。"电话那头传来大声的抽泣。

"查理，我想请你认真听我的话。你在听吗？"

又传来一声痛苦的抽泣，听起来那边已经一把鼻涕一把泪了。

"你完全不用请求我的原谅。我才应该跪下来请求原谅，请求你的原谅，查理。"

"别说傻话了——"

"不，你听着，查理！我们一直都是一家人，共同面对问题，渡过难关。还记得那时候我还在负责家族的生意——那年我们差点破产？我们当时每况愈下，查理，那是我的错。我太痴迷于政治而无心生意了。后来，是谁带来了新的客户，带来了拯救我们于水火的那张订单？我知道那并非是我们接过的最大的一笔订单，但那时候简直是雪中送炭啊。你挽救了公司，查理，你也挽救了我。就像我那年圣诞节脑子一热酒驾被抓了个现行，也是你救了我一样。"

"我其实什么也没做……"

"当地的警察局局长，就是你打高尔夫时认识的朋友，你不知怎么在警察局说服了他修改呼吸检验酒精含量的结果。如果把驾照给我扣下来了，我永远也当选不了我那个选区的议员，永远不可能涉足唐宁街。你还没明白吗！你这个蠢蛋，你根本没毁掉一切。是你成就了一切！你和我，我们一直都共同面对一切的。以前是这样，将来也不会变。"

"我不配——"

"不，是我不配，查理。你不应该有我这么个弟弟。我需要帮助的时候，你一直都在我身边，但我回报你的是什么？我工作太忙，根本无暇帮助你。玛丽离开的时候，我知道你有多受伤，我应该来陪你的，我当然应该来陪你。你需要我，但我好像总有别的事情要忙。我每次总是说明天再去看你，总是明天又推明天。查理，我总是说明天、明天、明天！"激动而愧疚的情绪让科林格里奇声音哽咽颤抖。"我已经拥有过自己的辉煌时刻了。我也做了那些我想做的事。但我眼睁睁地看着你酗酒成性，差点把你自己给喝死了。"

这是两人第一次推心置腹地说出实话。过去查尔斯总是说自己不太舒服，太过疲劳，或是精神紧张——两兄弟从来没说过哥哥是过度酗酒。而现在，两人之间不再有秘密，不用再回到过去那种遮遮掩掩的状态了。

"你知道吗，查理？我会抬头挺胸走出唐宁街，并且说一句：'终于解脱了，让他们都见鬼去吧！'——只要我知道我亲爱的哥哥还在身边。我只是害怕为时已晚，我忽略你已经太多太久，让我没法请求你的原谅；你已经孤单太久，不愿意和我团聚了。我害怕。"

电话两头都传来克制的啜泣，泪水中有痛苦也有感动。萨拉紧紧抱着丈夫，就像他要被风暴吹走似的。

"查理，除非你能原谅我，不然我做的这一切有什么意义？一切都没有意义。"

一片沉默。

"说点什么啊，查理！"科林格里奇绝望地喊了起来。

"你这该死的混蛋，"查理突然脱口而出，"你是世界上最好的兄弟。"

"我明天来看你，一定，我保证。我们现在都有更多时间给彼此了，是不是？"

"真遗憾事情闹得这么大，这么糟糕。"

"跟你说句实话吧，多年来我很久没感觉这么好过了。"

# 二十六

背叛的幽灵应该一直阴魂不散地萦绕在门口，否则一桩婚姻很快就不新鲜了。

"玛蒂，看到你真是惊喜，"厄克特一开门看到路灯下的她，平静地说道，"你不是一直在躲着我吗？"

"您也知道这不是真话，厄克特先生。是您在躲我吧！党派大会的时候，我每次一想接近您，您简直就是跑开的。"

"这个嘛，伯恩茅斯的那几天可真忙啊。而且你是《每日纪事报》的人。我必须承认，如果有人看到我跟那份报纸的记者聊天，那不大——"他努力寻找一个词，"——合适，特别是像你这样的——怎么说呢——金发美女。"

他的双眼中闪烁着星星点点的喜悦，但她再一次犹豫了，就像她无数次拿起电话想打给他又放下一样。她不太确定自己这是为什么。这个男人很危险，她心里很明白这一点，他给了她不该有的感觉。然而，站在他面前的时候，她从头到脚都感到兴奋不已，好像有电流贯穿全身。

"要是有人看到你我在某个黑暗小角落里头碰头地聊天，可能会误会的，玛蒂，"他继续说道，语气严肃了些，"你们那个头版给我的首相大人造成了致命一击啊！"

"给他致命一击的是泄露民意调查的人，不是我。"

"这个嘛，时机就是一切。而现在你又来了，要问我问题。"

"这是我的工作，厄克特先生。"

"今年冷得有点早，我觉得。"他环顾了一下四周，好像是在看天气，又好像是在看有没有人目睹这一幕，"你还是进来吧。"

他接过她的外套，请她在书房的一张大皮椅上坐下，给两人都倒了一杯威士忌。

"我希望我俩这么见面不会不合适。"她鼓起勇气说。

"这儿不是伯恩茅斯，这里没有探头探脑的眼睛。"

"厄克特夫人……"

"和一个朋友在听歌剧。短时间内不会回来，说不定晚上都不回来。"

只用这三言两语，他就把一件阴谋的斗篷披在两人身上了。她有一种舒服、踏实和温暖的感觉。

"今天可真够受的。"她边说边喝了口威士忌。

"彗星出现在空中，燃烧得如此美丽壮观，这可不是每天都有的事。"

"我能坦白跟您说话吗，厄克特先生，甚至不遵守议会的规矩？"

"那你最好叫我弗朗西斯。"

"嗯，我尽量——弗朗西斯。不过……我父亲是个性格很强的人，给人留下很深的印象。他有清澈的蓝眼睛，冷静清晰的思维，在某些地方您总让我想起他。"

"想起你父亲？"他有些惊讶地说。

"我需要您的建议，去弄懂一些事情。"

"要找个父亲一般的人物？"

"不，不是父亲，甚至也不是党鞭长。而是作为一个……朋友？"

他笑了。

"一切都是巧合吗？"

"什么都是巧合？"

"之前泄露的信息，民意调查。您知道吗？那个调查就放在我门口。"

"真是太离奇了。"

"还有雷诺克斯的股票。我有很强烈的直觉，有人在幕后操纵这一切。"

"阴谋搞垮亨利·科林格里奇？但是玛蒂，这怎么可能呢？"

"可能听起来挺傻的，但是……"

"泄露信息是交易的一部分，玛蒂。有的政客想把报纸上关于自己的丑闻按下去，那就得潜入内部，泄露点别人的信息来做交换。"

"搞垮一个首相可不是说干就干的事情。"

"玛蒂，亨利·科林格里奇不是被反对者搞垮的，很显然是他哥哥胡搞瞎搞雷诺克斯股票给搞垮的。这是他们家自己给弄糟的，不是什么阴谋。"

"但是，弗朗西斯，我见过查理·科林格里奇。党派会议的时候跟他聊了好几个小时。我很惊讶，他是个很平易近人，很坦诚的醉汉，看上去连两百镑都拿不出来，更别说拿出几万英镑去投机炒股了。"

"他是个酒鬼。"

"他难道会因为股票市场上几千英镑的利润，去威胁弟弟的事业？"

"酒鬼一般都不负责任。"

"但亨利·科林格里奇不是个酒鬼啊。你真的觉得他会堕落到帮他哥哥进行内部交易，好让他有钱喝酒？"

"我明白你的意思。但仅凭这些就猜测党派高层可能有人故意造成这些混乱，是不是就很可信呢？"

她咬着双唇，眉头紧皱。"我不知道，"她老老实实地承认道，"但有可能。"接着又固执地补充了一句。

"你也许是对的。我会把这一点记在心里。"他将杯中酒一饮而尽，他们俩没什么好谈的了。他把外套递给她，送她到门口。他的手放在门把上，但没有打开。两人离得很近。"玛蒂，听着，你这些担心和惧怕都有可能是正确的。"

"我不是惧怕，弗朗西斯。"她纠正道。

"无论如何，接下来的几个星期都会闹翻天。我们可以再见面吗？讨论一下这些观点，看看又会有什么新发现和新转折？就你和我，完全私密的。"

她笑了，"你知道吗，你说出了我的请求。"

"厄克特夫人周末总有段时间不在伦敦。她要么出去玩，要么就是去参加其他的活动。周二和周三晚上我一般都一个人在家。你想来的话就来吧。"

他凝视着她，眼神平静，仿佛可以看透她的内心。而此刻她的内心翻江倒海，感到隐隐约约的刺激和危险。

"谢谢你，"她柔声说，"我会的。"

他打开了门。玛蒂走下台阶后又转过身，"你会站出来参加竞选吗，弗朗西斯？"

"我？我是党鞭长而已，连真正的内阁成员都算不上。"

"但你很强大，你了解权力。而且你还有点危险。"

"我是不是应该谢谢你的夸奖？但，不，我不会参加竞选的。"

"我觉得你应该参加。"

她又下了一级台阶，但他叫住了她。

"你和你的父亲关系好吗，玛蒂？"

"我很爱他。"说完这句话，她就匆匆消失在夜色中。


他又倒了一杯威士忌，在椅子上坐定。脑子里一幕幕都是今天发生的种种大事，还有刚刚过去的这一个小时。玛蒂·斯多林非常聪明，而且漂亮。也特别清楚地表明了自己可以随叫随到。但这样做到底是为什么呢？好像可以列出无穷无尽的可能性，这件事本身也十分诱人。他有些满足地沉思着，电话突然响了。

"弗兰基？"

"本，时间都这么晚了，不过真高兴接到你电话啊！"

兰德里斯没理会他语气中的嘲讽，"现在的情况真有意思，弗兰基。

宁为太平狗，不做乱世人。<sup>①</sup> 这是不是中国的说法？"

"我想这是一句诅咒。"

"我觉得老伙计亨利·科林格里奇会同意的！"

"我坐在家里，跟你想的一样。"

"弗兰基，你可没时间闲坐着啊。游戏开始啦，你做好准备了吗？"

"做什么准备，本？"

"你可别这么——怎么说来着？"

"迟钝？"

"是的，别给我放烟幕弹！我需要你和我一起，抛头露面，弗兰基。"

"抛什么头，露什么面？"

"你到底想不想去竞选？"兰德里斯不耐烦地问道。

"竞选党派领袖？我只是党鞭长而已，我不是抛头露面的人。我是飞机的翅膀，是为飞行员助一臂之力的。"

"当然啦，当然啦。但你想要这个位子吗？如果你想要，老伙计，我会尽力帮你的。"

"我？当首相？"

"弗兰基，我们现在在玩一个新的游戏了，就是脸皮要更厚些。而你的脸皮几乎和我一样厚。我喜欢你做的事情和做事的方法。你明白如何操纵和利用权力。所以我问你，你想玩吗？"

厄克特没有立刻回答。他的目光落在墙上的一幅油画上，豪华的镀金画框中，一头鹿正被狂吠的恶犬包围着。他现在有胃口吗？他缓缓说出下面的话，让自己都吃了一惊，"我非常非常想玩。"

这是他第一次向除自己以外的人坦白野心。但坦白对象是兰德里斯，这个每一分钟都赤裸裸展现自己欲望的男人，他丝毫没有尴尬和羞赧。

"很好，弗兰基。太棒了！所以我们就从这儿开始吧。我会告诉

---

① 原文是"interesting times"，来自英语里的"May you live in interesting times!"据说是来自中国的一句俗语，但从未找到过真正的出处。现在比较认可的一个说法是来源于中国古诗词中的"宁为太平犬，莫做乱离人。"

你明天《每日纪事报》将刊登什么。是我们一个记者，玛蒂·斯多林的一篇分析文章。这个年轻妹子金发、长腿、奶子特别漂亮——你认识的吧？"

"我想我见过吧。"

"她的文章里会说，这是一次公开的竞赛，人人的手都伸进了科林格里奇的血泊中，会有更多的混乱和骚动。"

"我想她说得对。"

"混乱，骚动，我喜欢。这样报纸才卖得快啊。你觉得应该选谁来下手？"

"这个嘛，我们来看看……这些事情一般只有几个星期的时限，所以有些老油条，常常在电视上露面的那些'影帝'，他们最有先机。潮流就是一切。如果你引领了潮流，那潮流就会助你到达成功的彼岸。"

"有没有具体到哪个老油条？"

"迈克尔·塞缪尔，很有可能。"

"嗯——年轻、帅气、原则性强，看上去很有头脑——我一点儿也不喜欢。他肯定是那种多事精，什么事都想插一手，随时一副重建新世界的架势。心眼太多，经验又太少。"

"那你觉得应该选谁呢，本？"

"弗兰基，风水轮流转。上一秒你还努力游向岸边呢，下一秒你就顺着我冲厕所的水跑到下水道去了。"

厄克特听到电话那头的男人喝了一大口酒，又接着侃侃而谈。

"弗兰基，我跟你说件事。今天下午我在《每日纪事报》内部组织了一个绝对机密的小分队，让他们尽可能多的联系党内议员，问问他们打算怎么投票。周三我们就要登出调查结果——我很有把握地预测一下吧，年轻的米基①·塞缪尔将会以微弱优势领先。"

"什么？你是怎么知道的？民意调查还没结束呢。"接着传来一

---

① 迈克尔的昵称。

阵恍然大悟的叹息，"哦，本，我刚才太幼稚了，是不是。"

"啦啦啦啦，你说对啦，弗兰基！你拎得清，所以我才喜欢你。我知道那他妈的调查是什么结果，因为我他妈的就是调查出版商啊！"

"你的意思是你修改了调查结果。但你为什么要把塞缪尔推到台前来呢？"

"他是第一个要被冲到下水道的人。你的名字也会出现在民意调查中的，弗兰基，排名比较靠后一些，但作为党鞭长来说，成绩也算不错。但年轻的米基会遥遥领先，这样大家就有个靶子了，都想朝着他打。我估计，几周之内，他就会吃惊地发现自己到底有多少损友。"

"那我在这个伟大计划里是什么角色？"

"你后来居上啊，就像最后的大主教。你做那个在妥协情况下产生的候选人。其他所有的混蛋都忙着拆对方的台呢！你就润物细无声，慢慢往上爬，做大家都最不讨厌的那个人。"

"山中无老虎，猴子称大王。"

"什么？"

"没什么。我能相信你吗？"

"相信我？"他听起来极其惊骇，"我是办报纸的啊，弗朗西斯。"

厄克特爆发出一阵阴暗的大笑。这个报业巨头还是第一次好好叫他的名字，兰德里斯是认真的。

"你都不想问问我，我想从中得到什么吗？"报业巨头问道。

"我觉得我已经知道了，本。"

"什么呢？"

"一个朋友。一个在唐宁街的朋友。一个很好的朋友。一个像我一样的朋友。"

# 二十七

一个政客永远不应该花太多时间去思考。思考太多就会转移注意力，忘记躲避背后的暗箭。


## 十月二十六日　星期二

首相的私人办公室，他真正私密的地方。厄克特发现他正坐在书桌前，签着一摞厚厚的文件。他戴着几乎从不在旁人面前戴的眼镜。更不同寻常的是，视线里没有一张报纸。

"亨利，从昨天开始我就没找到机会和你谈谈。我没法跟你说清楚我有多震惊，多沮丧。"

"别同情我，弗朗西斯，别为我悲伤也别懊悔。很奇怪，我对目前的状况很满意，很高兴。终于把担子卸下来了，也不用再去关心那些乱七八糟的事情了。"

"我当时听你念那份声明的时候，我感觉到自己……正在从天上掉下来，真的。"

"降落愉快。"首相摘下眼镜放在一旁，从书桌后面站起来，带着厄克特走到两张舒服的扶手椅旁，正对着窗外公园的风景。"不管怎么说，我没时间自怨自艾啦。汉弗莱·纽兰兹正在来的路上，这样我们就可以着手准备一下领袖选举了。谈完这个事情我今天就都陪查理了。有时间做这样的事情真是太棒了。"

厄克特很吃惊地发现，他说的每一个字都是真心的。

"你想私下跟我聊聊是吗，弗朗西斯？"

"是的，亨利。我知道你不会去支持某一个候选人参加竞选，至少不会公开支持……"

"那是非常不合适的。"

"是的。但你肯定还是有兴趣嘛。我俩都知道，你最近对很多同僚非常失望。"

"我脑子里是出现了'忘恩负义的混蛋'这样的想法。"

"你有权利，我甚至认为你有义务，确保把党派留给可靠的人。当然我是党鞭长，肯定是不会参加竞选的。我是完全保持中立的。但我肯定会向你报告都发生了些什么。"

两人都知道，即使穷途末路的首相也还是有一定影响力的，他有一些政治上的追随者，也有一些私人的朋友。当然还有个看上去微不足道但依然有一定重要性的事情，那就是每个卸任的首相都会列一个卸任晚会嘉宾名单，上面都是达官显贵。对很多高级党内成员来说，这个卸任晚会是他们从人尖子堆里脱颖而出的最后机会，只有充分利用这次机会，才能帮助他们的妻子实现长久以来"第一夫人"的梦想，登上金字塔的最顶层。

科林格里奇挠了挠下巴，"你说得对，弗朗西斯。我这么多年勤勤恳恳，可不能眼睁睁地看着某个不靠谱的家伙把我的心血都浪费了啊。那你跟我说说，都有些什么情况？"

"时间还早，很难说。很多新闻媒体都说是公开竞赛，什么都有可能，我觉得这是对的。但我推测，一旦开始了，很多情况会迅速发生变化。"

"那么没有特别领先的人？"

"这个嘛……"厄克特开始摇头晃脑，就像吉哈布瓦拉一样。

"别犹豫啊，弗朗西斯。说你的直觉就好。"

"我的直觉告诉我，迈克尔·塞缪尔可能有领先的优势。"

"迈克尔？为什么这么说？"

"这是一场短平快的游戏，没有时间去慢慢建立什么坚实的基础，一切都是面子上的事情。迈克尔常常在电视上露面，形象很正面。"

"媒体很喜欢他。"

"而且，不可避免的，泰迪和党总部会在背后默默支持他。"

科林格里奇的脸上瞬间阴云密布。"是的，我明白你的意思了。"他用手指把椅子扶手敲打地砰砰响，小心翼翼地字斟句酌，"弗朗西斯，我不想干涉什么，但我也不能无所作为。如果党派内要进行一场自由和公平的比赛，那就不能让党总部从中做什么手脚。特别是他们最近搞出的那些事情，不让人满意的大选结果，大量信息的泄露，更别提他妈的民意测验了。"他终于把这些话恶狠狠地一吐为快了。尽管嘴上说着很快乐，很高兴，但他心中仍有着暴风雨般的愤怒。"你知道吗？这些事情里面我最不能原谅的是有人把我昨天去白金汉宫的事情泄露了。有人告诉我，这消息是从史密斯广场秘密传出来的。他们怎么敢呢？我怎么就成了媒体马戏团灯光下的一名小丑了呢？"他单手握拳，重重地捶在扶手上。

"真是一点尊严也没给你留，亨利。"

"不仅仅是我，还有萨拉。她不应该受到这样的屈辱。"他的呼吸更为沉重了，显得异常愤怒。"不，我绝不会袖手旁观，我他妈的绝不会让泰迪那些手下来控制这场选举！"他向厄克特斜了斜身子，"我觉得你应该也不太喜欢泰迪吧。特别是他对你的重组计划说了坏话之后。我肯定你当时就猜到了。"

厄克特点点头，很高兴自己的猜测是准确的。

"我该怎么做，弗朗西斯？我怎么才能确保这次竞选公平有序地进行呢？"

"我关注的和你一样，我只想确保一次公平的竞争。人们需要时间去思考，不能这么急急忙忙地就让他们作出决定。"

"所以呢？"

"所以给他们多一点时间来做选择。放慢脚步，好好享受你在任的最后几个星期。我对迈克尔没什么意见，但你必须确保把这个位子交给一个由党派，而不是媒体选出来的继任者。”

"特别是不能让那个老妖怪泰迪来挑。"

"您是首相，您可以这样说，但我是党鞭长，完全不便发表评论。"

科林格里奇咯咯笑了起来，"我可不想再过一天这种提心吊胆的日子了，不过我想再多待一个星期左右也没什么坏处。"

"根据规定，何时举行完全由你来决定，亨利。"

科林格里奇看了看表，"汉弗莱应该已经等在外面了，别让他等太久。他会提出建议，我会很认真地去听。不过我觉得比起安排一个领袖竞选，他还是更擅长去海滩度假。我们先商量商量，然后今晚我再仔细想想。等早上做了决定就告诉你。我会第一个告诉你的，弗朗西斯。"他送党鞭长走到门口，"我真的很感激你。真是不知道怎么跟你说，有你这样一个没有贰心，忠心耿耿的朋友陪在身边，真是最大的安慰。"


他们回到她家，用脚踢上了门，一边大笑一边脱掉衣服，搂搂抱抱地走过去，没等到床上就迫不及待地开始了。现在玛蒂和科拉杰维斯基手脚纠缠着躺在一起。能和她这样一起亲密相拥在沙发上，他觉得自己从来没这么快活过。而她则神游天外去了。

"在想科林格里奇的事儿？"他小声问，把手从她近乎完美的胸部拿开。

她好像没注意到他语气里的失望，"我一直在想，约翰，想查理·科林格里奇的事儿。"

"我满头大汗地躺在你大腿之间，结果你在想另一个男人。"他半开玩笑地抗议道。

"我知道他是个酒鬼，名声不怎么好，"她毫不在意地继续说道，"而且酒鬼一般做事不过脑子，不负责任。"

"我不太明白你在说什么。"

"但这一切也太简单了。"

"生活就一定要复杂吗？"他近乎祈求地说道，紧紧抱住她的后腰。

"我就是不相信查理·科林格里奇能做出这样的事情，更别说能找到门路了。"

"只有一个人知道事情的真相，" 科拉杰维斯基无奈地说，"但他被关在某个劳什子的诊所。"

她猛地转过头看着他，"哪儿？"

他的激情减弱了，长叹一声，回答道："我想这应该是个小心保守的家族秘密。"

"我想找到他。"

"那我们的'年度优秀记者'要怎么才能做到呢？"

她从他怀里挣脱出来，拿了一条毯子胡乱一裹，消失在厨房里。他站起来，在电视机后面找到了自己的四角内裤，很不情愿地穿上了。而此时她回来了，手里拿着两杯红酒。两人坐在壁炉前的地毯上，炉里没有生火。

"查理·科林格里奇最后一次露面是什么时候？"她问道。

"问这干吗？呃……应该是一个多星期前，他从家里被车带走了。"

"他和谁在一起呢？"

"萨拉·科林格里奇。"

"和……？"

"和一个司机。"

"那就对了。这个司机是谁呢，约翰？"

"我他妈的知道就好了。"

"但可以从这儿着手。"她再次从他手臂里挣脱出来，爬到电视机前，那里散落着一堆录像带。"就在这儿。"她边说边把那里翻得更乱了。她找到了要找的录像带，放进放映机，打开电视，快进着各种各样的电视新闻。她全神贯注地做着这一切，根本没注意到毯子已经从肩上滑下来了。科拉杰维斯基呆呆地坐着，欣赏着她完美的胴体，感觉血气上涌。他很想搬起电视机扔到窗外去。突然间，查尔斯·科

205

林格里奇出现在屏幕上，他在那辆汽车的后座上缩成一团。毯子又重新披回了她的肩膀。

"你看，约翰！"

他敷衍地回答了一声，而她又兴冲冲地按了个键，把节目倒回开头。有不到一秒的时间，车子开上主路，他们能透过挡风玻璃看到司机的脸。她按下暂停键，发现这个男人是个秃头，还戴着眼镜。

"这他妈的是谁啊？"科拉杰维斯基喃喃道。

"我们先来想想他不是谁，"玛蒂说，"他不是政府的司机，这不是政府的车。不用政府的司机，因为他们会把这事儿到处乱说。他不是一个政坛人物，不然我们就认得出来了……"她从电视屏幕前转过头面对着他，没注意到他满面愁容的样子。"约翰，他们到底是去哪儿呢？"

他作为新闻记者的好奇心被挑拨起来了，一方面又想抛开一切向她扑去。他在这种矛盾的心态中挣扎，痛苦不堪。"他妈的，别这么幼稚，科拉杰维斯基！"他暗暗骂了自己一句。"首先，肯定不是去唐宁街。也不是去什么酒店或其他公共场合。"他思考着，"我估计是去诊所吧。"

"肯定是！这个人是从诊所来的。如果我们能找出他是谁，就能知道他们把查理带去哪儿了！"

"我想我可以把这张脸从录像上载下来，拿出去让别人认认。可以找我们原来的摄影师弗雷迪来做这事儿。他特别擅长记人的长相，原来也是个酒鬼，几年前把酒给戒了。现在每周都还去解救互助协会呢。这样我们就可以顺藤摸瓜。治疗中心一共也没几家，我们肯定能查出点什么来。"

"你最棒了，约翰。"

他觉得这是今晚她第一句发自内心的称赞。

"我是个唯利是图的小人。我做了事就要有回报，"他壮着胆子说，"玛蒂，我能在这儿过夜吗？"

她眼中全是遗憾，摇了摇头，"约翰，记住我们的约法三章。"

"不是谈恋爱。对了。好吧，如果你从我这里得到了你想要的东西，那我想我最好赶紧滚蛋。"他劈头盖脸地说，带着一种莫名的愤怒。他从地上蹦起来，迅速穿好了衣服。但快走到门边的时候，他的双肩又沮丧地垮了下来。"对不起，玛蒂，"他说，"我只是……你在我心中有特殊的地位。我心里还有点希望。"

他已经走到门边了，但再次转过身，"还有别人吗，玛蒂？"

"不，约翰，当然没有别人，"她说，"不是因为这个原因。"

但当他带上门离开的时候，她不禁想着自己说的是不是实话。她怎么能说实话呢？她都不确定自己对自己有没有说实话。好女孩是不会出现这种问题的。

# 二十八

有的政治活动能够让你安全着陆并全速前进。其他的则会让你头朝下闷声栽倒再也爬不起来。

## 十月二十七日　星期三

### 《每日纪事报》头版：塞缪尔遥遥领先 得票数惊人

迈克尔·塞缪尔，年轻的环保部秘书长，昨晚成为竞选首相的头号种子选手。

《每日纪事报》过去两天在三分之二的政府议员中进行了一次独家调查，其中有百分之二十四的议员提名他为心中的第一首相人选，遥遥领先于其他有潜力的候选人。

塞缪尔将会在几天之内宣布参选。令他的竞争对手感到更不好受的是，他将得到很多有影响力的党内高层的支持，比如党主席威廉姆斯勋爵。据可靠人士预测，这样的支持将会在参选过程中起到至关重要的作用。

其他候选人中，没有一个人的票数超过百分之十六。其中有五个潜在候选人得票在百分之十到百分之十六之间。这五人分别是帕特里克·伍尔顿（外交大臣），阿诺德·多利斯（内政大臣），哈罗德·厄尔（教育部部长），保罗·麦肯齐（卫生医疗部部长）和弗朗西斯·厄克特（党鞭长）。

厄克特以百分之十二的得票榜上有名令威斯敏斯特惊异。他甚至都不完全算是一名内阁成员，但作为党鞭长，在执政党中有很广泛和强大的基础。《观察家报》认为他将成为一个很强的外围候选人。然而，昨晚，与厄克特私交甚密的消息来源强调，厄克特无意参加竞选，并会在今天某个时候表明自己的立场……

首相改变主意了。他把当天上午的报纸读了个遍。那些一个星期前还恨不得把他生吞活剥的社评现在则遵循了变幻无常的特点，颂扬着他的自我牺牲，说这会让政府有一个全新的开端——"尽管如此，他还是必须要解决很多突出的个人和家庭问题，才能让公众满意。"《泰晤士报》的警告振聋发聩。和平时一样，媒体做两边倒的墙头草做得毫不脸红，就像人尽可夫的妓女。

和其他热心读者一样，他特别仔细地读了《每日纪事报》。好像大家都取得了十分一致的观点：这是一次公开竞赛，任何结果都有可能，但塞缪尔最有可能成为领头羊。科林格里奇把报纸扔到一个角落，在空中如死去的天鹅般划出一道弧线。接着他叫来了政治秘书。

"格雷厄姆，给威廉姆斯勋爵送个信，同时送给汉弗莱·纽兰兹。勋爵需要在今天下午十二点半签发一个新闻通稿。领袖竞选的提名将会于三周后的十一月二十八日，星期四截止，第一次投票将定于十一月二十三日，星期二举行。如果需要第二次投票，那么就按照党派章程，在第二周星期二，也就是十一月三十日举行，如果还有最后一轮投票，就在第二次投票结束后的两天后举行。记清楚了吗？"

"清楚了，首相先生。"秘书点点头，但不敢看科林格里奇的眼睛。这是他宣布辞职以来两人第一次面对面独处和谈话。

"你知道这意味着什么吗，格雷厄姆？在六个星期零一天之后，你我就都失业了。过去这些年我一直没找到机会好好谢谢你。但我希望你知道，我有多感激你。"

秘书有些尴尬地耸动了一下。

"你必须要开始为自己的将来考虑了。我会有一份卸任晚会名单，你的名字会出现在上面，还有好几个刚被授予爵士封号的人，他们肯定会很乐意给你一份不错的工作。我会确保这事情万无一失的。考虑一下你想要什么，告诉我一声。我还是可以帮你一把的。"

秘书抬起双眼，里面充满了遗憾与感激。

"顺便说一句，格雷厄姆，泰迪·威廉姆斯可能想找我，建议我缩短整个竞选流程。到时候就说我没空。你要明确告诉他，这些是指示，不是可以商量的条款，而且十二点三十分必须准时发布。"

短暂的沉默。

"否则的话，你告诉他，我就只好自己泄露这个消息了。"


潮流从不等待任何人，现在，属于迈克尔·塞缪尔的那股热潮已经开始退却了。科林格里奇一宣布辞职的决定，他就找到自己的良师益友，泰迪·威廉姆斯，请教他下一步该怎么办。

"要耐心，迈克尔，"这位政界元老如此建议道，"你肯定是最年轻的候选人。他们会说你乳臭未干，缺乏经验，甚至野心太大。因此，别表现得一副特别想当首相的样子。克制一点，低调一点，让他们来找你。"

这是个很棒的建议，但好像一点儿用也没有。将塞缪尔作为第一种子选手来宣传的那期《每日纪事报》一面世，厄克特紧跟着就出现在电视镜头前，明确表示自己没有任何参选的打算，"当然，我受宠若惊，居然出现了我的名字。但我觉得，作为党鞭长，在这场竞选中，我还是做个完全公正的旁观者，才最符合党派的利益。"在离开之前他还自我否定般地点了点头，记者群中还传来大吼大叫的提问声，但他已经没影儿了。

媒体开始对塞缪尔穷追猛打了，那天上午晚些时候公布的详细选举时间表让大家更为兴奋。上气不接下气的记者团队终于在海德公园附近的洲际酒店找到塞缪尔时，他正要跟重要的朋友进行一个较早的午餐会面。这时候，这群"审问者"们是不能够接受含糊其辞的回答的。塞缪尔无法说"不"，他们也不能接受"可能会"这样的答案，因为有人发现他已经召集了一个竞选团队的核心人士。因此，在受到媒体不断地骚扰之后，塞缪尔被迫在酒店的台阶上发表了一个声明，在一堆堆来来往往的行李和举起的雨伞中，宣布自己的确会参选。

一点钟的新闻上，厄克特和塞缪尔形成了鲜明对比。德高望重，温文尔雅的政界元老拒绝参加竞选，而显然心急火燎的塞缪尔则迫不及待地在大街上举行了一个即兴的新闻发布会，宣布自己成为第一个候选人，而此时离首次投票还有将近一个月。

厄克特带着巨大的满足看着新闻报道时，电话铃响了。他听到那头冲厕所的声音，然后确凿无疑地传来本·兰德里斯夸张的大笑，接着电话就挂断了。

# 二十九

有些人的政治生涯就像大不列颠图书馆中被错误归档的书。这不过是个小小的错误，但将导致被永远地遗忘。

## 十月二十九日 星期五至十月三十日 星期六

"这就是你想要的吗？"

科拉杰维斯基的语气中还残留着上次所受的伤害。从那次之后，他在公司就一直躲着玛蒂，但现在他却斜着身子靠近她，但很小心地不靠得太近，手里拿着一个很大的马尼拉纸信封。他一撒手，信封落在她面前。她从里面拿出一张 10×12 的彩色照片。她面前是司机的脸，有些模糊不清，有些扭曲，但还算辨认得出来。

"弗雷迪运气很好，"科拉杰维斯基继续道，"他昨晚把这个带去了戒酒互助协会，组长立刻就认出来了。这是罗伯特·克里斯丁医生，在治疗毒瘾和酒瘾方面可是著名的权威。他在肯特郡南部沿海附近的一个很大的私人住宅里经营着一间治疗中心。我打赌，只要找到克里斯丁医生，你就能找到你心心念念的查理了。"

"约翰，我不知道该怎么感谢你！"她兴奋地说道。

但他已经转身走掉了。

第二天是星期六，玛蒂不用上班。她很早就吃过午饭，然后匆匆上了自己那辆宝马老爷车，加满了油，径直向多佛的方向开去。路上车堵得很厉害，她艰难地穿过格林威治挨挨挤挤的购物人群，终于上了 A2，这是古罗马人修建的道路，从伦敦直通肯特郡的中心地带。她经过气势恢宏的坎特伯雷教堂，又开了几英里，在风景如画的巴勒姆村掉头。指路的地图并没有明确标出附近更小的诺并顿村，但问了几个当地人之后，她费了点功夫，终于来到一个维多利亚式的建筑面前，灌木丛中有个相当低调的牌子，上面写着"相伴治疗中心"。

绿树成荫的私人车道上停着好几辆车，前门开着。她很惊讶地看到人们在周围惬意地漫步，很显然非常自由。根本不像她之前想的那样，有穿着白大褂的凶狠护士在每一层巡逻，以防有人逃跑。她把车停在路上，吃了个薄荷糖，鼓足勇气，小心谨慎地走了进去。

一个身材魁梧，穿着花呢西装，留着白色军人胡子的男人彬彬有礼地走上前来，她的心往下一沉，这肯定是来驱赶"外来入侵者"的保安。

"打扰了，亲爱的。"他说话一丝不苟，字正腔圆，把她拦在门前，"你在附近有看到这里的员工吗？家人探视日他们总是避开，但需要的时候总应该找得到人才对。"

玛蒂抱歉说不太清楚，笑了笑，松了口气。她运气真好，竟然无意中选了最不容易被逮到的一天。这个地方看上去不像一个医疗机构，反而有点时尚乡村寓所的气氛。没人穿着防暴紧身衣，没人受到任何限制，门上没有锁，也没有医院的味道。她在门厅的墙上找到一张火警紧急疏散地图和这栋房子的分布细节图。玛蒂轻车熟路地利用这两张图找到了自己的猎物。她发现查理正坐在一张花园长凳上，凝视着远方山谷中十月末的阳光。这样的发现并没让她欣喜若狂。因为她是来刺探消息，欺骗眼前这个人的。

"哎呀，查理！"她假装惊叫起来，一屁股坐在他身旁，"怎么在这儿遇到你了！"

他满脸不解地看着她。他看上去筋疲力尽，反应迟钝，好像思绪已经飘到了很远很远的地方。"对……对不起，"他喃喃地说，"我不认识……"

"玛蒂·斯多林。你记得的，你肯定记得。我们几周前在伯恩茅斯一起度过了一个特别愉快的晚上。"

"哦，对不起啊，斯多林小姐。我不记得了。你看，我是个酒鬼，所以我才被送到这里来。恐怕我是记不大清楚几周前的事情啦。"

他平静地微笑，这样的坦诚让她打起了退堂鼓。

"你别觉得尴尬，亲爱的，"他说，像个年长的叔叔那样轻轻拍着她的手，"我是个酒鬼，想戒掉酒瘾，治好自己的病。我以前用尽浑身解数想在别人面前掩饰过去，但只不过是自欺欺人。我想好起来，所以我才来这个治疗中心。"

玛蒂的脸"腾"地一下涨红了。她没头没脑地闯入了一个病人的私人领地，这让她感到万分羞愧。

"查理，如果你记不起我是谁，那你肯定也记不起我是个记者了。"

轻柔的手一下子收回去了，脸上的笑容瞬间消失了，只剩下一双戒备而畏缩的眼睛。"该死的。你看起来是那么好的一个姑娘啊。我一直想迟早会有人找上门来的，虽然亨利一直希望我可以一个人安静地在这儿待着……"

"查理，请你相信我，我不是来找你麻烦的，我是想帮助你。"

"他们都那么说，是不是？"

"你先什么也别说，听我说。"

"哦，好吧。我也没什么地方可去。"

"你的弟弟，首相先生，因为被指控说帮助你买卖股票并迅速赢利而被迫辞职了。"

他挥着手想让她住口，但她忽略了他的抗议。

"查理，我搞不懂这一切。这些都说不通。我觉得是有人故意陷害你，从而陷害你弟弟的。"

"真的吗？"他那双生蚝一般苍老的眼珠子开始感兴趣地转了起来，"谁会那么做呢？"

"我不知道。我也只是怀疑。我来找你就是想让你给我提供点更有用的信息，给我指条明路。"

"斯多林小姐——玛蒂，我能这么叫你吗？你说我俩是老朋友……我是个酒鬼。我甚至都记不起来见过你。那我能帮你什么呢？我说的话能有什么分量，能有人相信吗？"

"我不是法官，也不是公诉人，查理。我只是想把千丝万缕的碎片拼起来，拼成一张完整的图。"

他疲惫的双眼打量着玛蒂身后多佛的群山和远方的英吉利海峡，好像那边有个完全不同的新世界。

"玛蒂，我一直努力想回忆起来，相信我。一想到我让亨利蒙羞，并导致他被迫辞职，我就无法忍受这种痛苦。但我不知道真相。我帮不了你。我连自己都帮不了。"

"难道买这么多股票，你就一点都不记得了吗？"

"我病得很重，醉得也很厉害。很多事情我真是一点儿也记不起来了。"

"你难道记不得从哪里拿到的本钱，这其中又做了些什么吗？"

"不管我记得不记得，我手上都不大可能有这么一笔钱，即使有也用来买醉了。我也完全不知道钱究竟去了哪里。就算是我，也不可能在几个星期内就喝掉五万英镑啊。"

"那帕丁顿那个假地址呢？"

"是的，他们好像也提到了这事儿。这完全是个谜。我连清醒的时候都不知道帕丁顿区普雷德街到底在哪儿。所以，要说我醉醺醺地就找到了那个地方，那是很荒谬的。我住的地方可是在伦敦的另一边啊。"

"但你用了这个地址——他们说的——交给了银行，还在党部的文献服务中登记了这个地址。"

查尔斯·科林格里奇突然爆发出一阵大笑。他笑得太厉害了，眼泪在眼角不停地打转，"玛蒂，亲爱的，你开始帮我找回自信了。不管我醉得多厉害，我是永远不可能对政治上的事有任何兴趣的。竞选的时候他们往我信箱里塞宣传资料，我看也不看就扔了。还要使用文献服务，并且每月为这个付钱？那可真是在侮辱我啊！”

"没有登记？"

"从来没有！"

秋日的落叶被风卷着飞过草坪。太阳渐渐下降，天边浮现出一抹温暖的红云，照亮了查理的脸庞。他看上去健康了些，情绪也好了很多。

"我什么也证明不了。但作为一名绅士，我很肯定地说，我不相信自己做了那些他们所说的事情。"他再次紧紧握住她的手，"玛蒂，如果你也相信我的话，那对我意义重大。"

"我相信，查理，我非常相信。我也会努力帮你去证明的。"她站起来准备离开。

"很高兴你来看我，玛蒂。我们现在是这么熟悉的老朋友了，请你有时间再来。"

"我会的。但同时我也要去刨根问底地挖点东西了。"


她回到伦敦的时候，已经很晚了。周日的第一批报纸已经在街头巷尾售卖了。她买了厚厚的一摞，抱了个满怀，一边掂着不断滑落的杂志和内页，一边上了车，把它们全都甩到后座上。忽然间，她看到《星期日泰晤士报》的头条。

教育部长哈罗德·厄尔，从前并未表现出对"绿色和平"等环保组织的热衷，刚刚却宣布了自己将要竞选党派领袖的意图，并通过一篇题为"净化我们的国家"的参选演说，正式开始竞选活动。

"我们一直喋喋不休地讨论市中心的种种问题，但那些地区还是不断衰落颓败。市中心穷困脏乱的情况，又和乡村的退化形成并驾齐驱之势。"《星期日泰晤士报》上刊登了他演说的部分内容，"我们将这些问题忽略得太久了。嘴上不断重复的忧虑代替不了积极的行动。是时候了，我们应该言出必行，主动出击。执政十二年来，我们应该鼓起勇气，表示这一切不能接受，我们必须要觉醒，认识到这些忧虑并加以解决。"

"为什么教育部长要这么大张旗鼓地讨论环保事务呢？"读到这段振聋发聩的演说结尾，她这样问自己。"我真傻啊。真是老了反应慢了。连这其中的玄妙都没看出来。哪个内阁官员应该对环保事务负责？所以，对目前这些糟糕情况应该负责的到底是谁？"

　　"全民铲除迈克尔·塞缪尔战役"已经锣鼓喧天地打响了。

# 三十

一个政客再怎么邪恶也不为过，一个记者再怎么夸张也不为过。两者都有一个明显的特点：歇斯底里的夸张。

## 十一月三日　星期三

接下来的一周，玛蒂数次试图联系上凯文·斯宾塞。尽管他热情洋溢而又彬彬有礼的秘书不断向玛蒂保证，斯宾塞还是没有给她回哪怕一个电话。因此，她故意等到秘书们通常的下班时间之后很久才再次打了电话，晚班的保安直接帮她接通了。

"斯多林小姐。啊，不，我当然没有在躲你啦，"斯宾塞撒了个谎，"我一直很忙。这段时间各种事情真是令人心烦意乱。"

"凯文，我又需要你的帮助了。"

电话那头传来短暂的沉默。只要没有面对面地四目相对，他就要勇敢和专心得多。"我还记得上次帮助你的情形。你说你要写一篇关于民意调查的报道。结果你写的报道是专门唱衰首相的。现在他已经下台了。"他的语气中有种安静的忧伤，"他对我一直很不错，态度很好。我觉得你和其他新闻媒体真是难以形容的残酷。"

"凯文，那不是我的报道，请你相信我。我的那篇被扣下来了，我的名字也不在上面。我那时候肯定比你还要生气。"

"恐怕我是犯了幼稚病了。晚安，斯多林小姐。"

他要挂电话了。

"凯文，再给我一点时间，求你了！科林格里奇先生的辞职有些

218

蹊跷。"

他还在那头听着。

"就个人来说，我不相信那些关于他和他哥哥的传言。我想帮助他恢复名誉。"

"我不知道我能怎么帮助你，"斯宾塞语带怀疑，"无论如何，领袖竞选期间，除了新闻办公室以外，其他人一概不得和媒体联系。这是主席最严格的命令。"

"凯文，现在很多事情都摇摇欲坠，处在危机边缘了。不仅仅是党派领袖和你们能否赢得下一次选举的事情。还有些更为私人的事情，关乎历史将怎样评价亨利·科林格里奇，是要给他打上'骗子'的印记呢，还是要给他一个机会为自己证明清白？这是不是我们应该为他做的呢？"

那头又警惕地沉默了一会儿，然后开了口："如果我能帮助你的话，你想要我做什么？"

"很简单的事情。你知道怎么操作党总部的电脑系统吧？"

"当然啦。我一直在用啊。"

"我觉得有人对你们的电脑系统做过手脚。"

"做手脚？那是不可能的。我们有最高级别的安全防护。外面的人不可能进来的。"

"不是外面的人，凯文，是内鬼。"

电话那头传来更长久的沉默。

"好好想想吧，凯文。你的民意调查是内鬼泄露出来的。这是唯一合理的解释。直接把你给陷进去了。"

她听到斯宾塞轻声咒骂了一句，看得出来，他内心还在疑惑和纠结。

"听着，我现在就在下议院。我十分钟之内就能去找你。我想这么晚了，你那儿肯定没什么人。没人会注意到的。凯文，我现在就过来。"

"从停车场过来，"他小声说，"求求你千万别从大门进来。"

不到七分钟，她就与他碰面了。

两人坐在他那小小的阁楼办公室里，周围是堆得像小山一样的文件，摇摇欲坠地占据了每一寸地方。一个闪着绿光的显示器占据了整个办公桌，两人就坐在显示器前，靠得很近。她解开了一颗上衣扣子，他也注意到了。玛蒂决定晚点再责骂自己的狡猾和风骚。

"凯文，查尔斯·科林格里奇在党派的销售和文献服务中心订购了资料，并要求他们寄到帕丁顿的地址去，对吗？"

"是的，我一听说这事就马上去确认了，确实有记录，你看。"

他在键盘上敲了几下，屏幕上就出现了那条板上钉钉的定罪证据："查尔斯·科林格里奇阁下，伦敦 W2，帕丁顿区，普雷德街二百一十六号，——001A／01.0091"。

"下面这些天书一样的东西是什么意思？"

"第一排意思就是他订购了我们全面的文献服务。第二排是订购截止日期的时间。我们记录下来，确定他想要的东西，到底是所有的一切，还是只是主要的出版物，也要看看他是不是我们的专家书籍俱乐部的成员。同时也看得出他的付款情况，是按时缴款，还是欠费，或者是一次性订购。"

"查尔斯是什么情况？"

"他从今年年初开始交满了一年。"

"他是个一无所有的穷光蛋酒鬼，下了班什么东西也不读啊！"

斯宾塞有些不安地在椅子里挪动了一下。

"这个信息可以在整个大楼的所有电脑上显示吗？"

"可以的。这种信息我们并不觉得是什么特别机密。"

"那么，请你告诉我，凯文。"她稍稍斜过身子，深深呼吸着。男人都很可悲，他们特别吃这一套，"如果你想小小地违反一下规定，让我订购你们完整的文献服务，你能做到吗？就从这个终端把我的个人信息输入进去？"

"为什么这么问……可以啊。"斯宾塞开始弄明白她的言下之意了，"你觉得查尔斯·科林格里奇的这些订购信息是篡改过的，或者根本就是杜撰的？这是可以做到的。你看。"

他的十指如同演奏会上的钢琴家上下翻飞，几秒之内，屏幕上就出现了一个新的全套文献服务订购者，"M ·莫斯阁下，迈阿密迪士尼乐园 99 号"。

"但这远远不够啊，玛蒂。这个记录从年初就有了，这你就没法说了吧，因为……哦，我真傻！当然啦！"他突然大叫一声，又开始拼命敲打键盘，"这大楼里没多少人明白自己真的在干什么，但如果计划周详，你可以直接进入主机的子目录……"

敲打键盘的声音几乎将他的话淹没了。

"你看，这样一来就进入了财务数据。所以我就能看看这个账号到底是何时缴款的，是用支票还是信用卡付的，订购是从何时开始的。"

显示器的屏幕更亮了。

"只有拿到正确的密码，才能做到，——哦，我的妈呀！"他一推桌沿，椅子滑出很远，好像电脑刚刚让他受了很大的羞辱。接着他又挪过来，紧紧盯着屏幕。

"玛蒂，你不会相信的……"

"不管是什么，我想我都会相信。"

"根据账户记录,查尔斯·科林格里奇从来没有为文献服务付过款。这个月没有，其他月份也没有。他的个人信息只记录在分发名单上，却不在付款名单上。"

"凯文，你能查查他的名字是何时首次出现在分发名单上的吗？"她温柔地请求道。

又是一通敲打键盘的声音,但这次更为谨慎,有种深思熟虑的味道。

"天哪，刚好是两周前的今天。"

"我来捋一捋，看是不是弄明白了，凯文。我想完全搞清楚。这个大楼里的某个人，肯定不是负责账户的员工，也不是个特别懂电脑的人，在两周之前，修改了名单，把查尔斯·科林格里奇的大名加了上去。"

他点点头，脸色都发白了。

"你能告诉我是谁修改了名单吗，或者是从哪个终端修改的？"

"不能。这个楼里的每个终端都可以进行修改。电脑程序相信我们……"他摇摇头，好像自己生命中最重要的一场考试考了个不及格。

"别担心，凯文。你真棒！"她从电脑屏幕转向他，身子斜靠过去，"我们已经上路了。但你不能对任何人说起这件事情，一个字也不能，这很重要。我想把做下这件事的人逮住。如果他知道我们在查，肯定就会进一步行动，毁尸灭迹。求你帮帮我，这件事情要一直保密，直到我们拿到更多的证据，好吗？"

他与她四目相对。"就算我说了，又有谁会相信我呢？"他呆呆地说。

# 三十一

情人眼里出西施，编辑手中藏事实。

## 十一月八日 星期一至十一月十二日 星期五

周末的报纸毫不掩饰地登载了特别夸张和令人兴奋的内容。塞缪尔和厄尔，和所有可能参与竞选的内阁官员们的表现都中规中矩，没有对其对手发起猛烈的人身攻击，所以媒体就迫不及待地为他们代劳了。

《观察家报》宣称，这"到目前为止都是一次令人失望，毫不鼓舞人心的竞选活动，大家还在翘首以待，希望至少能有一位候选人为党派带来新的生命力。"《星期日镜报》认为这次竞选活动"毫无重点，令人恼火"。而《世界新闻报》也不甘示弱，说其特点就在于"浮夸虚幻，像夜晚吹过就无影无踪的风"。"塞缪尔和厄尔？"《人民报》评价道，"如果他俩就是领袖人选，那我们就都是瞎子、傻子了。"

这些批评让竞选活动重新活泛起来，周一上午异常热闹。媒体的观点认为，真正的领袖还没有出现。在此种说法的鼓励下，两个内阁官员纵身跳进了这个火坑。外交大臣帕特里克·伍尔顿和卫生医疗部部长保罗·麦肯齐，两人都有胜选的可能性。麦肯齐以全力争取实行全民医疗计划为自己的卖点，并成功将计划推迟的责任推到财政部和唐宁街身上。"我要全力推进此事！"他"昭告"天下。

自从和厄克特在党派会议期间深谈了一次，伍尔顿就抓紧了幕后活动。他几乎和佛里特街的每个总编都进行了午餐会，和重要的后座议员参加了酒局，这段时间的唯一枕边人也从花枝招展的各种姑娘变成了他的原配妻子。他觉得自己还有一项优势，或者说至少是独特之处，那就是他有北方的根基和血统，让他成为一个"民族"候选人。而大多数主要候选人都是来自生产牛油果与橄榄油的南方，没这么特别。当然，并不是说这一点就能给苏格兰的人们留下深刻印象，因为他们觉得这整件事情都是发生在另一个国家的闹剧。① 伍尔顿本来希望晚点再正式宣布参选，想先拭目以待竞争对手们的竞选活动进行得如何。但周末的媒体报道好像开战的号角，召唤着他时不我待，事不宜迟。他在曼彻斯特机场召开了一场记者招待会，在他所谓的"主场"宣布自己将参选。相信没人会注意到，他是从伦敦乘飞机匆匆赶到那里的。

媒体的批评刺激了每个竞选者的神经，他们磨刀霍霍，准备决一死战。厄尔不断重复他对环保问题的批评，但这次不再含沙射影，而是指名道姓地点出该负责任的迈克尔·塞缪尔。塞缪尔发起反攻，说厄尔的行为应该受到强烈的谴责，不是一个内阁同僚该做的事情，也不是一个教育部长该为年轻人们树立的榜样。与此同时，伍尔顿在曼彻斯特随口说了一句需要"一位属于全英国的候选人来重建英国价值体系"，此言论遭到麦肯齐的猛烈抨击。麦肯齐拼命想重新挖掘自己早已被遗忘的盖尔血统②，宣称伍尔顿的言论是对五百万苏格兰人的侮辱。《太阳报》更进一步将伍尔顿的话解读为针对塞缪尔的恶毒反犹太主义。犹太社会活动家在电台节目和报纸专栏上大发抗议。塞缪尔家乡的一位拉比③甚至要求种族关系委员会对此事进行调查，将伍

---

① 苏格兰在英国北方。苏格兰独立是一个长期的历史遗留问题和该地人民强烈的政治诉求。

② 英国少数民族，于公元五六世纪时从爱尔兰进入苏格兰，在9世纪与皮克特人共同建成苏格兰王国。

③ 犹太人中的一个特别阶层，是老师也是智者的象征，指接受过正规犹太教育，系统学习过《塔那赫》、《塔木德》等犹太教经典，担任犹太人社团或犹太教教会精神领袖或在犹太经学院中传授犹太教教义者，主要为有学问的学者。

尔顿的言论称为"自莫斯利①以来高层政治人物口中最狠毒的信口雌黄"。伍尔顿对这样的反应既恼怒又有些开心，他在私下里说："接下来的两周，每个人都不会听塞缪尔在说什么，只会认真研究他的耳朵②。"

周三下午，厄克特感觉形势已经发展得对自己大大有利，应该抓住这个时机，发起对全民的号召，要"规范党派行为，重建党派形象，回归彬彬有礼，规范个人行为"。社论专栏将这样的号召醒目地登出，即使同一份报纸的头版还在大肆报道候选人们丝毫不顾及形象的攻击和谩骂。

因此，周五下午，玛蒂走进普雷斯顿的办公室，告诉他她有更多的料时，他厌倦地摇了摇头。"最好是不一样的东西。"他边说边把厄尔最新的新闻通稿扔到角落。

"这的确不一样。"她用警告的语气说道。

他看上去一点儿兴趣也没有。

"是头版头条的那种不一样。"她说。

"那你拿来给我看看，到底有多惊天动地。"

她关上门，确保没人听见他们的对话，"科林格里奇辞职是因为他和他哥哥被指通过一个帕丁顿烟店和土耳其银行进行内部股票交易。我想我们可以证明，每一步都是别人设计好的。"

"你在胡说八道些什么呢？"

"他是被陷害的。"

"你能证明吗？"

"我觉得可以。"

总编辑的秘书在门口探头探脑，但他大手一挥让她先走开。

---

① 英国极右翼政治家，因组织创立英国法西斯联盟而出名。2006年被BBC评为"20世纪最可恶的英国人"。

② 英语里"jew's ear"（犹太人的耳朵）的意思是"木耳"。这句话大概是在讽刺塞缪尔过分强调自己的犹太人血统。

"我们手里现在掌握了这些东西，格雷。"她耐心地解释了自己在党总部检查电脑文件的来龙去脉，并说明分发名单被做过手脚。

"谁会做这事儿呢？为了什么呢？"

"这样一来帕丁顿的那个假地址就直接和查尔斯·科林格里奇联系在一起了。"

"你凭什么说那是个假地址？"

"谁都可以去开一个那样的私人地址。我想查尔斯·科林格里奇从没去过帕丁顿附近。有人以他的名义去开的。"

门又开了，又有人想进来说事情。"给我滚！"普雷斯顿大吼一声，那人急忙跑掉了。

"那以查理·科林格里奇的名义开个假地址又是为了什么呢？"

"他们要陷害他，和他弟弟。"

"太复杂了！"普雷斯顿评价道，但还是饶有兴味地听下去。

"今天上午我亲自去了一趟帕丁顿，我在同一个烟店用完全虚构的名字开了一个私人地址。接着我打了辆车去七姐妹路的土耳其联合银行，用同样的假名字开了一个账户。没有花五万英镑，只花了一百英镑。整件事情从头到尾用了不到一个小时。"

"我的天哪……"

"所以现在我就可以开始订购色情杂志了，用新的银行账户，发到那个帕丁顿的地址，这样我就可以彻底抹黑一个完全无辜的政客了。"

"谁？"

作为回答，她把一张银行存折和烟店主人开的收据放在总编辑的办公桌上。他迫不及待地看了一眼，然后爆发了。

"反对党领袖！"他警惕地大喊大叫，"你他妈的到底干了什么？"

"什么也没干，"她脸上露出胜利在望的微笑，"只是想告诉大家，查尔斯·科林格里奇几乎一定是被陷害的。他有可能从未去过那家烟店和土耳其联合银行，因此他不可能买过那些股票。"

普雷斯顿拿着那些文件，举得远远的，好像它们随时都要着火。

"也就是说，亨利·科林格里奇从未跟他哥哥提起雷诺克斯医药化学公司的事情……"她的语气暗示事情还有转折。

"还有呢？还有呢？"普雷斯顿心急火燎地问道。

"他是无辜的，根本不用辞职！"

普雷斯顿向后跌坐在椅子上，眉宇间开始出现大颗大颗的汗珠。他觉得自己好像要被撕扯成两半。一方面他能预见到一次惊天动地的优秀报道，但这就是问题所在，另一方面他不得不意识到这样一篇报道会给威斯敏斯特带去怎样翻天覆地的影响。一切都会因此而乱套，甚至还会救了科林格里奇，让他官复原职。这是他们想要的吗？兰德里斯刚刚跟他下了明确的指示，他有新的想法，所有能够影响领袖竞选的报道都要在出版前先让他过目批准。那些重要新闻在兰德里斯眼中不过是商品，他需要用来交换翘首以盼的影响和权力。普雷斯顿不知道老板会做出什么样的选择，他需要争取时间。

"你一直很忙啊，年轻的女士。"

"这是个能引起轰动的报道，格雷。"

"我不记得你跟我提前汇报过这事儿，或者从我这儿得到花钱去开一个私人地址的许可。"

他这三言两语让她非常吃惊，"这就是主动出击啊，格雷。"

"我不否认你干得很好……"他的脑子在飞速运转，试图在面前那本法兰绒封皮的辞典里寻找合适的词汇，避免暴露自己的真实想法。他突然间知道自己该干什么了，砰地合上了辞典。"但我们真正有什么呢，玛蒂？你只是发现有可能在伦敦以科林格里奇的名义开银行账户，但这是不够的。你不能证明开账户的就不是查理·科林格里奇本人。这仍然是大家能接受的最简单的解释。"

"但是有电脑记录啊，格雷，有人做过手脚。"

"你有没有考虑过这种可能性，修改电脑记录，不是为了给科林格里奇定罪，而是科林格里奇本人，或是他的某个朋友去修改的，为了给他一个无罪证明。像你这样的小鱼就会轻易上钩。"

"你在开玩笑吧……"

"我们应该认识到，有可能改的不是发放名单，而是账户名单呢？很有可能在你看到的几分钟前才发生的。"

"但只有少数人才能进入账户名单啊，"玛蒂争辩道，"而且查理·科林格里奇现在正在一个治疗中心戒酒呢，他怎么做得到呢？"

"他弟弟啊。"

玛蒂脸上出现难以置信的表情，"你不是在说首相冒了极大的风险，命令别人修改党总部的电脑文件，就是要毁灭证据吧？特别是他现在已经宣布辞职了？"

"玛蒂，回头好好想一想。或者说你还太年轻，记不得了？水门事件，文件被烧毁，磁带被消除，是总统做的。伊朗门丑闻，一个秘书把牵涉到犯罪证据的材料放在自己的灯笼裤里带了出去。"

"这里又不是美国……"

"好吧，就举本国的例子。自由党前领袖，杰瑞米·索普，因为谋杀未遂在中央刑事法庭受审。约翰·斯通豪斯因为伪造自杀现场而入狱。劳合·乔治在唐宁街出售了自己的贵族爵位，还在内阁会议桌上和秘书乱搞。政治上的事儿就是这样，玛蒂，从来没变过。"普雷斯顿渐渐进入了状态，"权力就是令人上瘾的毒药，好像让飞蛾献身的烛火。大家都趋之若鹜，完全意识不到危险将近。他们愿意牺牲一切，婚姻、事业、名声甚至生命。所以，比较合理的解释还是科林格里奇两兄弟真的沾了脏钱，还试图掩盖这一切。"

"你不能告诉我说，这报道就不登了。"她严厉地斥责道。

"冷静点吧，求求你了。我说的意思是，你拿到的东西还不足够支撑这个报道。这里面水太深，你还需要再挖一挖。你还需要多费点功夫。"

如果他的意思是让玛蒂就此离开，让他安静一会儿，那他的如意算盘算是打错了。她双手握拳重重捶在他桌上，倾斜着身子，看着他摇来晃去的眼睛。

"格雷，我知道我他妈的是个蠢女人，但你得给我解释清楚，让我弄明白。要么就是有人陷害了科林格里奇两兄弟，要么就是首相有罪，修改了证据。无论如何，这都是个轰动性的报道，我们整整一周的头版都有料了。"

"但到底是哪一个呢？我们必须要确定。特别是现在是领袖竞选时期。"

"就因为是领袖竞选时期，我们才要报道啊。等竞选都结束了，一切都晚了，再他妈的登出来还有什么意义呢？"

普雷斯顿努力保持理智，但他实在无法做到讲道理了。这么一个毛头手下居然敢吹胡子瞪眼地来教训他，还是个女人？他接受不了，他受够了。

"听着，你给我滚，轮不到你来教训我。你跑到我办公室来，说得天花乱坠，你这个报道多好啊多棒啊，但是一点儿过硬的证据也拿不出来。正式的报道你一个字也没写。我他妈的怎么知道你能写出一个很好的报道，还是只是吃饱了撑的来发神经？"

让她自己都吃惊的是，她竟然没有对他尖叫，反而压低了声音，像是在私下威胁他。"很好，格雷。如果你想看到我的稿子，那半个小时之内给你。"她转身出了门，用尽了全身力气才忍住没有重重地摔门。

将近四十分钟后，她又进来了，没有敲门，手里拿着六页两倍行距的报道。她一句话也没说，只是把六页纸放在桌子上，直接站在普雷斯顿面前，用身体语言表示，在没得到一个满意说法之前，她不会善罢甘休。

他慢悠悠地读着，就把她晾在那儿，还试图表现出自己正在做艰难决定的样子。但他只不过是在骗她。玛蒂离开他办公室后不久，他就打了个电话，电话里已经做出了斩钉截铁的决定。

"她特别坚决，本。她知道自己能写出一个很好的报道，她不可能接受我的拒绝。"

"谁在乎她啊？不刊登这个报道，"兰德里斯告诉他，"这不符合我目前的安排。"

"你到底想让我怎么办啊？"

"拿出总编辑的权威来，格雷。说服她，告诉她她是错的。让她去做美食版好啦。让她去度假好啦。给她升职好啦。我不管你怎么做，只要让她闭嘴！"

"没那么简单。她不是一般的固执。而且她还拥有我们这边最优秀的政治头脑。"

"我他妈的真惊讶，还得提醒你一下，你拥有这个行业最优秀的政治头脑，那就是我！"

"我的意思不是——"

"听着，只有几个星期，这该死的领袖选举就要结束了。现在很多大事都火烧眉毛了。不止这个国家的未来堪忧，我他妈的生意也不知该往哪儿走。你的工作也说不定难保啊。你明白了吗？"

他本来想回答说"当然明白"，但电话已经砰地一下挂了。现在她又回到他的办公室，让他再度满心烦恼。他一直不停翻着那六页纸，但再也无心读下去，而是在拼命想他到底要说些什么，也不确定能不能对付得了她。终于他放下了稿子，坐在椅子上活动了一下筋骨。

"我们不能登。太冒险了。我可不愿意因为猜测和怀疑，就把整个领袖竞选搅翻天。"

这和她预料的一模一样。她低声说了一句话，分量却不轻，普雷斯顿就像重重挨了一拳。

"我不接受你的决定。"

妈的。她为什么就不乖乖接受，遗憾地耸耸肩，屈服于上级权威或者干脆像其他人那样失声痛哭呢？她语气后面那种隐藏的傲慢让他更加坚决了。

"我不会刊登你的报道。我是你的总编辑，这是我的决定。你要

南航"十分"关爱基金

# 中国南方航空
CHINA SOUTHERN

SKYTEAM

航 班
FLIGHT      CZ6116

到达站
DESTN.      SHENYANG
            沈阳

日 期
DATE        25SEP14

姓 名
NAME        RENWEI
            任伟

舱位等级
CLASS       Y

序 号
No.         103

登机口
GATE        25C

登机时间
BOARDING
TIME        0655

座 位
SEAT        54A

登机闸口于起飞前15分钟关闭
请留意登机口临时变更信息
GATES CLOSE 15 MINUTES BEFORE
DEPARTURE. PLEASE NOTE THE
ALTERATION OF YOUR BOARDING GATE.

ETKT 784214752365500/1

中国南方航空 CHINA SOUTHERN AIRLINES

CCTV 发现之旅

# [ CCTV一发现之旅频道 ]

## 发现世界 发现自我

CCTV发现之旅频道是国内唯一以人文探索、科学揭秘、原游地理为主的专业频道。由中国南航集团文化传媒股份有限公司与中央电视台新影集团共同运营，频道目前入全国道230个城市的有线电视网络，其中北京、上海、广东（台深圳）、天津、江苏（南京、无锡、苏州）、浙江（杭州）、辽宁（沈阳）及河北等地区率先实现开机飞翔、频道同时在南航机上电视机播出，在各大主流航空有视频专区、全面打造空地视频媒体平台。

官方网站：www.outlooktv.cn　　　　咨询电话：010-64183288（北京广天合）

# 体验更逼真
# 更畅快的乐趣

4G LTE

## 移动4G，国际主流，快人一步

更快的移动4G时代，已经到来！你将体验到的，是飞快的手机网速，是下载一部高清电影只需几分钟的酣畅淋漓；更是随时随地和世界随心连接的尽情快意！

体，用移动4G！

中国移动现已推出4G服务，开通城市请咨询10086

中国移动
China Mobile

www
10086.cn

10086

中国南方航空
CHINA SOUTHERN

SKYTEAM

登机牌
BOARDING PASS

| | | |
|---|---|---|
| Flight 航班 | CZ6109 | Seat 座位 **35J** |
| Date 日期 | 25SEP | Class 舱位等级 **Y** |
| Name 姓名 | RENWEI | Gate 登机口 **15** |

**1745**

Dest 到达站 **BEIJING 北京**

ETKT78421475356212/1

往伟

么接受，要么……"

"要么怎样，格雷？"

"要么就弄清楚，你没法再做我们政治部的记者了。"

"你是要炒我鱿鱼？"这的确让她有些吃惊。他怎么可能放她走呢，特别是在党派领袖竞争期间？

"不，我调你去写女性特稿，现在调动就生效。坦白说，我觉得你还没有写政治专栏的判断力，至少现在还没有，可能过个几——"

她径直走到他面前，"谁给你下的命令，格雷？"

"你他妈什么意思？"

"你一般连到底穿三角裤还是四角裤都下不了决定。不刊登我的报道并且炒我鱿鱼，做这个决定的肯定另有其人，是不是？"

"我不是要炒你鱿鱼，是把你调到……"

他精心维持的气势开始失控。他脸色不太好看，似乎一直在屏住呼吸。

"你不是要炒我鱿鱼？"

"不是！"

"那么我炒你鱿鱼。"

他的双颊涨红得好像成熟的樱桃园。他必须把她留在《每日纪事报》，这样才能控制她，至少这一段时间不能放她走。但他到底该他妈的怎么办呢？他使劲挤出一个笑容，张开双臂，想做出一个慷慨大方的手势，"听着，玛蒂，我们别这么着急嘛。这儿都是你的朋友。"

她轻蔑地哼了一声，鼻翼愤怒地微张着。

"我想让你多积累点其他方面的经验。就算我觉得你还不是很适合在政治版干，但不可否认你很有才华。我们想留住你，所以希望你周末好好休息一下，认真考虑一下你想去报纸的其他什么版。"

他看着她的眼睛，知道这番话没有奏效。

"但如果你真觉得自己必须走，那先别冲动。先想想你到底想干什么，然后跟我说一声。我们会尽量帮助你，给你六个星期的薪水，帮你渡过难关。我不会耿耿于怀的。你先好好想想。"

"我想过了。如果你不登我的报道，那我就辞职，此时此地。"

柔声细语顿时变得强硬起来，"既然如此，我就得提醒你，你签了劳动合同，这就规定你必须提前三个月给我准备辞职的通知。上面还规定三个月内我们仍然对你所有的新闻报道有独家权利，如果你坚持要辞职，那我们就坚决执行合同的规定，如有必要还会使用法律手段，这很有可能永远毁掉你的职业前途。面对现实吧，玛蒂，你这个报道在哪儿都发不出来的。聪明点，接受我之前提出的条件。这是你的最好选择。"

她眼前突然出现了祖父的脸，慈祥地微笑着，低头看着她蜷缩在他腿边，祖孙俩一起烤着火。

"你真是只恼人的虫子，我的小玛蒂，总是问问题，问问题，问问题。"

"但我就是想知道啊，爷爷。"

于是爷爷就给她讲起他是如何从挪威峡湾的小渔村出发开始自由大逃亡的。他抛下了一切，心里清楚一旦启程就再无回头之路。"我知道前方等待我的是什么，"他说，"令人无比恐惧的东西。有德军的巡逻船，有危险密布的雷区，还有将近一千英里风浪猖狂的海路。"

"那你为什么要去做呢？"

"因为有最令人恐惧但也最美好的事情等待着我，那就是未来。"他爽朗地大笑起来，吻了吻她的卷发。

现在她平静地收起普雷斯顿桌上的稿子，排列好纸张顺序，收拾整齐，然后慢慢撕成碎片，一放手，让纸屑撒在他大腿上。

"你可以截住我的稿子，格雷。但你没法阻止事实。我甚至不太清楚，你到底认不认得清什么是事实。"

这一次，她狠狠地摔了门。

# 三十二

政客和上了年纪的作家以及那些老女人没什么两样。一旦他们不再满足于朋友的尊重，而需要观众来谄媚奉承，那他们就进入了生命的危险期。

## 十一月十四日 星期日至十一月十五日 星期一

在《每日纪事报》发表那篇毁灭性的关于民意调查的报道和科林格里奇辞职余波未平的时候，厄克特立刻就以党鞭长的名义，给所有的议会同僚发了个声明。

"在领袖竞选期间，一定会有很多新闻记者和民意调查专家想让你发表观点，表明态度，说说最支持哪个候选人。我建议你不要做出任何回应。这些调查的最大作用，就是扰乱本应该高度保密的投票结果。而最大的坏处在于，可能有人会利用这些调查，来暗中进行破坏。我们不需要耸人听闻的头版头条，也不需要标新立异的评说和谈论。只有拒绝回答这些问题，才最符合党派的利益。"

大多数党派成员十分乐意地遵循了这个建议。但至少有三分之一的议员天生就是闲不住的大嘴巴，甚至连国家秘密这么天大的事情都保不住。于是乎，具有投票权的三百三十七名政府议员中，有不到百分之四十的人回应了民意调查专家死缠烂打的电话。这些专家分别代表两家星期日出版的报纸。这样一来，大家就认为，执政党还远远不够团结。更糟糕的是，那些回应了的人提出的观点基本上没起到什么积极的作用。塞缪尔的确领先，但优势很小，用民调专家的话来说，"从数字上看并没有任何优势"。伍尔顿、麦肯齐和厄尔紧随其后，而另外四个已经宣布参选的候选人就要落后得多了。

离提名结束只剩下短短四天，这些调查报告能得出来的有力结论可谓寥寥无几。但那些撰写头版头条的人好像一点也不受影响。

**"塞缪尔渐走下坡路——早先优势荡然无存"**，《星期日邮报》的大标题力透纸背；而《观察家报》也不甘示弱地宣告"民调显示不确定性，党派面临动荡风险"。

于是就不可避免地出现了很多社论，批评候选人们良莠不齐，竞选活动不痛不痒。"这个国家有权利要求执政党拿出真正大刀阔斧的行动，而不是循规蹈矩。"《星期日快报》口诛笔伐，"我们可能正在见证一个长期执政的党派黔驴技穷，无力领导这个国家。"

第二天早上出版的《每日纪事报》想把这一切都做个了结。离参选提名还剩三天，该报纸首开先河，第一次把社论放在了头版。这次报纸印数大大增加，每个政府议员的伦敦驻地都收到了一份。报社决心让整个威斯敏斯特看到自己的观点，听到自己的声音，真是下了血本了。

"本报一直支持政府，并非盲目的偏见，而是我们觉得与其他党派相比，执政党更好地维护了这个国家的利益。整个撒切尔时代取得的进步很好地支撑了我们的传统。但近几个月来，我们越来越觉得亨利·科林格里奇并非带领我们书写新篇章的最佳人选。因此我们支持他辞职的决定。

"但目前角逐这个位子的候选人们也显现出判断力不足的缺点，这给我们造成了一些威胁，让旧时代的软弱和犹豫又有卷土重来的危险。我们本以为那个时代已经永远离去了。

"此次，非但没有出现一个可以巩固经济发展，促进社会进步的优秀领导者，提供给我们的选择只有毫无经验的年轻人、过分狂热的环保主义者和有种族主义倾向的浅薄者。这些选择都不够好。我们需要一个才华与成熟兼备的领导者，他要有果决的判断力，也要有已经过证明的与同僚和睦相处，携手共进的能力。

"党内至少有一名高层人士显示出了上述所有优点和品质。最近这几周以来，他几乎是孤军奋战，独自维护着政府的尊严，展现出强大的能力，把个人的追求放到一边，为整个党派的利益而奋斗。

"他已经宣布自己不打算参加党派领袖竞选，但他仍有时间在星期四提名结束前考虑考虑。我们认为，如果党鞭长厄克特宣布参选，那将是整个党派之幸。我们相信，如果他顺利当选，那么将是整个国家的大幸。"

这样的认可如同波诡云谲的海面上驶来一艘救生艇。那天早上八点十分，厄克特出现在剑桥路的家门口时，一众媒体都聚在那里准备问候他。他其实一直在室内等待着，确保他出现的时机可以让BBC电台的《今日播报》节目和所有早餐时段的电视频道进行现场直播。看到这边热热闹闹的媒体，附近维多利亚车站的一群行人和上班族也围过来看热闹，想看看究竟是谁吸引了这么多摄影机。于是从电视上看，那就是一群普通人，用一个解说员的话说，"真正的老百姓"，对站在门阶上的那个人十分感兴趣。

记者们大声吼着自己的问题，厄克特挥挥手示意他们安静下来，一个人手上还挥舞着今早的《每日纪事报》。他笑了笑，非常神秘，又好像在保证什么。

"女士们、先生们，作为党鞭长，我希望你们聚集于此，是对即将到来的政府立法项目感兴趣。但我怀疑你们来此另有目的。"

他语气里有玩笑般的讽刺，记者们非常欣赏地咯咯直笑。厄克特现在已经把场子整个控制住了。

"我十分惊讶和感兴趣地读了今天早上的《每日纪事报》，"他将报纸高高举起，让摄像机能清楚地拍到标题，"我很荣幸，他们竟然如此高看我——实在比我自己对自己的评价要高了很多，这点你们一定要相信我。我以前说得很清楚，我没有任何参选的意图，因为我觉得作为党鞭长，应该保持最客观的立场，做这场竞选的旁观者，才最符合党派的利益。"

说到这里，他清了清嗓子。底下的人屏住呼吸，沉默地等待着。飞速记录的笔停下来了，麦克风伸到了最前面，电线的长度都不够了。

"大体上来说，我的观点依然没变。然而，《每日纪事报》提出了非常重要，值得好好考虑的观点。我当然无法就在此时此地仓促做出决定，就算面对的是你们也不行。我相信你们会理解并且原谅我。我还希望可以和我妻子进行一次严肃的长谈，她的意见是最重要的。接下来我会进行全面细致的考虑，明天将我的决定公之于众。恐怕在那之前我不便再多说什么了。明天见！"

他最后挥了一下仍然握着报纸的手，又在空中停了好几秒，为了满足不断尖叫的摄影师。接着厄克特回到房里，紧紧关上了大门。

玛蒂开始思考她就那样气冲冲地跑出普雷斯顿的办公室是不是太冲动了。这周末她一直孤零零地待在家里，努力想着自己希望为哪一家报纸效力。但在思考的过程中，她非常迅速地意识到，没有任何一家报纸的政治新闻团队真正缺乏人手。她打了很多电话，但成功约好见面的寥寥无几。她还发现，业内迅速传开谣言，说普雷斯顿质疑她的判断力之后，她含着眼泪冲出了办公室。这样一来她的形象就变成一个敏感的弱女子，在大男子主义泛滥的报纸新闻业，这种品质可不受待见。接着，一则消息让她的心情更糟糕了，由于这段时间政治经济环境动荡不安，英格兰银行提高了利息，防止投机者借此炒货币。几个小时内，按揭利率也随之上扬。玛蒂还有按揭贷款要还，还不是一笔小数目。即使有稳定的薪水，还这笔贷款也是很沉重的负担。没有了薪水，那土狼般残酷的银行很快就要来敲门赶人了。

当天下午，她来到下议院寻找厄克特。人人都在谈论他，厄克特这个名字成为下议院今天的关键词。但他本人却踪影难觅，也不回她的电话。结果，她漫无目的地走在中央大厅旁边有精美雕花的圆形楼道上，却一不小心差点撞上了他。他正意气风发地大步走在大理石台阶上，通身的活力看上去比实际年龄要年轻很多。她大吃一惊，差点滑倒。他伸出手，抓住她的胳膊，把她稳住，拉到一边。

"嘿，玛蒂，怎么遇见你啦，真高兴。"

"我一直在联系你。"

"我知道。我一直在躲着你。"他这么坦诚，连自己都吃惊地大笑起来，"别生气。我在躲所有人。要低调，暂时要保持低调。"

"但你会参选吗？我觉得你应该参选。"

"我真的不可能发表任何评论，玛蒂，你明白的。就算对你也不可以。"

"今晚可以吗？我可以来找你吗？"

两人的目光相遇了。两人都明白这个要求并非完全指单纯的会面。此时他终于松开了她的胳膊。

"厄克特夫人今晚在家。我需要和她好好谈谈。"

"当然了。"

"而且我怀疑你会遇到一大群摄影师等在门口，会把来来往往一点一滴都拍进去。"

"对不起，我犯傻了。"

"我现在最好得走了，玛蒂。"

"我希望……"她犹豫地咬住舌头。

"说，你希望什么，玛蒂？"

"我希望你能赢。"

"但我连候选人还不是呢。"

"你会是的，弗朗西斯。"

"你怎么知道呢？"

"这叫做女人的直觉。"

他又久久地凝视着她，仿佛要把她的一切看穿。这眼神也很不单纯，"我非常欣赏这样的品质，玛蒂。"

她也回应着他的凝视。

"但我必须赶紧走了。盼望再次和你相遇。"

他转身就走，头也不回。

潮汐汹涌而来，查令十字码头的木质平台在激流中颤动。虽然此时刚入夜，但黑暗已经十分浓重，一缕寒冷的微风从北海的某处起航，掠过河口，拂过水面，包裹住她的脚踝。玛蒂拉紧了大衣领子，把双手塞回衣袋里。《每日纪事报》的私人水上的士出现在视线中，她松了口气。报社的员工乘着这艘船往返于下游的旧码头办公地点和伦敦的各个地区。玛蒂经常坐着它往来于报社和威斯敏斯特之间。现在她是来赴约的，科拉杰维斯基说有口信带给她。

"格雷说你必须得回来。"科拉杰维斯基边说边走下短短的舷梯。

"我已经炒了他的鱿鱼了。"

"他知道。整个报社都听到你的声音了。我们以前都不知道，那么使劲地摔门，墙还能不被震塌。"他的语调很轻松，想逗她笑，"不管怎么说，他希望你回去，就算只是按照合同那样再干三个月就辞职，也行。"

"我情愿站在这儿冻死。"她边说边转身想走掉。

"如果不工作，你就会冻死的，玛蒂。"他抓住她的袖子，"还是回去干三个月吧。"

"去写女性专栏吗？"她不以为然地哼了一声。

"先干着，骑驴找马，直到找到更好的工作。格雷说他能接受。"

"他想控制我。"

"我也想见到你。"

这句话起到了不一样的作用，两人相互凝视着。

"不管你想怎么样，玛蒂，慢慢来。我们拭目以待。除非你真的无法忍受我，那就算了。"

"不，约翰，不是这样的。"

"那到底怎么……"

她又开始朝前走，但走得不快。他们沿着河堤慢慢散步，看着汹涌翻腾的河水与一路纠缠的浪花。远处的节日大厅灯火辉煌，议会大厦也美妙绝伦。

　　"你怎么看厄克特最近的这些事儿？"他终于开口问道，想找个两人聊得开的话题。

　　"非常精彩，很令人激动。"

　　"好像骑着白马的救世主疾驰而来拯救众生。"

　　"救世主不骑白马，傻瓜，他们都是骑驴来的。"

　　两人都大笑起来，感觉轻松了很多。他靠近了她，她自然而然地挽起他的手臂，两人走在悬铃木下，有意无意地踢着一堆堆的落叶。

　　"报纸为什么要写这个呢？"她问道。

　　"不知道。格雷昨天来晚了，没跟任何人说一句话，把整个报纸内容都换了，变戏法似的从兜里掏出他要登在头版的社论。他没有事先通知，也没有解释。不过这仍然引起了挺大的轰动。也许他是对的。"

　　玛蒂摇了摇头，"我不觉得是格雷做的决定。要这样给报纸排版，是需要很大勇气和魄力的，他就是个胆小鬼。这命令只能来自一个地方，我们——你们！——亲爱的大老板。上次他干涉报纸内容的时候，是想赶走科林格里奇，现在他只手遮天，要给某人加冕了。"

　　"但为什么呢？为什么选中了厄克特呢？他就像个独行侠，高高在上的贵族，教养深厚，十分传统，你不觉得吗？"

　　"他是那种沉默而强大的类型。"

　　"他根本不抛头露面啊，根本没有什么崇拜者。"

　　"但也许就是因为这样，约翰，低调成事。没有人讨厌他讨厌到要攻击和反对他的地步。他们对塞缪尔就毫不留情了。"她转身面对着他，呼出的气在夜晚寒冷的空气中凝成一团旋转的白雾，"你知道的，在别人自相残杀的时候，他可能已经偷偷潜入了内部。兰德里斯选的可能是最后的赢家。"

　　"这么说你觉得他会参选了？"

"我肯定。"

"为什么这么肯定啊？"

"我是跑政治新闻的，而且是最好的。但是……"

"站在帐篷外面很冷啊，是不是？"

"我丢掉的只是工作，约翰，不是我的好奇心。我觉得这后面有大家难以想象的事情正在发生，这是很大的一盘棋。比兰德里斯大，比格雷那胆小鬼更是要大得多。甚至大到《每日纪事报》都难以承受。"

"你是什么意思？"

"可能是伍德沃德和伯恩斯坦①那种级别的事情。"

"他们可是在一家报社工作，能在报纸上登他们的文章啊，玛蒂。"

"他们还写了一本书啊。"

"你要写本书？"

"也许吧。"

"你想让我这样跟格雷说？"

"只要这能惹他不高兴。"

---

① 鲍勃·伍德沃德和卡尔·伯恩斯坦，美国《华盛顿邮报》的两名记者，揭穿了"水门事件"丑闻。1972 年，两人通过内线"深喉"的情报及协助，率先披露了水门事件丑闻，从而迫使总统尼克松下台，名噪新闻界。两人也因此获得了 1973 年的普利策新闻奖，随后他们把经过整理成《总统班底》一书。

# 三十三

*一只猫爬树爬得越高,跌下来就摔得越惨。政客也是一样,而且政客还没有猫的那种回弹能力呢。*

## 十一月十六日　星期二

他会参选吗?他会参选吗?第二天,大大小小的报纸都在猜测厄克特是否会参选。媒体兴奋到了这个地步,要是厄克特宣布不参选,那大家都会万分失望的。但到下午过去一半时,他仍然没有发表意见。

同样闷声不响的还有罗杰·奥尼尔。前一天,玛蒂给党总部打电话,希望得到官方对电脑、文献服务和账户记录流程的表态,结果发现斯宾塞完全说对了,党总部的员工被严格禁止在竞选期间与媒体私下联系。她只能和新闻办公室谈,然而新闻办公室好像没有一个人能够或愿意跟她谈。

"听起来你好像在调查我们的开支,"电话那头一个声音揣测道,"文献服务?我们现在很忙啊,玛蒂。几周以后再来电话吧。"

因此,她要求接线生接一下奥尼尔的办公室,佩妮·盖伊接的电话。

"你好,我是玛蒂·斯多林,《每日纪事报》的记者,"她说,心里却为自己即将撒下的弥天大谎刺痛不已,"我们见过几次,党派会议的时候,记得吗?"

"记得,玛蒂。有什么可以帮到你的呢?"

"我在想——我知道时间比较仓促——但我在想,明天上午某个时间我是不是可以过来,简单地和罗杰谈谈。"

"哦，不好意思，玛蒂，他上午一般都不干其他事情，要签签文件，开开内部会议什么的。"这不是实话，她最近不得不一直用这个借口来搪塞，因为奥尼尔的时间安排越来越混乱。这段日子他下午一点前几乎都不出现在办公室了。

　　"啊，真不巧，我真的希望……"

　　"你有什么事？"

　　"我有些想法想让他掂量掂量。比如查尔斯·科林格里奇为什么突然就对政治文献感兴趣了？还有普雷德街那个神秘的地址。"

　　电话那头沉默了好一会儿，好像佩妮没在认真听，或者一松手电话掉了。"我再给你回电话。"她话音未落就挂上了电话。

　　佩妮以为她打电话警告奥尼尔玛蒂已经有所察觉的时候，他会火山爆发一般惊慌失措。但令人无比震惊的是，他看上去似乎很平静很自信。"她什么都没查到，妮妮。"他非常坚持地说，"而且我听说她在报社也混不下去了。这不是什么大问题。"

　　"但她到底知道些什么呢，罗杰？"

　　"我他妈的怎么能知道呢？我们把她叫来问问？"

　　"罗杰？"

　　"你以为我处理不了这些事情了吗，妮妮？她就是个他妈的小女孩！"

　　她试图劝阻他别做傻事，应该保持警惕。但奥尼尔从不警惕，他现在也不再早来了。所以她打电话给玛蒂，让她第二天下午来找他。

　　佩妮很爱奥尼尔，但她这种爱慕之情让她离他太近，以至于当局者迷，看不到事情的真相。她觉得他只是压力过大，工作太累，精神太紧张痛苦。她理解不了可卡因那种粉碎心灵与意志的强大作用。这让奥尼尔在深夜精神过度活跃，无法入睡，直到吃点安眠药，让这种药物逐渐将体内的可卡因冲刷而去，把他强行拽入一片被遗忘的梦乡，一直昏昏沉沉到中午，有时候甚至更晚。因此，玛蒂坐等奥尼尔时，

242

佩妮越来越困惑，也越来越不好意思。他保证说他会准时到，但办公室墙上的钟无情地敲响过好几回了。佩妮已然词穷，找不到什么新的借口了。她想不清楚奥尼尔怎么会在公开场合失态，私底下又怎么悔恨不已；也搞不懂他那些莫名其妙的行为和荒谬无理的突然暴怒。她又给玛蒂泡了一杯咖啡。

"我往他家打个电话，"她提议道，"也许他必须要回家，可能忘了什么东西，或者身体不太舒服之类的。"

她避开玛蒂，到奥尼尔办公室去打电话。她坐在他的办公桌上，拿起电话拨了号。她略带尴尬地向接电话的罗杰问好，悄声解释说玛蒂已经等了半个多小时了。门外的玛蒂看不到，听着电话，她的眉头突然紧紧皱起，看上很是担心。她想插嘴，但无济于事。她的嘴唇开始颤抖，一开始还努力控制，后来终于无法忍受了。她丢下电话，从办公室逃也似的跑出来，经过玛蒂身边，眼中全是泪。

玛蒂的第一本能是去追痛苦的佩妮；而第二本能，也是更强的一个本能，就是去看看什么让她这么伤心。电话听筒还挂在办公桌旁，没有放在机座上。她把听筒放在自己的耳边。

电话那头还有含混的声音，但根本听不出来是罗杰·奥尼尔。对方语无伦次，说的话完全听不清，语速缓慢，发音含糊，好像一个会说话的洋娃娃没了电。有时候，对方又气喘吁吁，小声呻吟，长久地沉默，甚至略带哭腔，这是一场疯狂的音乐会，独奏的这个男人情绪上痛苦已极，好像要将自己撕裂。她轻轻地将听筒放回机座上。

玛蒂在卫生间找到了正埋头在纸巾中饮泣的佩妮。玛蒂安慰地抚着她的肩，佩妮警惕地转过身来，好像受了什么惊吓，双眼红肿，眼神戒备。

"他这样又多长时间了，佩妮？"

"我什么也不能说！"她冲口而出，声音里有剧烈的痛苦。

"听着，佩妮，他的情况显然非常糟糕。当然，我肯定不会写任何关于此事的报道。但我想他需要帮助，而你可能需要一个拥抱。"

玛蒂张开双臂，佩妮一下子扑进她怀里，好像自己是这个星球上最孤独的女人。她一直缩在玛蒂的双臂之间，直到眼泪流干。等她恢复过来可以正常行事了，就和玛蒂一起到附近的维多利亚花园去散心，让从泰晤士河上吹来的清风抚慰一下脆弱的神经，安静的环境也给了她们机会，进行一次不被打扰的谈话。佩妮已经没有任何戒备心了。她只是要求玛蒂保证，她说的任何话都不会见诸报端。玛蒂同意以后，她就开始滔滔不绝起来。她告诉玛蒂，自从首相宣布辞职之后，奥尼尔就乱了套了。当然他本来就有点"感情过激"，但最近是越来越糟糕了。"我觉得首相一辞职，他就濒临崩溃了。"

"可是为什么呢，佩妮，他们关系没那么好吧？"

"他总觉得自己和整个科林格里奇家族都很亲近。他总是给科林格里奇夫人送花和漂亮的照片什么的。逮着机会就帮点小忙。他很热衷于做这些事。"

玛蒂叹了口气，感觉到室外凛冽的空气，同样的冷风也伴随着她祖父海上历险的旅程。对于自己现在正在做的事情，祖父会怎么说呢？她心中有愧，她清楚自己并不仅仅是在做佩妮的朋友，倾听她的心声，但祖父不也是将所有的朋友，甚至是家人毅然决然地抛下，去追寻他认为正确的东西了吗？如今的她和当年的他一样，没有退路，只能向前。

"罗杰的麻烦挺大的，是不是？我俩刚才都听见电话里的状况了，佩妮。他肯定有什么巨大的困扰，从他的内心深处慢慢蚕食着他。"

"我……我觉得，他可能是对股票的事情特别想不开吧。"

"股票？你是说，雷诺克斯的股票？"玛蒂追问道，尽量藏起突然警觉起来的表情。

"查理·科林格里奇让他去开了那个私人地址,接收一些私人邮件。罗杰和我坐出租车一起去了帕丁顿，让我进去填表办的手续。我当时就知道他不太自在。我猜他也感觉到有什么不对劲。等他意识到这个地址是用来干那种勾当，并引起了这么大的麻烦后，他就受不了了，开始崩溃了。

"为什么查理·科林格里奇要让罗杰去办而不是亲自上阵呢？"

"我也不清楚。罗杰一时犯傻，答应帮他这个'小忙'呗。也许查理想到自己要用这个地址来干嘛，心里有愧吧。炒股票，真是的。"

两人靠在河岸的栏杆上，凝视着阴沉晦暗的河面。一只水鸟停在她们身边，黄色的双眼凶神恶煞地圆睁着，想"威胁"点食物。玛蒂恶狠狠地瞪了回去，鸟儿拍拍翅膀消失在天空中，还传来失望的长鸣。

"肯定是这样的。"佩妮继续说道，"查理绝对是不好意思了，就利用我们。罗杰就是那天跑来办公室说要办这件小事。还说是高度机密，让我必须把嘴闭紧。'就像我给大主教口交了一样，你得誓死保守这个秘密。'你知道罗杰这个人，总是语不惊人死不休，说话就这样，还以为自己是爱尔兰诗人呢。"

"所以你从来没见过查理·科林格里奇本人？"

"没有，从来没见过他。这些重要人物都是罗杰亲自接待的。"

"但你肯定是查理·科林格里奇委托你们去做的？"

"当然啦，罗杰都这么说了。不然还会有谁呢？"十一月的风翻卷着地上枯萎的落叶，在两人的脚踝间游荡。佩妮打了个寒颤，"天哪，这一切都太糟糕了，彻底乱了套了。"

"佩妮，放轻松！一切都会好起来的。船到桥头自然直。"玛蒂挽起佩妮的胳膊，两人开始往回走，"你可以休一两天假嘛。罗杰离了你，还是可以撑一会儿的吧？"

"他能吗？我很怀疑。"

"他不会这么没用吧。自己泡茶总会吧，肯定也知道怎么用办公室的电脑吧，是不是？"

"他只喝咖啡，而且打字也是'一指禅'。"

"虽然慢但很准确吧。"

"不，只是慢而已。"

玛蒂一下子就明白了，去篡改电脑文件的那个人肯定不是电脑专家，奥尼尔也不是专家。虽然这并不意味着两个人就是同一人，但非常说得通，众多疑点都指向奥尼尔。

两人来到了笼罩在教堂阴影下的史密斯广场。

"你知道吗，这广场上还在用煤气灯呢！"玛蒂边说边指着两人头顶上华丽的路灯。

"是吗？"佩妮抬头看了看，惊讶地摇了摇头，"你知道吗，我每天都在这个广场走来走去的，从来没注意过。你的目光真敏锐。"

"我在努力锻炼呢！"

她们已经走到总部大楼门前了。佩妮想起里面又有那么多事情等着她去解决，重重地叹了口气。她紧紧握了握玛蒂的手，"我爱他，你知道吗？这就是问题所在。"

"爱永远不应该成为问题。"

"另外我还觉得你真是聪明绝顶！"佩妮大笑起来，精气神又回来了，"谢谢你做我的听众。能把心里的事情一吐为快真是太棒了。"

"给我打电话，随时欢迎。照顾好你自己。"

"你也是。"

玛蒂缓缓地走了几百米回到下议院，丝毫没有感受到周围的凉气。她脑海里翻腾着滚烫的思绪，心中燃烧着迫不及待的火焰。其中一个想法如同最明亮的火把，让她激动不已，心潮澎湃：奥尼尔到底为什么要陷害查尔斯和亨利·科林格里奇呢？

三十四

自己的原则。只是有的原则隔得太远，体
……天文台用高倍望远镜才看得到。

……期二至十一月十七日 星期三

……待会上，厄克特宣布了自己有意参加领袖
……的，早些时候的晚间新闻和第二天最早的
……会大张旗鼓地占据很多版面。这可不像上
……几句话，而是一次正式的声明。背景是威斯
……，高贵华丽的石质壁炉，优雅沉郁的深色
……不变的权威气氛。这次声明高雅庄严、内敛克制，
……可从来没有人这样评价过塞缪尔、伍尔顿和其他
候选人。莫蒂玛就站在厄克特身边，他强调说这是家人共同做出的决定。人们眼中看到的，是一个男人被不情愿地拽向权力的宝座，将自己对同僚和国家的责任放置在自己的个人利益之上。当然，这是政坛上的一场戏，剧本、表情等元素都经过了精心的设计和反复的排练，但他的演技实在太精妙了。

第二天，星期三的上午，兰德里斯也举行了一次记者招待会，这也是一场戏，但氛围完全不同。他坐在丽兹酒店宫殿般豪华的会客室里，面前的长桌上摆满了麦克风，闪光灯闪个不停，金融媒体连珠炮般地发问。在膀大腰圆的他旁边看起来像个小矮人般的是马库斯·弗罗比舍，联合报业集团的主席。虽然他也是报业巨头之一，但这个场合显然是来做配角的。旁边的大屏幕精选了《每日纪事报》用来做广告的材料进行展示，中间不时出现各种以兰德里斯为主角的画面，比如员工们问候兰德里斯，尊敬的大老板拉动杠杆开启印刷过程，当然还有这位报业巨子以温和的态度和亲切的魅力管理自己报业帝国的种种。而这位伟大的老板本人就坐在那里，向着无数的相机和摄影机微笑致意。

　　"早上好，女士们、先生们，"兰德里斯将众人召集起来，他说话的口音比平时私下里那种方言可要正式多了，"感谢你们在如此仓促的通知下仍然及时赶来。邀请你们到这儿来，是想向你们宣告，英国的通讯行业将会跨出重要一步，这也许是一百多年前朱利叶斯·路透在伦敦创办电报服务以来最令人兴奋的进步之一。"他故意停顿了一下，把一个麦克风略略拉近，让大家在片刻等待中变得更为兴奋，"今天，我们要宣布一个历史性的消息。我们决定创造英国最大的报业集团，为这个国家再次成为全世界信息服务领导者搭建一个良好的平台。"他面带微笑，环顾四周，然后把嘴角的笑意"施舍"了一点给弗罗比舍。"《每日纪事报》已准备收购联合报业集团全部已发行股本，总出价为十四亿英镑，比当前市价高出了百分之四十。在此，我很高兴地宣布，联合报业集团的董事会已经一致决定接受这个出价。"他脸上的笑意更浓了，弗罗比舍虽然也在笑，但兰德里斯魁梧的身材与天生的气场将所有人的注意力都吸引到了他的身上，其他人只好自认倒霉地在他的阴影中挣扎。"我们同时还就未来合并后集团的管理达成了协议。我将成为新公司的主席和首席执行官，而我的好朋友，过去的竞争对手和现在的同事——"他伸出硕大的手掌抓住弗罗比舍的肩膀，在快到他脖子根的地方停了下来，"将成为我们的总裁。"

　　一屋子人里只有几个脑子清楚的若有所悟地点着头。他们了解兰德里斯，毫无疑问他会在新的集团大权独揽。弗罗比舍被放到最高的位子上，实际上相当于"束之高阁"，就算放个屁，底下人也听不见闻不到。此刻，总裁大人正努力要挤出一个好看的脸色。

"这是英国报业迈出的巨大一步，也是这个国家的一大步。合并后的公司将成为世界上拥有国家级和地区级报纸最多的报业集团之一。这一合并将成为我们的跳板，向着未来成为这个星球上最大报业集团的目标勇敢腾飞。而我们将在大不列颠实现这个雄心壮志。"他满面红光，巨大的脸庞上舒展地露出饿狼扑食般的笑容。"这是多么令人兴奋啊！"他大声宣告，又回归到原汁原味的伦敦东部口音。随着这句感叹，闪光灯不停闪烁，伴随着相机的"咔嚓"声不绝于耳。他停顿片刻让大家尽情拍照，接着又开始掌控全场。

"我知道你们心中有无数个问题——那么现在就开始提问环节吧！"

整个房间响起一阵兴奋不已的交头接耳，一只只手臂如雨后春笋般林立而起，都想取得他的注意。

"为了公平起见，我想第一个问题应该给将来不在集团内工作的人吧。"兰德里斯用戏谑的口吻说道，"在座的有谁有幸符合条件？"他非常戏剧化地遮住眼睛旁边射过来的强光，表情夸张地在下面的人群中寻找着符合条件的"牺牲者"。大家都被他逗得哈哈大笑。

"兰德里斯先生，"《星期日泰晤士报》的商业版编辑大声问道，"政府说的很清楚，在他们看来，近几年来英国报业的所有权拥有者已经集中在少数几个人手里了。他们也明确表示，会派遣反垄断部门和各种反合并立法，来防止进一步的合并和收购。那您究竟为何这么有信心能够拿到必要的政府许可呢？"

很多人都深以为然地点点头。这是个好问题。兰德里斯好像也十分赞赏。

"说到点子上了。"他说，舒展着双臂好像要先将这个问题揽入怀中，再慢慢将其蹂躏致死，"当然啦，你说的很对，政府需要下定决心。报纸是世界信息产业的一部分，时刻都在日新月异地发展和变

249

化，这是众所周知的事实。五年前，你们还在佛里特街拿着老式打字机和印刷机工作，这些机器在一战结束的时候就应该淘汰了。而今天，这项产业已经实现了现代化、分散化和电子化。"

"真不幸！"不知是谁高喊了一声。所有记者都怀旧地笑了起来。是啊，过去的日子多么美好，他们可以在酒吧尽情纵酒狂欢，宴饮取乐。印刷厂进行旷日持久的罢工，他们就可以跟着休息几周甚至几个月，那时候他们还有时间著书立说，造船出游以及美梦不断，领着全薪过悠闲的日子。

"大家也知道，一切都必须改变。我们也必须顺应改变，不能止步不前。我们必须直面挑战和竞争，不仅仅来自于其他报纸，还有卫星电视、电台、早间电视频道以及其他许许多多的媒体。越来越多的人要求全天二十四小时不断收到全世界每一个角落的新闻。如果一份报纸在新闻事件发生后好几个小时才送到手中，还带着墨臭味儿，他们是绝对不会买的。如果我们还想继续生存下去，就必须从一份目光短浅的报纸，转变为给全世界提供信息的机构。要做到这一点，我们就需要足够的影响力。"他夸张地耸了耸肩，周围的肉不停抖动，好似局部地区发生了一场雪崩。"因此政府必须要做一个决定。英国的汽车工业曾经无可避免地走向衰落，外强中干，最后被美国、日本甚至澳大利亚后来居上，取而代之。如今英国报业也面临着如此情况，政府在这紧急关头到底是埋头沙中，做自欺欺人的鸵鸟，还是锐意进取，为英国报业提供坚实后盾？这其实是一个非常简单的命题，我们是坐以待毙，走向衰落，还是接受全世界的挑战，最终成为不败王者？"

他缓缓坐下，闪光灯再次疯狂闪烁，而那些负责速记的记者们拼命埋头苦写，要把他的精彩论断一字不漏地记录下来。提问者转向旁边的人问道，"你觉得怎么样？这老混蛋的回答算不算合格？"

"产业上的逻辑十分令人信服，这是无可置疑的。而且一个工人阶级的子弟一步步走到今天，那也是很让人着迷的事情，你不觉得吗？但以我对亲爱的本的了解，他绝对不可能仅仅依靠于有说服力的逻辑和艰苦创业的激情。他这种人肯定已经做好了完全的准备，甚至已经想出了每一步要出现的状况和解决方法。我想，很快我们就可以知道，到底有多少政客欠他人情了。"

看起来，答案可能是，英国所有的政客都欠兰德里斯人情。第二天领袖候选人提名就截止了，一周内就要公布第一轮投票结果。在这个当口，似乎没人愿意和他作对。《每日纪事报》与联合报业集团结合起来可是威力无边，谁能冒险去得罪他们呢？很多人迅速表示支持他的想法和决定，几个小时之内，这就变成了一场争先恐后的表决心竞赛。这位报业巨擘显然既远见卓识又忠心爱国，为什么不和他搞好关系呢？兰德里斯好像又一次找到挑弄政客兴趣的好办法。到了下午茶时间，他已经悠闲自得地捧着杯子享受香茗点心，高兴地把红色背带拉得"砰砰"响了。

当然，也不是所有人都"受骗上当"，《独立报》压抑不住好奇心，想挖点猛料出来，"兰德里斯特地选在领袖竞选期间发表声明，好像本已剑拔弩张的战场突然爆炸了一枚手榴弹——这大概是他故意为之。自从普罗富莫事件①以来，还没有这么多政客纷纷溜须拍马，奴颜媚骨。政客卷入这场收购，不仅有损体面与尊严，而且十分危险。"

也并非所有野心勃勃的政客都加入这场争先恐后的"表忠心大会"。塞缪尔就十分警惕，没有明确表态。他已经挨了太多的明枪暗箭，不敢再做出头鸟了。他说，想在作出决定之前，先询问一下两个集团的职工意见。另外，在兰德里斯的下午茶还热腾着的时候，工会代表就

---

① 1963 年，英国国防部大臣约翰·普罗富莫卷入了一桩有伤风化的丑闻，给英国报刊提供了一连数星期的头条新闻，这件事使保守党受到了沉重的打击。

开始谴责合并计划。他们提出，合并计划中没有任何条款能确保他们不失业，同时还把兰德里斯那句著名的"每赚一百万，就要解雇一万人"的玩笑话拿出来口诛笔伐，说他们不可能忘记这句话，也不可能原谅这句话。面对工会的反对，塞缪尔意识到，他现在不可能出面支持这个合并，因此选择按兵不动，保持沉默。

厄克特也遗世独立于人群之外。声明发表后不到一小时，他就站在新闻记者和无数的镜头面前，发表早已精心打磨过的对全球信息市场和未来走向的分析。他在这方面的技巧胜过竞争对手们何止一筹，但他却更为谨慎。"我对本杰明·兰德里斯万分尊敬，但如果不花点时间全面考虑各项细节就匆匆得出结论，那错就在我了。我认为为官者应该颇为小心，如果我们只是无头苍蝇一般四处乱闯，为了在社论版得到支持就胡乱发表意见，那就会赋予政治无限的恶名。因此，为了避免任何可能的误解，我在领袖竞选结束之前，不会对此发表任何个人观点。当然，到竞选结束之后，"他谦虚地补充道，"可能我的表态也就无足轻重了。"

"真希望党鞭长的同僚都能像他一样体面而坚持原则地保持立场。"《独立报》评价道，丝毫不掩饰对厄克特的激赏，"厄克特为自己的竞选树立起了一种与政治家风度相称的调子，让他鹤立鸡群。这种持保留意见的态度不会对他的竞选有任何消极影响。"

其他报纸的编辑也奇迹般地口径一致，特别是《每日纪事报》。

"我们支持弗朗西斯·厄克特参加党派领袖选举，是因为我们尊重他独立思考的能力和诚信正直的风范。他接受挑战参选的时候我们十分高兴，现在也坚信我们做出了正确的选择。我们完全接受他稍后发表对《每日纪事报》与联合报业合并的个人看法。

"当然，我们仍然希望，在经过一番深思熟虑之后，他会全心全意地支持合并的计划。但我们对厄克特的看法不仅仅局限于商业利益之上。目前看来，所有的竞选者都缺乏的一种至关重要的特性，而在他身上却熠熠生辉，那就是领导者的气质。"

　　威斯敏斯特的各个角落都响起沮丧的摔门声。因为那些野心勃勃的政客意识到，厄克特再一次抢了先。在俯瞰海德公园的顶楼套房，视角的确完全不一样。兰德里斯看着窗外浓密的树顶华盖和很快就要变成自己掌中之物的世界，"敬你，弗兰基小子，"他对着杯中美酒喃喃道，"敬我们。"

# 三十五

　　有人的穷途末路，夕阳西下，却是有人的崭新起点，旭日东升。

## 十一月十八日　星期四

　　周四中午提名截止，唯一令人惊讶的事情是皮特·贝尔斯特德最后关头的退出。他是第一个宣布参选意向的人，但他早就已经没戏了。"我已经完成了自己的职责，那就是让比赛开展起来，"他的退出声明十分精彩，"我明白自己没有胜算，所以让别人去争个你死我活吧。我就坐山观虎斗，在竞技场边帮他们收尸好了。"

　　他本来想说自己会在旁边等着，"帮他们平复伤口"。但由于情绪过于激动，他第一次让嘴皮子占了上风，变得口不择言。声明结束后，他立刻和《每日快报》签订合约，在竞选期间撰写对每位候选人言辞犀利、新鲜热辣的分析和评论。

　　这样一来候选人就变成九个，仍然是史无前例的人数，但一边倒的观点是，九个中只有五个有胜算——塞缪尔、伍尔顿、厄尔、麦肯齐和厄克特。现在号角吹响，战士到齐，民意调查研究者们加倍努力地联系政府议员，想探听风声究竟如何。

　　保罗·麦肯齐拼了命地要崭露锋芒。卫生部长是个沮丧的男人，他坐这个位子已经五年多了，和厄克特一样热烈地期盼着选举后内阁重组，迎接新的挑战。在一个冷门机构掌权多年，他觉得自己是个可有可无的人。几年前，外界普遍认为他是党内冉冉升起的政坛新星之

254

一，兼具雷厉风行的做派、渊博深厚的学识和悲悯博爱的情怀。很多人都预测他会一路顺风，问鼎最高权力。然而医疗部门成为他的官场黑洞，他在里面越陷越深，无法抽身。面对高声抗议的护士和救护车司机，他办事不力，处理不当，搞得自己形象受损，万分狼狈。医院扩张计划的延迟成为压倒骆驼的最后一根稻草。他一蹶不振，消沉气馁，还跟妻子谈起过下次选举就告别政坛的打算。

而科林格里奇的下台对他来说，就像挣扎在水中的人突然发现一块近在咫尺的陆地。他在第一次选举前的五天宣布参选，整个人焕然一新，充满活力与激情。他十分急切地想要迅速出头，铁了心要脱颖而出，木秀于林。他让手下找个合适的时间帮他多拍点照片，从一定程度上修复一下自己不怎么样的外界形象——但千万别他妈的在医院拍，他特地嘱咐道。他和这鬼地方发生的倒霉事已经够多了。走马上任卫生部长的头三年，他一直受到良心的趋势，马不停蹄地走访各个医院，想了解病患护理的情况，但常常运气不佳，遇到护士们组成的坚固防线，抱怨她们拿的是"奴隶工资"。更糟糕的时候，还会遇到不那么太平的集会，医院的工人群情激昂地反对"野蛮削减"资源。他得了个外号叫"削减医生"，而工会抗议时还经常在这个外号前加上些侮辱性的字眼，大张旗鼓地写在横幅上。就连医生工会似乎也同意应该听从大家的呼声，提高卫生预算，而不是按照需求实事求是地制定。有时候，麦肯齐甚至会暗自垂泪，当然了，只是暗自。

他几乎没见过几个病人。有几次他试图从后面偷偷溜进医院，示威者都好像神机妙算，提前知道他的计划似的，掐准了电视台摄制组到的时间，逮住他大喊大叫。这样在公共场合被白衣天使们批得体无完肤可不是什么好事，他的公众威信一天天下降，他的个人自尊也一天天丧失。于是麦肯齐再也不去医院了。他不愿意再经受那样严酷的考验，决定退出"医院微服私访计划"，去安全的地方看看。这是种无可厚非的自卫本能。

他的新计划很简单，很安全。当然是不去医院了——"为了我自己的政治目的而利用病患实在是大错特错"——他的手下安排他去走访"安行实验室"总部，当时安行公司刚刚制造了一大批设备，专为残疾人士设计，并研发了一款革命性的声控轮椅。每个四肢无法动弹的高位截瘫患者都会用到。这是英国科学技术进步与残疾人关怀的完美结合，也是麦肯齐梦寐以求的功绩，因此，提名截止后不到几个小时，国务大臣的车就疾驰而来，这样的重视让麦肯齐好像得到了上帝的救赎。

麦肯齐很是小心，并觉得这次走访能够圆满成功。工厂的生产一切正常，去走一走关心关心也非常必要。可是，如果能在摄像机前真正慷慨激昂地进行一番演示，那可是比蜻蜓点水地看一看要好上千倍万倍。过去他遭遇的埋伏太多了，所以这次他计划周全，确保手下在他到来前的三小时才通知媒体。这个时间正好，摄制组可以赶来，但那些心怀不轨的人就没时间聚众闹事了。快到目的地时，他躲在皮质后座上，脸向着自己的照片微笑，祝贺自己的警惕性得到了回报。今天的一切都会顺风顺水的。

但今天的风水实在没有向着麦肯齐，他的手下效率太高了。政府需要时时刻刻都知道部长们身处何方。和其他议员们一样，部长们也要随时待命，以防出现什么紧急情况或是下议院突然需要进行投票。因此，在上个星期五，麦肯齐的日常事务秘书按照平时的常设指令，将上司未来一周的全部安排都发给了政府负责协调各类事务的权威办公室——也就是党鞭长办公室。

汽车行驶在乡村公路上，离新建的工厂还有几百米，麦肯齐仔细地梳了梳头发，做好了准备。部长用车驶过蜿蜒的红砖围墙，而后座的部长整理了一下领带，和车一起进入了工厂大门。

刚一通过大门，司机就猛地踩了刹车，麦肯齐一个没坐稳，撞到前座上。文件撒得满地都是，精心准备好的一切就这样毁了。他还没来得及骂一下司机，要求他给出解释，就发现搞得他如此狼狈的原因已经站在了面前——抗议者把车子围成一圈。他最疯狂的噩梦也不如眼前的场景可怕。

停在工厂传达室前的小车被一群群情激奋的抗议者围得水泄不通。他们都穿着护士的制服，高喊着怒骂的口号。麦肯齐的新闻秘书负责任地召集了三个电视台摄制组，并将他们安置在行政区域上方一个很理想的拍摄位置。于是护士们每一个愤怒的字眼和行动都被摄像机明白无误地记录下来。麦肯齐的车子一进门，人群就围拢过来，踢着车身，捶打着车顶上的宣传牌。几秒钟之内，天线就不知所终，挡风玻璃上的雨刷器也被人掰了下来。司机反应还算快，按了所有部长用车上都有的紧急按钮，车窗自动关上了，车门也自动锁住了。但之前已经有人成功地向麦肯齐脸上吐了口唾沫。车窗玻璃上压着一个个攥得紧紧的拳头，扭曲的脸庞鬼魅般出现在麦肯齐眼前，好像只要他一出去，就会把他打得体无完肤。车不停地震动和摇晃，人群不断地推搡着，好像要憋死车，也憋死他。他再也看不见外面的天空和树木。没有人帮助他。周围除了敌意，别无他物。

"逃出去！逃出去！"他尖叫着。但司机无助地举起双手。人群把车子团团围住，没有任何撤退的可能。

"逃出去！"他继续尖叫着。幽闭恐惧症令他抓狂，但这丝毫无济于事。绝望中的麦肯齐已经丧失了判断力，只有错误的本能，他不顾一切地向前斜了斜身子，抓住自动变速杆，向反方向一推。发动机一阵轰鸣，司机急忙踩刹车，车子移动了不过一英尺，但已经太晚了。车开进了人群，撞倒了一架轮椅。一个穿着护士服的女人应声倒地，看上去十分痛苦。

人群受惊般地散开了，司机抓住机会，将车子倒着开出大门上了路，来了个很精彩的手刹转弯，掉转车头，迅速逃跑了。汽车疾驰而去，在路面上留下两道黑色的轮胎印，如同两道触目惊心的伤痕。

麦肯齐的政治生涯也如这丑陋的轮胎印一样，彻底留在了这条路上。轮椅上没有坐人，那个女人受的伤也不重。她甚至不是个护士，而是一个全职的工会召集人，在将一点点小事扩大成能上头版的危机这一点上，她可是行家里手。但这一切都不重要。没有人费心去好好调查一番。凭什么管这些？他们已经有料了。陆地上的男人发现巨浪再次打来，可怜的麦肯齐再一次被卷入大海的惊涛骇浪之中。

# 三十六

*曾有人断言，所有的政治生涯都以失败告终。因此很多政客都两面三刀，狡兔三窟，这样才能可进可退，游刃有余。*

## 十一月十九日　星期五

玛蒂这周过得不是很顺。领袖竞选如火如荼地进行着，各种各样的大事时时刻刻都在发生，但她发现自己开始为了生活而挣扎，什么大事也没赶上。她进行了为数不多的几次面试，都无疾而终。她渐渐明白，自己肯定是上了兰德里斯新报业帝国的黑名单，在这里面混是毫无希望了。而剩下那几家竞争者可不愿意为了个小记者和这位巨擘对着干。业内疯传说，玛蒂"很难对付"。周五上午，按揭利率又雪上加霜地上涨了。

但最糟糕的还是她对自己感到失望。虽然她已经找到很多蛛丝马迹，但还是寻不到这其中的联系，怎么都解释不通。这让她骨鲠在喉，日日不得安眠。于是她翻箱倒柜地找出运动的行头，在荷兰公园落叶满地的小路上不停歇地跑步，希望体育锻炼能够激发身体和大脑的双重活力。然而，过度的运动好像只是增加了她的痛苦，肺和腿都同时发出了抗议。她没主意，没精神，也没时间了。只有四天就要进行第一轮投票了，她却在这里一筹莫展地驱赶着松鼠。

在逐渐晦暗的黄昏余晖中，她沿着大道不停奔跑，头顶上是巨大的栗树，伸着光秃秃的枝桠。白天她则常去菩提树小径，那时候的麻雀不会喳喳叫，温柔得好像家养的鸟儿。她会穿过已成废墟的红砖荷兰屋残垣，这里五十年前被付之一炬，只留下曾经辉煌的回忆徘徊不去。在伦敦逐渐扩张成一个乌烟瘴气的城市之前，荷兰屋曾经是一处乡间宅邸，主人是大名鼎鼎的查尔斯·詹姆斯·福克斯。他是十八世纪的传奇激进分子，终其一生都在追寻革命事业，策划推翻首相，尽管从未成功过。说到底，他没做成的事情，这次是谁做得这么成功，这么不着痕迹？

她再次把细枝末节仔细过了一遍，科林格里奇垮台前的种种：选举活动、信息泄露、各种丑闻、还有牵涉其中的所有人——不仅仅是科林格里奇和哥哥查理，还有威廉姆斯、奥尼尔、贝尔斯特德、麦肯齐、加斯帕·格兰杰爵士，当然，还有兰德里斯。就这些了。她手里掌握的信息就这么多。那么她从何处下手呢？她沿着种满树木的公园斜坡往最高处攀登，手指挖进软软的泥土，脑中掠过一个个想法，不知哪一个会让她灵光一现。

"科林格里奇不接受采访，威廉姆斯一向由其新闻办公室代言，奥尼尔好像根本没法回答问题，兰德里斯根本看都不会看我一眼。这么一来……"她突然停了下来，把周围的枯叶拨开，"怎么早没想到您呢，肯德里克先生。"

她又跑了起来，脚步轻快多了，很快就来到山顶，又一鼓作气沿着长长的山路斜坡向家里跑去。现在她感觉好些了，好像忽然间恢复了元气。

## 十一月二十日　星期六

哈罗德·厄尔轻手轻脚地起了床，不想打扰到还在熟睡中的妻子。他来到浴室洗澡，对自己一周来的工作甚感满意。他成为最有希望胜选的五个候选人之一，然后就眼见塞缪尔这个绣花枕头终于没戏唱了，而麦肯齐则彻底翻了车。当然，党鞭长此时呼声很高，声誉极盛，但厄尔无法相信厄克特会成为最后的赢家。他没有任何高层内阁经验，从未管理过任意一个国家机关。最后起决定性作用的还是经验，特别是厄尔拥有的经验。

多年以前，他迈出问鼎权力的第一步，是玛格丽特·撒切尔的议会私人秘书。这个位置没有任何正式的权力，但由于和最高权力十分亲近，所以很得旁人的敬畏。他迅速升至内阁，做了很多重要的工作。包括过去两年在科林格里奇的内阁，也是被委以重任，作为教育部长，负责政府广泛开展的学校改革。和很多前任不同，他成功与教师们打成一片，尽管有人批评他只会当老好人和稀泥，没法大刀阔斧地做决定。

但目前烂摊子一样的党派不就需要温柔的老好人吗？科林格里奇周围的明争暗斗留下了很多伤痕，而对首相之位的激烈角逐对此毫无益处，只不过是在伤口上撒盐。特别是伍尔顿，试图重新恢复自己早年间强硬的北方执政风格，这让那些伤口痛上加痛。大刀阔斧只能让党内的传统力量更增敌意。这是属于厄尔的好时机，黄金时机。

今天是星期六，也是一个大日子，党内的死忠会在他的选区挥舞起追随的大旗，支持者们会在明亮的大厅聚集一堂，他将问候他们，亲切地直呼其名——当然对面要有摄影机了。他还会宣布一项重大的政策提案。他和手下的官员们已经为此工作了一段时间，再加把火，催一催，提案就十全十美了。政府已经为没有工作的中学毕业生提供了人人可参加的培训课程。而现在，厄尔的提案将让他们有机会去另一个欧共体国家完成培训，同时还增加相关的实践技能和语言培训。

厄尔很有信心，觉得这项提案能够收到很积极的反响。他今天将要发表的演说精彩纷呈，处处充满了新的亮点，新的视野，让年轻人看到新的希望和更加灿烂的未来。当然他也会不失时机地说点慷慨激昂的空话，激起观众的热情。

今天就是一场"淘汰赛"，他觉得这个词恰如其分。他已经说服布鲁塞尔的国家机构为这项计划买单。他眼前和耳边已经出现了足以淹没自己的山呼海啸般的掌声和鲜花，铺满自己通向唐宁街的康庄大道。

他到达埃塞克斯村务大厅的时候，已经有一大群欢呼鼓掌的支持者在静候光临了。他们挥舞着小小的米字旗和旧的选举海报，上面写着醒目的"埃塞克斯的厄尔"，就像回到了大选时的热烈场面。气氛实在是太完美了。甚至还来了个军乐队，厄尔一进大厅的门就开始演奏。他就在这气宇轩昂的乐声中边走边和两旁的人们握着手。当地的市长陪同他来到低低的木台上，摄影师和灯光组迅速找到最好的角度。他登上台阶，亲吻妻子，看着眼前的人群，调整了一下视线遮住过强的灯光，对不停鼓掌的人群挥挥手。市长说："这位我想不需要介绍了，你们都认识！很快全国都将认识他！"此时此刻，哈罗德·厄尔觉得觉得，自己一生中最辉煌的胜利就近在咫尺了。

就在这一刹那，他看见了他，站在第一排，快被欢呼的支持者们挤扁了。他也和其他人一样，挥着手，鼓着掌。这是西蒙，这个世界上他唯一不想再见到的人。

两人是在一节火车车厢里相遇的。那天已经很晚，厄尔参加完西北边的集会往回赶。两人独处一个包厢，厄尔醉醺醺的，西蒙又十分友好，还是个英俊的小伙子。看着他，厄尔想起自己从大学起就挣扎着想要忘记的一面，勾引起他无限的欲望。火车在夜色中呼啸着飞驰，他和西蒙仿佛进入了另一世界，忘记闪光灯下虚与委蛇的逢迎，忘记抛在身后的各种责任。厄尔还没明白怎么回事，就已经行动了。这行动在之前够让他坐个几年监狱的了。当时也还只能是两个成年男子偷偷摸摸在私底下进行的，在距离伯明翰二十分钟的大不列颠铁路局车厢里干这样的事情，显然不是什么值得宣传的光荣。

厄尔在尤斯顿踉踉跄跄地下了车，急匆匆地塞了两张二十英镑在西蒙手里，在他的俱乐部过了一夜，他根本没脸回家。

接下来的半年他都没见西蒙，直到他突然之间出现在下议院的中央大厅，问值班的警员能不能见见厄尔。极度恐慌的部长匆匆赶来时，年轻人并没有当众大吵大闹，而是一五一十地说自己从最近一次关于党派的节目中认出了厄尔，并十分温柔地要求给点钱。厄尔给他"报销"

262

了来伦敦的"车马费",并祝他今后一切顺利。

几周以后,西蒙又出现了,厄尔知道这将成为一个无底洞。他让西蒙等一等,然后在内阁会议室的角落里待了十分钟,看着眼前自己越来越热爱的场景,知道门外的那个年轻人正在威胁着他生命中珍视的一切。毫无办法的他只好来到党鞭长的办公室,坦白了事情的来龙去脉。中央大厅坐着一个年轻人,因为好几个月前跟他有了点露水情缘,就想敲诈他。他算是完了。

"同性恋脑子总是混乱,"厄克特说,接着又为自己出言不逊道歉,"但别担心,哈罗德,敦刻尔克大撤退中还发生过更糟糕的事情呢,更别说走廊上的会议室,就更乱七八糟了。这点事情你就放心交给我吧。"

厄克特真是言出必行,真他妈的太棒了。他向小伙子做了自我介绍,并向他保证,如果他不在五分钟之内走出这栋楼,就会叫警察来以敲诈罪逮捕他。"哦,千万别以为你是第一个,"厄克特沉着地说,"这种事情我见得太多了。只不过这种事情太见不得光了,逮捕和接下来的审讯都会非常保密的。没人会知道你要敲诈谁,甚至不会有人知道你被判了多久。也许你那可怜的母亲除外。"

厄克特没有再多费口舌。年轻人很快就得出结论,自己犯了个很严重的错误,应该尽快从这栋大楼以及哈罗德·厄尔的生命中消失。但厄克特考虑得十分周到,记下了西蒙驾照上的种种细节信息,以防他还想继续找麻烦。

而现在,他回来了,站在前排拥挤不堪的人群中,不知道又将提出什么样的要求。厄尔越想越害怕,越想越严重,简直到了折磨自己的程度。

整个演讲的过程中,他都心神不宁,表现也大失水准,让支持者们非常失望。内容照着念也不会错,就用粗大的字体印在他面前一页页的再生纸上,但其中的激情消失了。他结结巴巴地发表着满含官腔的陈词滥调。十一月的天气已经很冷,他鼻子上却挂着豆大的汗珠。

发表演说的时候，他的思维好像神游到别处去了。结束时，忠心耿耿的人们仍然热烈鼓掌，但这丝毫没有帮助。

最后市长几乎不得不拉着他来到人群中，满足人们想再和他握一次手的呼声。这位大家爱戴的"人民的儿子"无精打采地接受着人们的祝福。他们欢呼着，拍打着他的后背。结果离西蒙更近了，那双年轻的眼睛仿佛洞察一切，知晓一切。他就好像正被无形的手拖着拽着，一步步接近地狱之门。但西蒙并没有大吵大闹，什么也没做，只是握了握他被汗水弄得黏湿阴冷的手，微笑了一下，并有些紧张地抚摸了一下自己脖子上夸张摇摆着的圆形徽章。接着他就走了，就像人群中那些毫不起眼，转身就忘的脸庞。


厄尔回家的时候，两个男人正站在阴冷的街道上等候他。

"晚上好，厄尔先生、厄尔太太。我们是《镜报》的西蒙兹和皮特斯。今天您的集会真不错。我们拿到了新闻稿，也就是您演讲的内容。但我们需要给读者增添一点色彩，比如观众的反应等等。厄尔先生，能谈谈您的观众吗？"

他只字未提，直接冲进了屋。一手还拉着妻子，砰地摔上了门。他拉起窗帘看着两个男人耸耸肩，回到街对面的一辆旅行车里，拿出一本书和一个保温瓶，准备在这里度过一个漫长的晚上。

# 三十七

实现野心的道路，必是很多牺牲者的尸体铺成。

## 十一月二十一日　星期日

第二天清晨刚蒙蒙亮，厄尔就往外看，发现他们还在。有一个睡着了，一顶软毡帽遮住了眼睛，另一个则在翻看星期日的报纸。这些报纸的内容和上一周的大不相同。本来这场有气无力的领袖竞选已经成为无料可挖的一潭死水了，但新来了个厄克特，麦肯齐又惨淡出局，大家的眼睛又一次睁大了，这下好戏才刚刚上演呢。

更精彩的是，民意调查专家们的百折不挠终于开始击破议员们戒备的防线。"势均力敌！"《观察家报》宣称，并报道说百分之六十的党内议员都被专家们的巧舌如簧说得缴械投降，发表了自己的观点。三个候选人领先优势几乎不相上下——塞缪尔、厄克特和伍尔顿，厄克特也不过稍微落后些。麦肯齐消失得不着痕迹。同样悄无声息离去的还有塞缪尔之前的那一点领先优势。

这样的消息让厄尔一点也高兴不起来。他度过了一个不眠之夜，在房间里来回踱步。越来越担心的妻子问他些问题也被他烦躁地挡了回去。他本来想自己安慰自己，但眼前不断浮现出西蒙的脸。两个记者一直守在门外也让他心烦意乱。他们到底知道多少呢？为什么要在家门口拦截他？十一月的天空出现了第一缕冷清而灰暗的光线，他筋疲力尽又坐立不安，他必须要知道。

于是没梳没洗的厄尔裹紧丝绸睡袍，出现在门口，走向街对面的旅行车。皮特斯赶紧推醒了西蒙兹。

"每次都跟做梦似的，"皮特斯说，"我们就像偷奶酪的老鼠。看看这位仁兄要怎么为自己辩解。阿尔夫——他妈的把那个录音机打开啊。"

"早上好，厄尔先生，"皮特斯对正向自己走来的厄尔说道，"外面那么冷，别站着啊，进来坐坐，喝杯咖啡怎么样？"

"你们想干什么？为什么监视我？"厄尔问道，没理睬他的热情。

"怎么说是监视呢，厄尔先生。别傻了。我们只是想给报道添点色彩。您是领袖竞选中领先的候选人，很可能就是未来的首相。看报纸了吗？您可是领先他们的啊。大家肯定会对您更感兴趣嘛，想知道您的爱好啊，您平时干什么啊，都有哪些朋友啊。"

"我没什么可说的！"

"那我们可以采访一下尊夫人吗？"西蒙兹问道。

"你在暗示什么？"厄尔的音调陡然升高，听上去十分扭曲。

"我的天哪，我什么也没有暗示啊先生。顺便说一句，您看到昨天集会的照片了吗？非常好，特别清楚。我们在想挑哪一张登在明天的头版，您看看？"

一只手把一张光滑的大照片递出窗外，在厄尔鼻子下面挥了挥。他抓住照片，倒吸了一口冷气。照片上的他面对的是微笑得有些僵硬的西蒙，两人的手紧紧握着，四目相对。照片很清晰，各种细节都一览无余。看上去几乎好像有人暗中在西蒙的大眼睛周围画了眼线，而饱满倔强的双唇看上去更暗了一些，英俊的五官越发显眼，玩弄着脖上奖章的手指显然经过了精心的护理和修整。

"您跟这位先生很熟吧，是不是？"西蒙兹问道。

"他是您很亲密的支持者之一，对吗？他是怎么支持您的呢，厄尔先生？"皮特斯加入到对话中。

厄尔拿着照片的手在颤抖。他把照片扔回到车窗里，"你们到底想干什么？我什么也没干！你们说的全是假话！我会向你们的编辑举报这种骚扰行为的！"

"编辑吗，先生？上帝保佑吧，就是他派我们来的啊。"

# 三十八

自愿带领一支队伍冲在前面固然是值得称颂的英雄行为。但最好还是退后几步，让别人冲锋陷阵，你只需静候时机，踩着他们的尸体冲出去一举得胜。

## 十一月二十二日　星期一

位于议会正门口的议员大厅摆着巨大的丘吉尔、艾德礼与劳合·乔治铜像。三座铜像的鞋尖都锃光瓦亮，被无数想沾染伟人灵气的议员们抚摸过，钦羡过。大厅有两扇结实的橡木门，护卫着议会。　仗侍卫敲着这两扇门，召集议员们来参加议会开幕大典。作为门基的石拱破损严重，仍然带着一九四一年遭受轰炸时的累累伤痕。重建议会的时候，丘吉尔要求保留这面目全非的焦黑石拱，"时时警醒着我们。"

大厅也是议员们搜集信息的地方。

"您好，肯德里克先生。"

正埋头看一大堆材料的议员抬起头，发现玛蒂站在他的肘边。他习惯性地微笑了一下，"你是……"

"玛蒂·斯多林。"

"哦，是啊，是啊，当然啦。"他上下打量了一下，目光又回到她脸上，"有什么能够帮到你的吗，玛蒂？"

"如果可以的话，我想问您几个问题。"

"我很乐意，但恐怕现在不行，"他一边说一边看了看表，"不如晚一点到我那儿喝杯茶？四点三十分的时候？那时候我就很有

267

空了。"

肯德里克是反对党的后座议员,他的办公室是诺曼·肖北大楼的一个小单间。这座著名的红砖楼频频出现在各种黑白老电影中,被称为新苏格兰场,伦敦警察总部。如今,维护法律与秩序之师早已迁到维多利亚街的一栋灰色混凝土建筑中,这栋古老的大楼尽管已进入了危房的行列,但因为与议会只有一街之隔,议会当局在其空置时立刻出手抢购,增加了供不应求的办公空间。玛蒂走进来的时候,肯德里克有些受惊地从办公桌后面跳起来。

"玛蒂,跑我这儿来侵犯我的私人领地啊。这里是不是跟和尚的房间差不多,很不错吧?"

"不知道,我对和尚不感兴趣。"她回答道。

他接过她脱下的大衣,眼中没有一般男人色眯眯的样子,更多的是一种欣赏。她的羊毛衫紧身到恰到好处,裙子的长短也正好过膝。她需要吸引他的注意力,现在算是迈出了成功的第一步。

"喝茶还是……"他扬起一条眉毛,问道。

"酒。"她干脆地说。

他打开角落里的一个冰箱,拿出一瓶霞多丽,又从书架上拿了两个酒杯。他倒酒的时候,她在一张小小的沙发上坐好。

"不错的家。"她边说边问候般地举起酒杯。

"这他妈绝对不是个家,我也从来没把这破地方当过家,"他愤愤不平地说,"待在这么个杂物间里,我们他妈的怎么来管理一个衰落的帝国?只有上帝才知道。不过和你我还是喝了这杯吧。"

"你不可能这么讨厌这地方吧。你可是挣扎奋斗了好多年才进来的。"

"我他妈真是个忘恩负义的混蛋,对吧?"他突然笑了,很是迷人。

"而且你很快就崭露头角了。"

"你在给我灌迷魂汤呢,还露腿。你肯定很想得到什么。"他看着她,目光平静,善解人意。现在轮到她微笑了。

"肯德里克先生……"

"哦,去他妈的,你早就不应该叫我肯德里克先生了吧。"

"史蒂芬,我准备写一篇议会运作的报道,还要提到政坛是如何充满各类惊喜与突发情况。提到惊喜,你遇到的惊喜肯定最大。"

肯德里克咯咯笑起来,"我还是很吃惊,大家好像都觉得我,怎么说呢,天上掉馅饼?出门遇贵人?傻人有傻福?"

"你是不是在告诉我,你其实并不知道医院扩张计划被搁置了,只是在猜测?"她用难以置信的语气问道。

"你不相信是这样?"

"我这么说吧,虽然我脸上笑得灿烂,但我特别愤世嫉俗,怀疑一切。"

"嗯,只要你还笑得出来,玛蒂……"他又给她倒了一杯酒。"那我这么说吧,我其实不是完全确定的。我冒了个险。"

"那你知道些什么?"

"这不会登出来吧?"

"绝对不会,你尽管说吧。"

"我从来没跟任何人一五一十地讲过这事儿……"玛蒂揉着自己的脚脖子,好像想缓解一些长途跋涉的疼痛。肯德里克不由自主地看着她的脚踝出神,"但你的'审问技巧'不错,给你说点来龙去脉也没什么。"他略一停顿,想了想该说多少,"我发现政府——更准确地说是执政党总部——针对新医院扩张项目制定了大规模的宣传计划。他们精心策划了很久,花了很多钱来筹备。是你你也会这样,对吧?但最后他们他妈的居然把整个宣传计划取消了。全盘终止了。我想了很久,越想越觉得唯一的解释就是他们不仅仅要终止宣传计划,而是要撤销整个政策。所以我觉得得追问一下首相——他居然就那样上钩了!我自己也觉得万分惊讶。"

"我记得当时没有什么关于宣传计划的传言啊。"

"他们想要事先保密,一鸣惊人。我觉得整个宣传的策划都是高度机密。"

"这么说你显然是有能接触到高度机密的线人了。"

"这件事情即使对你也是一样，是高度机密！这种事情我连我前妻也不会说。"

"你是……"

"离婚了，现在是单身汉一个。"

玛蒂怀疑他是在和她做交易，但尽管眼前的男人挺有魅力，她也不愿意付出这样的代价。她的私生活已经够复杂的了。

"我知道线人是多么珍贵，"她说，把话题又转了回来，"但你能给我一点小小的提示吗？泄露消息的肯定是那么一两个人，来自执政党或者政府，对吗？"

"你的洞察力和脚踝一样出色。"

"自从大选结束以后，党派总部和唐宁街就在闹不和。你说起因是党派宣传活动，那很自然应该推断消息来自党派总部。"

"你很棒，玛蒂。但这不是我跟你说的，好吗？对于从哪儿得到的风声，我绝对不会再说一个字了。"他之前那种轻松快活的语气消失了，变得十分正式和警惕。

"不用担心，我会帮罗杰保守秘密的。"

肯德里克刚喝了一口酒差点没噎住。他把酒吐回杯子里，双目圆睁，惊慌失措地看着她。"你觉得我有这么浅薄？就因为你在我面前牺牲了点儿色相，就要出卖一个老朋友？"

老朋友？拼图的碎片终于开始合在一起了。

"我知道是罗杰，我不需要你来确认，我也不是来调查什么的。没有这事儿，他的麻烦也够多的了。这事不会出现在新闻上的。"

"那你来干什么？"

"打听一些消息，弄明白一些事情。"

"我刚刚还觉得有点喜欢你了呢。我想现在你该走了，玛蒂。"

《镜报》的两个男人午饭时间还一直守在那里，晚上也依旧没离开。他们要么读书读报，要么吃饭剔牙，要么就探头探脑。他们已经在那辆脏兮兮的小车里连续等了厄尔差不多四十八个小时了，见证了窗帘每一次的抖动，拍下了包括邮递员和送奶工在内每一个上门的人。当然有厄尔的妻子。她今天一早就去拜访姐姐了，这让厄尔稍感安慰。妻子是个特别善良和天真的女人，她以为记者一直在家门口蹲点是因为领袖竞选的事儿呢——在某种程度上的确是。

厄尔不知道向谁求助，和谁倾诉自己的窘境和沮丧，找谁寻求点明智的建议。他本身就是个特立独行的人，待人真诚，有时正直得有点呆板。只不过犯了一个错误，如今就要付出如此惨重的代价。

两个男人等得有些厌倦了，他们走上前来敲门，"对不起，打扰您了，厄尔先生。还是西蒙兹和皮特斯。我们就代表我们编辑问一个简单的问题。您认识他多久了？"

他眼前又出现一张西蒙的照片。这不是在公共场合拍的，而是在一个摄影工作室，从头到脚穿的都是带拉链的皮装。上衣拉链一直开到腰部，露出苗条的"倒三角"体型，而右手则拿着一条长长的皮鞭。

"走开，走开。求你们了——走吧！"他尖叫起来，声音太大引得左邻右舍都跑来窗口一看究竟。

"如果现在不太方便，那我们就换个时间再来，先生。"他们默默地回到车中，继续待在那里监视着厄尔的一举一动。

# 三十九

*想要爬到树顶的人，就必须做好心理准备，身居高处的代价，就是会暴露自己最脆弱的部分。*

## 十一月二十三日　星期二

第二天早上他们仍然守在那儿，耐心地等待着他。厄尔已经没有任何心理承受能力了，他坐在书房的扶手椅中轻轻抽泣着。手指甲已经被焦虑的他啃得光秃秃的，现在深深地掐进胳膊里。多年来他鞠躬尽瘁，现在本该是问鼎权力高峰，风光霁月的时候，却等来了这一出。

他知道自己必须去做个了结，再这样下去毫无意义。他不再相信自己，也知道无法再让别人相信他。泪眼朦胧中，他伸手打开书桌的抽屉，摸索着拿出私人电话本，按下电话号码的手指如同浸在最浓的硫酸之中。简短的对话中，他用尽了全身力气来控制自己的声音。电话打完了，一切都结束了，他又沉浸在低低的啜泣之中。

周二上午晚些时候，厄尔退出竞选的消息传遍了威斯敏斯特，所有人都惊呆了。这事发生得如此猝不及防，已经来不及修改印好的选票了，只能狼狈地用圆珠笔涂掉他的名字。汉弗莱爵士很不高兴，自己一番精心的准备就这样在最后关头乱了套，只要别人愿意听，他的嘴里就不时蹦出些难听的字眼。但随着上午十点的钟声敲响，用于投票的第十四号会议室还是准时开了门，三百三十五个政府议员中的第一批排队进入，开始投票。有两个缺席的人十分显眼，一是早就宣布自己不会参加投票的首相，第二个就是哈罗德·厄尔。

玛蒂预计这一整天都待在下议院，和议员们聊聊天，看他们有什么倾向。很多人都觉得厄尔的退出会助力塞缪尔。"调解人都爱和商人扎堆，"一个老油条解释道，"所以厄尔的支持者会转投年轻的迪斯雷利。他们可没有什么魄力去做更积极进步的事情。"他把塞缪尔称为迪斯雷利，一个出生于犹太家庭的政客和小说家。这个称谓明显带着些不满的个人意味，整个选举的风向也如此发展着。

她正和其他记者一起坐在新闻记者专属的咖啡座喝咖啡，扩音器里突然通知有电话找她。她希望是某个公司改变主意决定要她了，于是急匆匆地留下没喝完的咖啡，找了个最近的电话回过去。等她听到那头传来的声音，心里一惊，这简直比厄尔退出竞选还要重大。

"玛蒂，你好。我知道你上周一直在找我。很抱歉一直没跟你见面，我上周没怎么去办公室，胃有点不舒服。你还想跟我见面吗？"

罗杰·奥尼尔听起来是那么友好和热情，她简直不敢相信这就是那个几天前在电话里胡言乱语，词不达意的人。电话那边的声音俨然焕然一新，再世为人了。

"如果你还有兴趣的话，今天晚些时候不如来史密斯广场坐坐？"他发出邀请。

玛蒂心想奥尼尔不知遇到什么烂摊子了，但她的反应无法与不久前厄克特的反应相比。他给奥尼尔打电话，只是要他好好安排一下，让西蒙去参加厄尔的周末集会，还要确保《镜报》接到无名热线电话，说清楚两个男人之间发生了什么样的故事。结果和玛蒂、佩妮一样，他发现奥尼尔越来越依赖于可卡因，慢慢地沉醉在自己越来越狭窄的异想世界当中，与世隔绝了一般，根本不知道外面正在发生什么。厄克特亲自去找了罗杰，他可不能失去这么个左膀右臂。但更不可能放任他纵情嗑药，不然谁知道他会闹出什么乱子。

"一个星期，罗杰，我再给你一个星期好好休息一下，暂时把这一切都放下。等你恢复过来，我就想办法让你得到梦寐以求的贵族身份，那之后一切就会不一样了。有了这个身份，他们永远不会再把你看扁了。我可以做到，你知道我有这个能力的。但你现在很让我失望，你没有自控力。我向上帝发誓，我会让你这一辈子都为此后悔不已。他妈的，你自己要振作起来。你没什么好怕的，再坚持几天就好了！"

奥尼尔不太确定厄克特到底在说些什么。坚持？他当然要坚持了。他觉得自己是有点不舒服，但糊里糊涂的脑子仍然拒绝承认眼前的窘境，不认为自己的行为有什么大问题。他能处理好的，一切都尽在掌握。他的生命里容不下一点迟疑，尤其是对自己。他可以克服一切的，有别人的帮助就好了，一点点帮助就行……再撑几天就好了，拉点关系，走走旁门左道，把那些人脸上高傲的微笑都抹去。腾飞吧，罗杰爵士！真有这么一天，那多努一把力也是值得的。

"当然了，弗朗西斯。这不是问题，我保证。"

"这件事情别办砸了，罗杰。你敢办砸看看。"

奥尼尔大笑起来，眼神依然游移不定，像大风天的老头子那样鼻涕连连。

最后他终于振作了起来，回到办公室。佩妮告诉他玛蒂来找过，还问了些关于帕丁顿地址的问题。

"不用担心，妮妮，我来处理就好。"他夸张地大声说道，掩饰着转瞬即逝的警惕，又变成那个有着多年经验，自信得有点夸张的推销员。想当年他们夸他能在西伯利亚推销冰雪，为了得到他一个吻，老太太们不惜拖着腿脚千辛万苦地过街。这一切只需要激情，和一点点自信。玛蒂算哪棵葱，不过是个愚蠢的女人，没啥好担心的。

所以，午饭后她来到他办公室的时候，罗杰表现得既欢快又警觉。两只眼睛依然滴溜溜不停转，但看上去很乐意为玛蒂提供帮助。

"我之前就是胃痛来着，"他解释道，"抱歉爽了你的约，但医生给我开的药确实有效，对症下药啊。"他的笑容里充满了爱尔兰式的魅力，"现在舒服多了。妮妮跟我说，你问了些关于科林格里奇先生那个地址的问题。"

"是的。那是查尔斯·科林格里奇的地址？"

"当然是啦。"

"但他不是自己去开的。"

奥尼尔的双眼瞬间又陷入了一种迷乱当中，好像地球上的物体试图挣脱地心引力的控制，但脸上的笑容没变。玛蒂当然不想告诉他是佩妮说的，于是现场编起故事来。

"店主从来没见过科林格里奇，认不出他的照片，发誓说这人从没来过店里。"她说道。

"那就是个朋友帮的忙啰。"奥尼尔边说边去摸索香烟。

"是谁呢？"

"这个嘛，当然他妈的不是我了！"奥尼尔高声大笑，笑脸被笼罩在缭绕的烟雾之中。"听着，玛蒂，如果你是要写报道，那我肯定只能说，科林格里奇先生的私人事情只管他的事，你坐在这儿没有意义，连茶都不用喝完就可以拜拜了。"他隔着办公桌斜着身子靠近她，"但如果你只是想聊聊，绝对不会登出来，不是写报道……"

"茶非常好喝。"她回答道。

他又点燃了一支烟，深深吸了一口，感觉到尼古丁充满他的肺叶，膨胀起他的自信心。"好吧。不过你也知道，就算不作报道，我也知道该说什么不该说什么。你也知道查理最近的健康状况如何。对于他出的这档子事，他也——我该怎么说呢——不是'单枪匹马'干下的。"他卷起手指强调"单枪匹马"上加的引号，"要是你决定一查究竟，非要把这事儿翻个底朝天，那就只能是在对他进行进一步地惩罚，那就太遗憾了。他的生活已经毁了。不管他做错了什么，现在不已经够他受的了吗？天哪，玛蒂，给这男人一个重新开始的机会吧。"

玛蒂就这样听着奥尼尔带着一副无私的慈善口吻，将一切罪责都推到无辜的肩膀上，她没心情玩下去了，但还是带着鼓励的微笑，"说得对，罗杰。再去骚扰他也挖不到什么了。那我们再换个角度看看。"

她看到他的双眼瞬间平稳下来，笑容也放松了些。他以为自己赢了，

275

把这个头脑简单的女孩儿打败了。换个角度，换个方向，他就自由了。天哪，罗杰，你太棒了！

"那我们谈谈信息泄露的事情吧，"她继续说道，"最近这几个月此类事件也太多了。首相遇到的很多麻烦都是史密斯广场这边造成的吧？"

"我怀疑这样的论断是不是公平，但大家都看得出来，近期他和党主席的关系一直比较紧张。"

"有那么紧张吗？紧张到有意从党派内部泄露我们在党派大会期间刊登的那份民意调查？"

奥尼尔的两个眼珠子又开始乱窜了。"出了事情，人们第一反应就是找个负责的人，当然是别人了。我们在这儿谈话不也是这个目的吗？"他自嘲地笑了笑，"指认别人倒不是什么难事儿，但我觉得主观臆断是很难得到证实的。除了党主席之外，这栋大楼里大概只有——五个人能拿到完整版本的民意调查吧，我是五个人之一。我负责任地告诉你，我们对其保密性这件事情是非常严肃的。"他又点燃了一支香烟，作沉思状，"不过每个内阁官员也拿到了完整的民意调查，二十二个人全拿到了。在下议院这些文件可能先会落在爱说闲话的秘书手里，或者被送到他们所在的部门，那些可都是毒蛇窝，那里很多公职人员对这个政府一点儿也不爱戴。如果你要调查泄露的事情，肯定要从那里着手。"

"好吧，但文件是在伯恩茅斯的总部酒店泄露的。秘书和那些心怀不轨的公职人员不会去参加党派大会，也不会在总部酒店附近转悠啊。"

"这个嘛，谁知道呢，玛蒂？看上去很有可能是从那些人手里泄露出来的啊。我的天哪，你难道能想象威廉姆斯勋爵双膝跪地，鬼鬼祟祟地在酒店房间外摸索？"

他大笑起来，好像这是世界上最荒谬的事情。玛蒂也附和般地和他一起笑。但奥尼尔刚刚已经承认他知道民意调查泄露的方式了。他怎么会知道得这么清楚呢？只有一个可能，他过于自信，结果搬起石头砸了自己的脚。

"那我们再谈谈另一个泄露事件吧，就是医院扩张计划的泄露。有人跟我说你之前一直在策划一个相关的大规模宣传活动，最后不得不因为计划有变，最后关头撤了下来。"

"真的吗？究竟是谁这么跟你说的？"奥尼尔问道，脑子飞速运转，最后定格在老朋友肯德里克身上。这个愚蠢的混蛋，总是看到漂亮姑娘就挪不动脚。"算了，我也不逼你说。我知道你不会告诉我的。但听起来他们有点夸张啊。宣传处一直都随时待命，要支持政府的政策，我们的职责就是如此。如果医院扩张计划顺利实施，我们肯定是要多宣传宣传的啦，但并没有特别去计划什么活动。"

"别人告诉我你必须终止一个大规模的宣传计划，之前精心准备了好久，万事俱备了。"

烟头上的灰停止了与地心引力的抗争，缓缓飘落在他的领带上。奥尼尔丝毫没有在意，双眉纠结在一起。"如果你听到的传言是这样，玛蒂，那肯定是胡说八道。听起来好像有人在打自己的小算盘。你确定那人所在的位置能知道全部事实吗？也许他另有所图？"

奥尼尔咧嘴一笑，想把肯德里克列为不值得相信的对象。但他突然意识到，他不由自主地用了男"他"，笑容凝固在脸上。然而，转念一想，眼前这个天真的女孩子抓不住这么微妙的细节，也没什么好解释的了。不过，她问的问题太多了，奥尼尔开始觉得有点不大自在。他开始撕心裂肺地想从香烟之外的东西上寻求支持，不管厄克特怎么警告他的。

"玛蒂，我今天很忙，今晚第一轮投票的结果就要出来。我们能不能到此为止？"

"谢谢你抽出时间见我，罗杰。今天的谈话对我特别有帮助。"

"我什么也没告诉你。"

"但你说的话都很有道理很有说服力。"

"随时为你效劳。"他边说边领着她向门边走去。他们经过这间狭窄办公室角落的电脑终端时，她弯腰去看，衣领松了些，露出里面的"春光"。他靠近她，挺高兴有这么段小插曲。

"党派用的技术挺先进的啊。这个大楼里的所有终端都是通过中央电脑连结起来的？"

他直起身子，内心深处的某个地方敲响了警钟，让他顾不上去欣赏她双乳的弧线了。"我想……是吧。"他说着，伸出手放在她的腰部，轻轻推着她往门边走去。

"我在电脑方面简直是个白痴。也许抽个时间你可以教教我，罗杰。"

"你肯定是找不到其他人了，才来找我。"他开了句玩笑。

"你这样的男人看起来什么事情都搞得定。"

"我们上过培训课程，但我连开关机都有点困难，这东西不好弄啊，"他说，"我自己几乎不用的。只是收收内部邮件什么的。"他的双眼剧烈地闪烁游移着，已经有点控制不住自己了。"对不起，我得赶紧走了。"他小声说道，然后飞一般地逃离了自己的办公室。


下午五点，下议院第十四号会议室的门仪式般地缓缓关闭，第一轮投票就到此结束了。这完全是多余的程序，因为三百三十五票早在十分钟前就投完了。汉弗莱爵士和他带领的监票人小团队聚集在紧锁的门后面，头上是巨大的油画和深色的墙纸。大家都很高兴，今天除了一开始因为厄尔的突然退出手忙脚乱了一阵以外，一切顺利。他们开始数票，一瓶威士忌传来传去。威斯敏斯特宫另外的房间里，八位候选人正带着不同程度的兴奋和严肃等候着结果，等候着那即将改变他们一生的时刻。

大本钟走到了六点十五，还没有消息。六点半，会议室的门打开了，一大群议员鱼贯而入，要见证这历史性的时刻。人太多了，那长长的书桌般的会议桌前都挤不下了，甚至有人连落脚的地方都没有。所以门就没关，外面的走廊里也聚集了好多人。在最后关头，议员们下了很大的赌注在自己看好的候选人身上。在人头攒动的走廊中，来自媒体的记者们努力要收录每一句窃窃私语。

汉弗莱爵士很享受这人人都看着自己的时刻。他的事业已经进入黄昏，官场的全盛期早就过去。就连之前在西印度群岛度假的小插曲，都让他在威斯敏斯特得到了久违多年的关注。"塞翁失马，焉知非福啊，"有人听见他在吸烟室洋洋自得地说。现在他坐在会议室高高的讲台上，两侧是他的助理们。他摸了摸自己的小胡子，请大家安静。

"由于此次候选人数空前地多，我准备按照姓名字母顺序进行唱票。"他开口道。

这对于戴维·亚当斯①来说，可不是个好消息。这是个纨绔子弟，过去的下议院领袖。之前因为在十分公开的场合宣称自己和女王在一起的时间比首相还多，就被科林格里奇在第一次改组中"发配"去当后座议员了。他本来希望借这次竞选再树立一下威信，宣告自己重回内阁。结果，纽兰兹首先宣布，他只得到了十二票。衣袋上装饰的丝绸手帕似乎一下子就沮丧地垂了下来。之前他请了那么多同僚纵情豪饮，酒精作用下拍着胸脯保证会投他票的人可要比这多多了。"一群婊子养的！"附近的人听到他小声咒骂。

汉弗莱爵士继续宣读得票数。接下来的四个名字，包括麦肯齐在内，都没有取得超过二十票。保罗·戈达德，一个特立独行的天主教徒，多年来一直致力于禁止一切形式的合法堕胎，今天只得到了三票。他轻蔑地摇了摇头，深信自己的行为不可能得到凡人的赞赏。

汉弗莱爵士还剩下三个人的得票需要宣布——塞缪尔、厄克特和伍尔顿。三人要分二百八十一张选票，水泄不通的房间里顿时空前紧张了起来。要在第一次投票就胜出，至少需要得到一百六十九票。一个角落里下了大赌注的人们赶紧宣布赌局结束，因为两位议员阁下打赌说，第一轮投票很有可能得不出结果。

---

① 姓的首字母是"A"开头。

"迈克尔·塞缪尔，"主席慢悠悠地说道，像坟前的哈姆雷特那样庄严地环顾四周，"九十九票。"

　　房间里鸦雀无声，只从远远的地方传来泰晤士河边的三声鸣笛。大家被逗笑了，轻松气氛缓和了些。塞缪尔说拖船主没有投票权真是太可惜了。离得胜的选票差这么多，他显然非常失望。

　　"弗朗西斯·厄克特，九十一票。"

　　厄克特在长桌前排占据了一个坐席，他带着感激之情默默点了点头。

　　"帕特里克·伍尔顿，九十一票。"

　　唱票结束了。整个房间爆发出一阵阵议论，没有人再注意纽兰兹了。他还想"负隅顽抗"，"由于没有候选人当选。下周的今天还要进行第二轮投票。我要提醒那些想参加第二轮的人，周四之前重新上交提名给我。我宣布会议结束！"

　　但早就没人理睬他了。

# 四十

政坛的友谊不过是种种假象，弹指之间就灰飞烟灭了。

厄克特的办公室里挤满了同僚。香槟美酒，觥筹交错。四处洋溢着庆祝的气氛。厄克特这个办公室是一个议员能得到的最好办公室之一了，大大的落地窗能一直看到河对岸古色古香的朗博思坎特伯雷大主教官邸。"那边风景独好啊！"他偶尔会这么说。厄克特站在那里，分发给仍然络绎不绝的人群。大家都拍拍他的手表示祝贺。有的人在整个竞选期间他还是第一次见，但这不重要。重要的是，新的面孔就意味着新的投票。

"太出色了，弗朗西斯，这个结果绝对是很棒的！你觉得最后你能赢吗？"一位高层议会同僚问道。

"我想有可能吧，"厄克特颇为自信地回答道，"我跟别人一样，都很有希望。"

"我想你说得对。"那位同僚说道，喝了一大口白葡萄酒，浇熄心中的某种无名火，面子上依旧热情洋溢，"年轻的塞缪尔可能暂时领先，但他的人气一直在下滑。现在主动权肯定掌握在有经验的人手里，你和帕特里克。另外，弗朗西斯，我要告诉你，我全心全意地支持你。"

当然啦，等我当上首相，享有种种特权的时候，你也希望我能记得这份支持。厄克特心想，暗笑了一下，接着向对方表示感谢。莫蒂玛如天使一般灵活游走在人挤人的办公室，为大家添酒，脸上永远挂着灿烂的微笑。

一位年轻的支持者做了一盒标牌，正挣扎在人群中将它们别在来客的外套上。标牌上简单地写着"FU"。这位年轻的政客身材矮小如拿破仑，面色潮红如丘吉尔。此时他发现自己站在莫蒂玛面前，他兴奋地拿起一个标牌往她胸上贴去。在碰到她乳房的那一刻，本来讨人喜欢的眼睛突然变得不知所措。接着二人四目相对，他就像突然被抽了一鞭子那样面色发白。"哦，天哪，对不起。我贴错地方了。"他惊慌失措地说，消失在人群中。

"你都从哪儿找来这些人的。"她带着讽刺般的敬畏对丈夫耳语道，"等他长大了说不定是个伟人呢。"

"如果他长大了，就送到我这儿来，我会告诉你的。"

新的来客仍然从门口鱼贯而入。

"这些人究竟从哪儿来的。"莫蒂玛问道，有些担心酒水不够。

"哦，有的人一直挺忙的。"他回答道，"他们已经在塞缪尔和伍尔顿的酒会上短暂而隆重地露了个面。不过我们都不太确定是哪些人。你也不能吧，亲爱的，你确定吗？"

"我想知道应该以怎样的态度来应付这些人，弗朗西斯。"

"当然啦，亲爱的。所以我派了人缘不错的党鞭去参加迈克尔和帕特里克的聚会，数人头，记人脸，好确定一下。"

他们看着彼此，在那一刻几乎遗忘了满屋子熙熙攘攘的人群。

"无论付出什么代价，我都和你在一起，弗朗西斯。"

"你想知道结果吗？"

她摇摇头，"不，最想知道的肯定是你了，亲爱的。"她转身继续履行起女主人的职责。

这一切欢乐庆祝的背景音是不断响起的电话铃声，都是打来祝贺和询问的。厄克特的秘书在交杯换盏和闲谈之间坚守着电话。但现在她站到厄克特的旁边，皱着眉头。"是找您的，"她颇为紧急地耳语道，"罗杰·奥尼尔打来的。"

"告诉他我很忙，之后会给他回电话的。"他下了指示。

"但他之前已经打了电话来，听起来特别焦急。让我告诉您'真他妈的十万火急',这是他的原话。"

厄克特不耐烦地低声咒骂一句,走出人群来到窗边。那里是他的办公桌,但欢庆的人群依然能将他一览无余。"罗杰?"他温柔地说道,一边向满屋子客人展露出一个明朗的微笑,不想让任何人察觉到他内心的焦虑,"非要这时候打电话吗?我这儿一屋子客人呢。"

"她查到我们头上来了,弗朗西斯。他妈的小贱人——她知道了。我很确定。她知道是我做的。下一个就要找到你了。那个母夜叉。我什么都没跟她说,但她就是知道了,天晓得是怎么知道的,但是……"

"罗杰,仔细听我说。振作起来,理理头绪。"厄克特的语气依然十分平静,但他转身面对窗户,不想让人从他的唇语读出蛛丝马迹。

但电话那头的奥尼尔还在含含糊糊地喋喋不休,好像一列无人驾驶的高速火车,四处乱窜。

厄克特打断了他,"罗杰,慢一点,跟我说清楚,到底怎么回事。"

然而奥尼尔又开始词不达意,厄克特不得不努力地听着,想从一团混乱的词语、口水喷溅声和喷嚏中理解他的意思。

"她跑来见我,就是那个媒体厅的母夜叉。我也不知道为什么,弗朗西斯。不是我说的,我什么都没跟她说。我应付过去了,她走的时候好像还挺满意的。但她不知怎么的,肯定知道了。知道了一切,弗朗西斯。帕丁顿的地址、电脑、甚至是他妈的民意调查。肯德里克那个混蛋肯定到处乱说。我的天哪,弗朗西斯,如果她不相信我怎么办?"

"等一下,"厄克特边转头微笑边语气严厉地说,"谁,罗杰?我们这说的是谁?"

"斯多林,玛蒂·斯多林。她说……"

"她有什么确凿的证据吗?还是只是在瞎猜?"

奥尼尔短暂地停顿了一秒,"我想没什么确凿的证据吧。都是猜测的。除了……"

"除了什么?"

"有人告诉她是我去开的帕丁顿那个地址。"

"怎么会——"

"我也不知道，弗朗西斯，我他妈的也不知道啊。但没关系的，不用担心，她现在以为我是去帮科林格里奇办事。"

"罗杰，我很高兴——"

"听着，是我帮你干的这些脏活，承担的所有风险。我在外面出生入死的时候，你什么也不用担心。哦，弗朗西斯，我需要帮助，我很害怕！我帮你做了太多不该做的事情。但我没有问过任何问题，只是按你的指示来做事。你必须得把我解救出来。我再也承受不了了——我也不会再去承受了。你必须要保护我，弗朗西斯。你听见了吗？哦，天哪，求你了，你一定要帮帮我！"

"罗杰，冷静点！"他双手捂着电话听筒轻声说，"她绝对没有任何证据，你没什么好害怕的。我们俩是一条绳子上的蚂蚱，你懂吗？我们会一起渡过难关的，然后一起奔向唐宁街。"

电话那一头什么回应都没有，只传来不受控制的抽泣。

"我想让你做两件事情，罗杰。第一，好好想想你唾手可得的贵族地位，还剩几天就要成功了。"

厄克特觉得自己依稀听到了一声含糊的感谢。

"与此同时，罗杰，你必须躲着斯多林小姐，明白吗？"

"但是——"

"躲着她！"

"遵命，弗朗西斯。"

"我来对付她。"厄克特低声说道，挂断了电话。

他站在那里，双肩微微有些弯曲，看着窗外，任凭情绪潮水一般向自己涌来。背后是一群身处权力漩涡的人们，将把他送入唐宁街，眼前则是几百年来一成不变的河景，激励了多少伟人。而他刚刚挂断的这个电话，通话人是唯一一个可能毁掉这一切的人。

# 四十一

等一个政客终于作古，见到圣彼得，他会对这位天堂守门人说些什么呢？抱怨有多少人没有去投票？请求上帝让时光倒流，回到关键时刻，让投票站一直开着，这样一切都会大变样？

我和他们不一样。我会直视着他，告诉这个老混蛋他被炒鱿鱼了。

当天夜里稍晚，他就给她打了电话，"玛蒂，来一趟好吗？"

"弗朗西斯，我很想来，真的很想来，但你屋子外面不是人山人海吗？"

"来晚一点，人就都走光了。"

"那么……厄克特夫人呢？我可不想打扰她。"

"好几天前已经回乡下去了。"

临近子夜，她才轻手轻脚地走进剑桥路的前门，关门之前确定没有任何人在看。不知为何，她觉得自己有点鬼鬼祟祟，好像在做什么亏心事，但另一方面又充满期待。

他十分缓慢地脱下她的外套，然后很近地看着她。她觉得气氛很奇怪，突然情不自禁地在他面颊上留下一个吻。

"对不起，"她脸红了，"只不过是为了……祝贺你。有点不太专业吧，刚才。"

"你可以这么说，玛蒂。但我可没有不高兴。"他哈哈大笑起来。

很快两人就在他的书房落座，带着裂纹的古旧皮具之间流转着一种略带阴谋的亲密感。他们手里各拿着一杯威士忌。

"玛蒂,我听说你最近很调皮啊。"

"你都听说什么了?"她警惕地问道。

"挺多的,最大的一件是你惹恼了格雷维尔·普雷斯顿。"

"哦,那件事啊。恐怕我是跟他闹翻了。"

"恐怕?"

"格雷不登我的任何文章。我被封杀了,他要我跑去写些花花草草之类不痛不痒的东西。"

"那也很不错嘛。"

"全世界都在变化,我参与不进来,还叫不错。特别是……"她有些犹豫。

"特别是什么,玛蒂?看得出来你很困扰。"

"特别是遇到那么重大的事情,不道德的丑闻。"

"你说的就是政坛常态嘛。"

"不,不仅仅是政坛常态这么简单,要丑陋得多。"

"如果你愿意的话——一五一十地跟我讲讲,就把我当成个神父吧。"

"不,我永远也做不到,弗朗西斯。"

"我记得你以前说过看见我就想起你父亲?"

"只是你的力量而已。"

她的双颊略微发红,看上去有些害羞。他报以微笑。玛蒂眼前的房间突然间充满了各种旋转的色彩——他那水晶般透明的蓝眼睛;打着旋涡的琥珀色的威士忌;深色的旧皮具;紫色的波斯地毯。在这子宫一般的寂静中,她甚至能听到自己的心跳。她举起酒杯,他又往里添了酒,心里清楚她来这儿就给事情起了个头,现在必须做个了结。

"我觉得有人在故意针对科林格里奇。"

"真是个引人入胜的话题。"

"泄露的民调,泄露的信息。我觉得帕丁顿的地址也是陷害,这意味着……"

"意味着什么？"

"股票交易也是有人栽赃陷害的。"

厄克特看上去惊呆了，好像有人突然压紧了他的脸，"但是为什么呢？"

"当然是为了除掉首相啦！"她大喊起来。她现在这么明白，而他却这么迟钝，真是令人沮丧。

"但是……但是……是谁呢，玛蒂？是谁呢？"

"罗杰·奥尼尔是其中的关键人物。"

"罗杰·奥尼尔？"厄克特嘲讽地大笑起来，"那他究竟能从这一切中得到什么呢？"

"我不知道！"她单手握拳捶打着皮沙发，感到一筹莫展。

厄克特从自己的座位上站起来，坐到她身边，拉着她的手，慢慢展开每一根手指，用大拇指抚摸着小小的手掌，"你很苦恼。"

"我当然苦恼了。我是个记者，现在有本世纪最大新闻，但没人愿意帮我发表。"

"我觉得你太苦恼了，思路都不清晰了。"

"你什么意思？"她觉得被冒犯了。

"罗杰·奥尼尔，"他重复道，语气里全是轻蔑，"这个男人连自己的日常生活都控制不好，怎么可能策划这么复杂的一场阴谋呢？"

"我也注意到了。"

"所以呢……？"他用鼓励的语气引导着她。

"他肯定是和别人合作的。这个人权势更大，官位更高。可以从首相下台这件事中获益。"

他赞赏地点点头，"肯定有另外一个人，在操纵着奥尼尔。"他正把她推向一条危险的道路。但他心里清楚，玛蒂最终会靠自己的力量到达目的地。此时他最好牵着她的手做领路人。

"所以这是一个很有手段和动机的人，可以控制奥尼尔，也能接触到敏感的政治信息。"

他带着越来越浓厚的欣赏看着她。她不仅仅有张漂亮的脸蛋，而且一旦上了路，判断和推理的能力简直惊人。走到这条路的尽头，她终于看清前方的风景，不由得倒抽一口冷气。

"这个人肯定一直和首相不和，跟他对着干呢。"

"符合这个条件的有很多啊。"

"不！不！你难道还不明白吗？只有一个人完全满足条件。"这个发现让她兴奋得气喘吁吁，"只有一个人，泰迪·威廉姆斯。"

他坐在沙发上，下巴松弛下来，"我的天哪，这真令人震惊。"

现在轮到她紧紧握着他的手了，"你现在能理解我为什么苦恼了吧。这么棒的一个报道，格雷连碰都不碰。"

"为什么呢？"

"因为我证明不了，没有任何确凿的证据。我现在算是黔驴技穷了，不知道该怎么办，弗朗西斯。"

"这是我今晚叫你来的其中一个原因，玛蒂。你的日子不好过，我觉得我也许帮得上忙。"

"真的吗？"

"你需要给普雷斯顿提供点别的，他没法抗拒的东西。"

"那是什么呢？"

"厄克特竞选活动的内部报道。谁知道呢，我甚至可能会赢呢？如果我赢了，那些之前帮助过我的人在佛里特街就能节节高升。我向你保证，玛蒂，如果我赢了，你的帮助肯定尤其功不可没。"

"你是认真的吗，弗朗西斯？为了我？"

"当然啦。"

"但是为什么呢？"

"因为！"他的双眼被笑意点亮，接着又变得严肃起来，深深地看着她，"因为你是个特别好的记者，玛蒂。因为你非常美丽——说这个不算冒犯吧？"

她抛出一个风情万种的浅笑，"你完全可以这么说，但我不可能发表任何评论。"

"还因为，玛蒂，我喜欢你，非常喜欢。"

"谢谢你，弗朗西斯。"她往前斜了斜身子，吻了他，这次不是在脸颊上，而是嘴唇。但她立刻又受惊地退了回去，"对不起，我不该这么做的。"

他站在原地没动，稳如磐石。她又吻上他的双唇。


已经很晚很晚了，凌晨一点过了很久，玛蒂已经回到自己的家。而厄克特却离开家，回到了下议院的办公室。秘书早已清空了烟灰缸，洗净了酒杯，摆正了坐垫。他离开的时候这里还人声鼎沸，现在却死一般寂静。他关上门，仔细地锁好，来到四个抽屉的文件柜面前，越过粗壮结实的保险杆，伸手放在密码锁上。他拨了四次转盘，来来回回的，直到听到轻微的"咯哒"一声，保险杆落在他手中。他把这东西放在一旁，打开了最底下那个抽屉。

抽屉嘎吱嘎吱地打开了，那里面装满了文件，每一份文件上都有一名议员的名字。每一份文件里的材料都足以让那个议员颜面扫地，甚至锒铛入狱。这些都是他小心翼翼从党鞭办公室的保险箱里取来的。他用了将近三年的时间积累起这些秘密，这些愚蠢到家的行为。

他跪在地上翻看着一份份文件，终于发现自己想找的东西了。那是一个厚厚的信封，上面已经写了地址，并封了口。他把信封放在一边，关上抽屉，又锁上了文件柜。习惯性地仔细检查了一下，确保保险杆和密码锁合上了。

他没有径直开车回家，而是来到索和区破烂的地下市场，找到到处都是的摩托车送信人。他把信封留下，用现金付了钱，嘱咐对方一定要送到目的地。当然，如果他就在下议院投递要方便很多，那里有这个国家最有效率的邮政局之一。但他可不想让这个信封上出现下议院邮局的邮戳。

# 四十二

*任何程度的残酷都是不可原谅的，所以要狠就要狠到底，中途心慈手软是没有任何意义的。*

## 十一月二十四日　星期三

"砰"的一声，信件和报纸几乎同时到达了伍尔顿位于切尔西的门垫上。伍尔顿一大清早就感觉春风得意，穿着睡衣下了楼，把报纸聚集起来，摊在餐桌上，然后把邮件放在门厅一个复古的小凳上。他每周都收到来自选区和其他记者的三百多封信件，早就放弃一一细读了。所以他把信件都留给夫人去处理。她不但是贤内助，也是他的选区秘书。他帮妻子在议会当局申请到数量可观的秘书津贴，作为内阁官员津贴的补充。

毫无疑问，各家报纸都在大篇幅地报道领袖竞选。标题看起来都是些以前做体育报道的人写的，头版充满了"齐头并进"、"三强争霸"和"终点留影"这样的字眼。其他版面的评论稍微冷静了些，说现在还很难预测三位候选人谁比较有优势。他先选了《卫报》的分析版。这并不是他平时的第一选择，这份报纸的左翼立场太过激进，搞得自己像跳梁小丑。不过，下次选举的时候这份报纸是注定不会支持任何一个候选人的，所以对结果应该有更理性和更客观的看法。

"现在党派面临的选择很简单，"评论开头写道，"目前迈克尔·塞缪尔是三个人里面最受欢迎，最光鲜体面的人物。过往清清白白，在政坛一路顺风的同时，也没有丢掉社会良知。党内有些图谋不轨的人攻击他'过于自由'，他应该把这个称号像徽章一般骄傲地佩戴在身上。"

"帕特里克·伍尔顿则是完全不同的政客。他万分自豪于自己的北方血统，看来是一个作风强硬，可以维护全国统一和谐的人。然而，他的铁腕从政风格是否能够将其自己党派内分裂的双方统一起来也很成问题。尽管他已统领外交部多年，他在外交事务上仍然缺乏耐心，行事做人都好像还在给过去的英式橄榄球联盟效力，只知横冲直撞。反对党领袖曾经说他这个人常常流窜在威斯敏斯特的大街小巷，故意寻衅滋事，不管跟谁都想打一架。"

伍尔顿含混地赞叹了一声，一口吃掉半片吐司，又抖了抖报纸继续看下去。

"弗朗西斯·厄克特比前两者都更难评价。三人之中，他的经验最少，也最不出名。然而他在第一轮投票中的成绩是非常出色的。他取得这样的成功大概有三个原因。首先，作为党鞭长的他十分了解执政党，而党派成员也对他相当熟悉。这次竞选的决定权掌握者并非其他人，而是他在执政党中的同僚，他在公共场合的低调也许并不像很多人想的那样是个劣势。

"第二，他的竞选活动进行得高贵得体，体面尊严，没像其他候选人那样互相攻击，互相谩骂，唾沫四溅，血肉横飞。他在从政过程中表现出的品质说明他十分看重传统，有着贵族的修养与威仪，又能让他十分中立，对党派两翼都左右逢源。

"最后，也许他最大的优势就是他不是其他两人。很多议员在第一轮都坚定地支持他而不是另外两个更有争议的候选人。那些想保持中立的人明显会倾心于他，但这个原因也有可能最终让他的竞选功败垂成。现在要议员们做出明确决定的压力越来越大，厄克特可能会成为受害最大的候选人。

"这样一来，选择就十分清晰明了了。那些想要标榜他们社会良知的人会支持塞缪尔，希望来一场紧张刺激的铁血政治游戏的人则会支持伍尔顿，那些举棋不定的中立人士显然会倾向于厄克特。不管他们做什么样的决定，都会得偿所愿，得到想得到的东西。"

伍尔顿看得咯咯直笑，吃完了吐司。妻子走过来靠近他，臂弯里是今早收到的信件。

"他们怎么说？"她朝报纸点点头。

"他们说我是没有胸的玛格丽特·撒切尔，"他说，"肯定他妈的稳操胜券。"

她又往他的茶杯里添了茶，叹了口气，坐在一堆邮件前，开始翻看。现在对她来说这个过程就像在完成一件艺术品。她电脑里的文字处理软件进行了仔细编程，有一系列谨慎得体的标准回复。只要轻轻敲敲键盘，回复看上去就会十分亲密，好像专为那一个人而写。接着就用伍尔顿从美国带回来的一台签名机——签名。很多信件的内容大同小异，都是用环保墨水写成的，一般都是来自那些个人。他们要么是发泄不满，要么游说相关事务，要么就发疯一般唠叨抱怨。但每个人都会得到回复，就算是最难听的谩骂，她也不敢怠慢，要好好地回复，否则丈夫可能就会丢掉一票，她可不敢冒这个险。

她把那个厚厚的牛皮信封留到了最后。是有人亲自送来的，钉得很牢。她用了好大力气才打开，差点把精心修饰好的指甲都弄花了。等拆开最后一个顽强的书钉，一盘磁带掉在她大腿上。信封里没有其他东西了，没有信，没有抱怨的纸条。磁带上也没贴什么标志说明来自哪里，内容是什么。

"傻死了，他们究竟怎么想的，寄这么个东西来，我们怎么回复啊？"

"很可能是上周末演讲或者最近某次采访的录音。"他心不在焉地说道，都没从报纸里抬头看一眼。"再倒点儿茶，亲爱的，然后我们来听一听吧。"他大手一挥，指向音响设备所在的方向。

他那一向忠于职守的妻子按照他的吩咐做了。他喝着茶，注意力集中在《太阳报》的社论上。收音机上的回放标志亮起了红光，已经在读磁带了。有一系列的嘶嘶声和爆裂音，很显然不是专业的录音。

"把那该死的声音开大点啊，亲爱的！"他指示道，"让狐狸听听鸡叫。"

一个年轻女人的笑声充满了整个房间。不一会儿，就传来她低沉的喘息。伍尔顿夫妇好像被这声音催了眠似的，一动不动。过了好几分钟，没人倒茶，没人看报，而扩音器里已经传来了很多声音：沉重的呼吸，低声的咒骂，嘎吱嘎吱响的床垫，欢乐的嘟哝，床头板有节奏地敲击墙壁。磁带中的内容几乎没留下任何想象的空间。女人的叫声越来越急促和尖利，只是偶尔停下来喘息一下，接着两人又到达了欢愉的新高峰。

接着，在男女双方满足的叫声中，这春宵一刻结束了。女人咯咯地笑着，而男人则低沉地呼吸着。

"哦，我的天哪，真是太棒了。"男人边喘气边说。

"你这老头表现得还不错嘛。"

"姜还是老的辣！越老越有劲儿！"

"那我们还要再来一次吗？"

"只要你别他妈的把整个伯恩茅斯都吵醒就行。"这确凿无疑是伍尔顿的兰开夏口音。

从磁带一开始播放，伍尔顿和他的妻子就一动不动，但现在她慢慢走到房间那头，关掉了放音机。一侧的脸颊落下一滴柔软的泪水，她转身看着丈夫，发现他躲避着她的目光。

"我能说什么呢？对不起，亲爱的。"他低声喃喃道，"我不会对你撒谎说这是伪造的。但我真的很抱歉，真的。我从来没想过要伤你的心。"

她没有回答，但是脸上痛苦的表情比任何愤怒的言辞更具杀伤力。

"你想让我怎么做？"他轻声问道。

她转过身背对着他，脸上涌动着忧伤和痛苦。她必须用指甲狠狠掐着手掌才能控制住自己的情绪。"帕特，过去二十三年来，我几乎都是睁一只眼闭一只眼。我也没那么蠢，这肯定不是你唯一一次出轨。但你至少可以收敛一点，别让我抓个现行，别让我看到这些。你欠我的。"

他沮丧地垂着头。

她停顿了一会儿，让他好好感受一下自己的愤怒。

"但我有自己的骄傲，有件事我无法容忍，就是让那样一个小贱人破坏我的婚姻，玩弄我，嘲笑我。我不会坐视不管。找到这个敲诈我们的小贱人，问问她到底想要什么？要么就满足她，必要的话就去报警。但一定要让她消失，让这个消失！" 她把录音带扔向他，打在他的胸上弹开了。"这东西不该放在我家里。如果我再听到这样的脏东西，你也滚出我的家！"

他看着她，双眼含着泪水，"我会解决的，我保证。你不会再听到这样的事情了。"

# 四十三

*爱能直抵一个男人的内心。而恐惧，则能征服他更易攻破的那些部分。*

## 十一月二十五日　星期四

佩妮向着乌云密布的铅灰色天空不高兴地皱了皱眉头。她从自己所住的伯爵府大厦出来，谨慎地走上人行道。天气预报已经说了好几天可能会突降寒潮，现在果然应验了，看上去是要大闹一番的感觉。她小心翼翼地躲开路上冻结的水洼，很后悔穿了双高跟鞋却没穿靴子。她在人行道边上缓慢地移动着，往手里呵气取暖。突然间一扇车门打开了，堵住了她的去路。

她弯腰下去，想告诉司机小心点，结果看见方向盘前的居然是伍尔顿。她对他笑了笑，但他却对这热情的招呼没有丝毫回应。他直直地看着前方，对她目不斜视。虽然一句话没说，她还是会意地坐在了副驾驶位子上。

"你想要什么？"他的声音听起来就像早上的空气一样寒冷。

"你能提供什么？"她笑了起来，但看到他那双空洞无物的眼睛时，心里升腾起微微的困惑。

他的双唇很薄，有好看的弧度，说起话来会露出洁白的牙齿。

"你就非要把那盘录音带送到我家去吗？这样做真是太残忍了。我老婆都听到了。你这么做真的很蠢，因为她知道了，你还怎么敲诈我呢？没有报纸或电台会去碰它的，因为很有可能冒诽谤罪的风险，他们承担不起。所以你没法再利用那个来兴风作浪了。"

他没有说实话。如果落到图谋不轨的人手里,那盘磁带仍然能够毁灭他。但他希望眼前这个傻女人不懂这些。他的虚张声势好像有所收效,因为她脸上全是警惕。

"帕特,你到底在说什么啊?"

"你他妈寄给我的那盘磁带!你这愚蠢的小贱货,别在我面前装了!"

"我……我没给你寄什么磁带啊。我根本不知道你在说什么。"

这是一场突如其来的情感袭击,她感到十分震惊,情不自禁地抽泣起来,呼吸有些困难。他凶狠地抓住她的手臂,痛得她直掉眼泪。

"磁带!磁带!你寄给我的那盘录音带!"

"什么磁带,帕特?你为什么要弄痛我……?"

本来如涓涓细流的泪水现在开始肆意奔涌。外面的街道开始被车窗上凝结的雾气隔开,她被困在一个疯狂的世界当中。

"看着我的眼睛,告诉我,你真的没有给我寄磁带,录了我们在伯恩茅斯干的事儿?"

"没有,真的没有。什么磁带啊?"突然间她倒抽一口凉气,吓得眼泪都掉不下来了,"录了我们在伯恩茅斯的事情?帕特,这太卑鄙了。但——是谁呢?"

他松开她的手臂,头慢慢垂在方向盘上。"哦,我的天哪,这比我想的糟糕得多。"他小声说道。

"帕特,我不明白。"

他面色灰白,好像突然间老了很多,脸上的皮肤像老旧的羊皮纸一样松弛。

"昨天有盘磁带被送到我家,录了党派会议期间我们在床上的整个过程。"

"你以为是我送去的?你怎么这么想我啊,你这该死的东西!"

"我倒希望是你,妮妮。"

"为什么,为什么是我?"她带着嫌恶,大喊大叫起来。

他双手紧紧抓住方向盘，关节都发白了。他向前看去，但眼神空洞。"我希望是你，妮妮。因为如果不是你的话，我完全不知道是谁在捣鬼。这事儿发生这么久了，这个时候才送到我手里肯定不是个巧合。他们不是要敲诈我的钱，是想让我退出领袖竞选。"他的声音越来越小，最后变成只有自己才能听得到的耳语，"估计到下个星期二，我就完了。"

伍尔顿整个上午都在拼命思考和回忆。他毫不怀疑这盘磁带突然出现是因为领袖竞选。他想出了十几种幕后黑手的可能，甚至想到了俄罗斯人，但没有哪一种可能说得通。他走投无路了，只好先给妻子打了个电话，现在他最对不起的人就是她。接着他宣布要召开一个记者招待会。

面对这样的难题，有的男人可能会决定悄悄隐退，祈祷颐养天年，不再有人来打扰。但伍尔顿可不是"有的男人"。他这种人宁可战死沙场，拼命抢救梦想的残骸。现在的他可以不计后果，拼死一战了。

午饭后不久，记者招待会顺利召开，他的心情非常坚决。时间紧迫，没法做什么正式的安排，他请媒体人士都到河南岸正对着下议院的艾伯特路堤去见他。他需要一个戏剧性的背景，所以金黄色的宫殿与大本钟正是理想的布景。摄影师准备就绪以后，他就开口了。

"下午好，我要发表一个简短的声明。事先道歉，我没时间回答问题。但我觉得你们不会失望的。"

他等着另一个摄制组匆匆赶到，将一切设备准备就绪。

"周二第一轮投票过后，好像只有三个候选人有望赢得最后的选举。事实上，我知道其他人都已经宣布他们不会参加第二轮投票。因此，就像你们所说的，这是一次'三强争霸'。"

他停顿了一下。天真他妈的冷，还要宣布如此艰难的决定。他希望面前这群人也冻僵了。

"当然，我很高兴自己是三强之一，这让我万分荣幸。但'三'

可不是什么好数字。这场选举事实上并没有三个选择，只有两个。要么党派继续坚持实践派的从政方法。这方法的成功已经得到了证实，并在十多年来让我们保持了执政党地位。要么就发展新的政策，有人将其称之为'良心政治'，让政府更深入地参与——有人可能会说'陷入'到世界上每一个问题的解决过程中。这就是所谓的'老大哥'。大家众所周知，这不是我一贯的作风。"

记者们开始交头接耳，每个人都知道党派内部存在这样的分歧，但很少有人这么公开拿出来说。

"不管出发点多么良好，我也不相信着重在'良心政治'上会带来多大的好处。事实上，我认为这会给党派和国家带来灾难。我相信这也是党内大多数人的看法。但正因为如此，如果这大多数人在两个候选人之中举棋不定的话，我们的未来可能会更加悬而未决。支持实践政策的候选人是弗朗西斯·厄克特和我本人。我是一个很实际的人，我不希望自己的个人目标阻碍那些我一直坚信的政策的实现，但目前看来可能会发生这种情况。"

天气寒冷，他的字字句句却好像冒着火，在空中螺旋上升。

"那个地方，"——他指着身后的下议院大楼——"对我来说意义太重大了。我希望由正确的人以正确的政策有效地统领和管理。因此，女士们、先生们"——他最后环视了一眼围在他身边的摄像机和人群，抓住时机再吊吊他们的胃口——"我不愿意冒任何风险，现在有太多东西都处于'覆巢之下，将无完卵'的状态。所以我宣布退出竞选，希望我的支持者们都会投票给弗朗西斯·厄克特。我衷心地希望他能成为我们的新首相。我没有其他要说的了。"

最后一句话几乎淹没在数百声快门的"咔嚓"声中。他没有多停留，只是沿着河岸大步走向正等待着他的车。有几个人跑了过来，追着车跑了一截，但他的车已经远远开上了威斯敏斯特大桥，看不见他本人了。剩下的人站在原地陷入了迷乱与困惑。他没有留下任何提问的时间，没有机会想出什么理论或是刺探他这一席话背后的深意。他们手里有的就是他的这番声明，大家都只能直接登出来——这正中伍尔顿下怀。

他开车回了家，妻子正站在门廊上等着他，和那些记者们一样困惑。两人走进屋中，他伤感地微笑着。她允许他在自己脸颊上吻了一吻。他沏了茶。

"你决定多花点时间陪陪家人吗，帕特？"两人在餐桌的两边面对面坐下，她狐疑地问道。

"没什么坏处嘛，是不是？"

"但是呢？你总会有个'但是'的。我明白你为什么必须退出，我觉得这样惩罚你应该已经够了。"

"你会对我不离不弃的吧，亲爱的。那比任何事情都重要，你明白的。"

她小心翼翼地字斟句酌，不想这么容易就放过他，"我会继续支持你的，就像过去一样。但是……"

"又他妈的'但是'。"

"但你究竟为什么决定支持弗朗西斯·厄克特呢？我从不知道你们俩关系那么好。"

"那个特别有优越感的家伙？我们关系才不好呢。我甚至都不喜欢他。"

"那到底为什么呢？"

"因为我已经五十五了，迈克尔·塞缪尔才四十八。也就是说他可能在唐宁街舒舒服服地做十二年首相，直到我死入了土。而弗朗西斯·厄克特都快六十二了，他掌权应该超不过五年。所以选了厄克特，在我行将就木之前，很可能还有领袖竞选。同时，要是我能找到这盘磁带的幕后黑手，或者按我衷心希望的，他们在惨烈的事故中不幸丧生，那我就还有卷土重来的机会。"

烟斗冒着蓝幽幽的浓烟，旋转着飞到天花板上。他继续着自己的逻辑分析。

"无论如何，我保持中立的话，也得不到什么好处。塞缪尔不可能让我进入他的内阁，所以，我就直接把选票拱手让给厄克特，他肯定要公开地表现点感激之情啊。"

他看着妻子，挤出一个笑容。从两人听到磁带内容之后，这还是第一次。

"他妈的，事情还有可能更糟呢。现在已经算好的了。你觉得接下来几年做财政大臣的妻子怎么样？"

# 四十四

领导力的关键标志是夸大自己的力量，政治的核心内容是遮掩自己的错误。

## 十一月二十六日  星期五

第二天早上的气温仍然是零度以下，但新的锋面过境，给首都带来透明高远的蓝天，比昨天乌云密布的铅灰色天空明媚了许多。看上去这是一个全新的开始，厄克特从办公室的窗口望出去，好像看到了自己如同蓝天一样明亮的未来。在伍尔顿的支持下，他觉得自己已经坚不可摧，马上就要顺利当选了。

门突然开了，发出炸弹爆炸般的声音，在一片混乱中，衣衫褴褛的罗杰·奥尼尔闯了进来。厄克特还没来得及问他到底为什么来这儿，他就开始张口胡言乱语。字字句句像机关枪的子弹一样乒乒乓乓地蹦了出来，直冲厄克特的脸庞，好像要打倒他，摧毁他。

"他们知道了，弗朗西斯。他们发现文件丢了。锁是弯的，一个秘书注意到了。主席把我们都召集起来了。我肯定他怀疑我。我们怎么办啊，我们怎么办？"

厄克特猛烈摇晃着他，让他停止这无法理解的喋喋不休，"罗杰，看在上帝的份上，闭嘴吧！"

他用力把他推进一把椅子，扇了他几个耳光。罗杰终于停下来喘了口气。

"好，别着急，罗杰，慢慢说。你要说什么？"

"文件，弗朗西斯。关于塞缪尔的秘密党内文件，就是你叫我发给日期日报纸的那些。"他气喘吁吁，仿佛身心俱疲，双眼的瞳孔扩散放大，眼睛周围好像暴露已久的伤口，面如死灰。

"我没费一点劲就用通行证进了地下室。所有的储藏室都在那儿，但文件都被锁在柜子里。我必须要用暴力打开锁，弗朗西斯。很抱歉，但我没有任何选择。没用多大力气，但锁弯了一点点。好多灰，好多蜘蛛网，看上去好像布尔战争①之后就没有人碰过了。但昨天有个贱人秘书不知怎么的就去了，注意到弯曲的锁。现在他们已经清点了所有的文件，发现塞缪尔的不见了。"

"你把原件发给他们了？"厄克特惊讶地问道，"你没按照我说的，复印一下那些有趣的部分，就发那一点儿？"

"弗朗西斯，文件有我胳膊那么厚，要花上好几个小时去复印呢。我也不知道他们最感兴趣的是什么，所以——就把全部文件寄给他们了。本来不可能在短时间内发现文件丢失的，可能时隔多年发现以后也会以为是放错地方了。"

"你他妈的绝对是个蠢蛋，你……"

"弗朗西斯，别吼我！"奥尼尔尖叫起来，"是我替你冒了所有的风险，你舒舒服服坐享其成。主席正亲自审问每个有通行证的人，只有我们九个。他说今天下午要见我。我肯定他怀疑我。我可不会自己一个人背黑锅。凭什么啊？我只是按照你说的办事啊……"他抽泣起来，"弗朗西斯，这个谎我撒不下去了，我就是忍不了了。我要崩溃了！"

厄克特惊呆了，他意识到奥尼尔这些绝望的话后面隐藏的事实。面前这个筛糠一般颤抖着的男人已经没有任何抵抗力和判断力了。他已经像一面没有地基的老墙那样开始分崩离析了。别说一周了，单就这两天，奥尼尔也撑不下去，会失去理智。他正处在自己人生悲剧的

---

① 十九世纪末英国人和布尔人之间为了争夺南非殖民地而展开的战争。

边缘，即使轻轻的一点风也会卷着他坠入毁灭的深渊，而他会拉厄克特来垫背。

他开口了，用安抚而坚定的口吻，"罗杰，你太焦虑了。你没什么好怕的。没有人能证明任何事。你必须牢记，我是跟你站在一起的。这件事你不是一个人。听着，不要回办公室，请个病假，回家休息一下。主席可以等到周一。明天我希望你能来我汉普郡的家做客。来吃午饭，在我家过夜，我们俩好好把这事儿说清楚。就我们俩，你觉得怎么样？"

奥尼尔紧紧抓住厄克特的手，好像残疾人依赖拐杖，"就你和我，弗朗西斯……"他又开始抽泣，说不出话来。

"但你不能告诉任何人你要来我家。如果媒体发现领袖竞选投票前夕一个高级党内官员单独在我家做客，那可太尴尬了——我们俩面子上都不好看。所以这件事只能你知我知，你的秘书都不能告诉。"

奥尼尔本想说些感激的话，但情不自禁地连打了三声巨大的喷嚏，让厄克特倍感恶心。奥尼尔根本没注意到，只是擦了擦脸，笑了笑，好像一条摇尾乞怜的落水狗。

"我一定会来的，弗朗西斯，相信我。"

"我能相信你吗，罗杰？"

"当然能了。就算杀了我，我也会去那儿。"

## 十一月二十七日　星期六

天还没亮，厄克特就起了床。他彻夜未眠，但一点也不累。他一个人在家，周末妻子又出去了。他也不知道她去了哪儿，但这是他的选择，请她给他点独处的时间。她仔细观察了他的表情，想从他的眼神里找到一点蛛丝马迹，怀疑他是不是要会什么情人。男人有时候就是笨得不可理喻。当然，他绝不会如此愚蠢，特别在这样一个周末，下周有那么重大的事情。

"不是的，莫蒂玛，"他轻声说，明白她的担心和忧虑，"我只是需要一点时间，反省反省，走一走，读读书。"

"不管怎样都好，弗朗西斯。"她回答道，接着就离开了。

天色还早，清晨的第一缕阳光还没有照射到新森林地区的上空。他穿上自己最喜欢的出猎外套，拉好皮靴的拉链，走进严寒的清晨，顺着贯穿埃默里顿村通向林德赫斯特的骑马专用道踽踽独行。地面的雾气缠绕在灌木篱墙之间，让鸟儿望而却步，也阻挡了所有的声音。这就像一个茧，将他和他的思想与外界的一切隔绝开来。他走了将近三英里，接着开始顺着一座小山的南路慢慢向上攀爬。渐渐的，雾气散去，太阳东升，穿透了湿润的空气。他从弥漫的雾气中直起身子，看见阳光普照的山那边正有一只牡鹿经过，在满含露珠的金雀花之间吃草。他轻手轻脚地躲到一丛低矮的灌木后面，静候时机。

他并不特别喜欢自省，但有时候他的确需要叩问自己的内心，挖掘自己的灵魂深处。他总会在那里遇到父亲，或是他的残骸。那也是在类似这样的一片荒野上，不过地方是苏格兰的高地，一丛丛黄灿灿的金雀花正在盛开，就在花丛之下，他们找到了他的尸体。他身旁是最爱的二十响伯帝步枪，是他的父亲传下来的，只打空了一个弹药筒，这样就足以爆掉他半边的头。这个男人真蠢，真懦弱。让整个厄克特家族蒙羞，让他的儿子至今内心扭曲，觉得自己低人一等。

这只牡鹿年纪尚幼，高高地昂着头，嗅着清晨的空气。他有着船桨一般美丽壮观的鹿角，在初升的太阳下显得那样美丽。有着斑驳花纹的侧腹上留着一道深深的伤疤，说明它最近可能跟哪头雄鹿打过架，失败了。它还年轻，应该再多享受享受的。但厄克特知道自己没这么幸运，他正在参与的这场战斗将会是最后一场，这场失败了便再无风水轮转一说，他将死无葬身之地。

牡鹿没发现厄克特的存在，又靠近了一点，继续吃草。栗色的皮

304

毛在阳光里闪闪发亮，短短的尾巴不断抽搐着。如果此时年纪还轻，厄克特可能会花上好几个小时欣赏眼前这幅风景。但现在他不能悠闲地坐着，想着自己父亲死去的惨状。他站了起来，离这头美丽的野兽不到三十米。牡鹿看到他，困惑地惊呆了，感觉自己应该早就被打死了。等回过神来，他往旁边一跳，瞬间撒开四蹄消失了。厄克特的大笑随着逃窜的牡鹿飘进了薄雾当中。

回到家以后，他直接来到自己的书房，没换衣服，拿起了电话。他给四家最顶尖的星期日报纸打了电话，打听到两家在写社评。一家扬起了支持塞缪尔的大旗，另一家态度不太明朗。不过，四家报纸都从不同程度上认为厄克特有着明显的优势。《观察家报》的民意调查专家现在已经成功联系了大多数执政党的成员，他认为这个判断确凿无疑。调查预测，厄克特可能会以百分之六十的选票轻松得胜。

"看起来，现在只有发生地震，才能阻止你获胜了。"《观察家报》的编辑说道。

"还有真相大白。"厄克特放下电话听筒，小声说道。

厄克特一直坐在书房里，直到听到奥尼尔的车停在屋外面碎石铺就的车道上，发出刺耳的刹车声。这个爱尔兰人漫不经心地停下车，疲倦地走了下来。他走进门厅的时候，厄克特不禁注意到，与不到六个月前和他去俱乐部吃午餐的那个男人相比，眼前这位客人已经面目全非了。原本身上那种随意的优雅变成了完全的邋里邋遢。过去潇洒桀骜的头发现在乱成一团，衣服皱巴巴的，领子没扣好，也全是褶子。这位曾经温文尔雅，打扮入时的"宣传员"现在看上去跟街上的流浪汉别无二致。过去让女性和客户们无比着迷的深邃而闪亮的双眼不知去向何方，取而代之的是两颗疯狂的眼球，只知道紧盯着对方，还经常贼眉鼠眼地四下探寻，仿佛在寻找永远也找不到的东西。

厄克特领着奥尼尔来到二楼的一间客房。两人走上台阶时，他几乎什么都没说。每一步都充满了奥尼尔上气不接下气的喋喋不休。这位来客对房间窗外新森林地区的美丽景色根本毫无兴趣。他把过夜的包往床上随意一扔。两人又沿着来路走下台阶，厄克特领着奥尼尔穿过一扇老旧磨损的橡木门，来到他摆满大部头的书房。

"弗朗西斯，这个太棒了，太棒了！"奥尼尔说，看着一系列带皮封套的书，还有满屋子主题各异的画，有海浪中扬帆全速前进的船舰，也有身着绿色格子呢的高山部族。桌上还摆着两个古色古香的地球仪。深色的木质书架上有个壁龛，上面摆着两个醒酒器，旁边围着透明的水晶酒杯。

"你请自便，罗杰，"厄克特发出邀请，"我这儿有很少见的斯卑赛威士忌，还有用煤炭和海草酿成的海岛威士忌，你随便选。"他像临床诊断的医生一样认真看着奥尼尔倒满一大杯威士忌，差点溢出来。他丝毫没注意到，拿起酒杯就牛饮起来。

"哦，要我给你倒一杯吗，弗朗西斯？"奥尼尔唾沫四溅地说，终于想起礼貌这回事。

"亲爱的罗杰，这个时候就算了。我需要头脑清醒，你明白的。但你随便喝就是了。"

奥尼尔又倒了一大杯酒，瘫坐在一张椅子上。在两人的对话中，酒精开始逐渐侵蚀他身体里残留的健康与理智，眼中的怒气也渐渐不那么疯狂了。但他的舌头越来越厚，口齿越来越不清晰，说的话越来越语无伦次。镇静剂和兴奋剂的对抗从没有什么和平的结果，总是让他如临深渊，有种下一秒就要坠落的感觉。

"罗杰，"厄克特说，"看上去我们这周末就能进入唐宁街了。我之前一直在想自己需要什么。现在我觉得该谈谈你想要什么了。"

奥尼尔又喝了一大口，才开口回答。

"弗朗西斯，你这么想着我，我真是感激涕零啊。你绝对是一级棒的首相，弗朗西斯，真的。我之前也想过这些事情，我想你在唐宁街是不是用得上我这样的人——你懂的，顾问啊，或者甚至是你的新闻发言人。你将需要很多帮助。我们好像也合作得挺好。所以我在想……"

厄克特挥挥手，示意他不必再说，"罗杰，能担任那些职位的人有很多，有些人早就已经干得很熟了。我需要的是能管理政务的人，就是你这样的人。我相信你能够避免最近这几个月来党派犯下的所有令人苦恼的错误。我非常想让你继续待在党总部——当然会有一名新的主席了。"

奥尼尔眉头皱起，显出忧虑的神色。同样的毫无意义的工作，在场边做旁观者看着其他人粉墨登场？过去这些年来他不就是这样灰头土脸的吗？

"但要有效率地开展那样的工作，弗朗西斯，我需要支持，需要特殊的地位。我想之前我们谈过贵族身份。"

"是的，的确是，罗杰。你的确当得起这样的身份。你一直是我的左膀右臂，所以我一定要让你知道我有多么感激。但我一直在到处帮你询问和打听，封爵的事情可能性不太大，至少短期内是这样。首相退位的时候就有很多人开始排队等着封爵了，新首相上任后能够分发的爵位又很有限。恐怕给你封爵得等一等了……"

奥尼尔一直在椅子里缓慢下跌，滑溜溜的椅面让他坐不稳。但现在他猛地坐直了身子，困惑不解，愤愤不平，"弗朗西斯，我们讲好的可不是这样。"

厄克特下定决心要考验一下奥尼尔，要恐吓他，刺痛他，伸出手指挖他的眼球，戳他的屁眼，给他迎头泼一盆冷水，让他彻底灰心失望，让他提前承受一下接下来几个月里不可避免的压力。他想看看奥尼尔能够承受多少，极限在哪里。看起来，他好像不用再等了。

"不，我们之前可他妈不是这么说的，弗朗西斯。你向我保证过！这是我们说好的！你信誓旦旦，现在又告诉我不可能。没有新工作，没有新爵位。现在不行，以后不行，永远也不行！你得到你想得到的了，现在你想除掉我了。哼，你三思吧！我撒了谎，我做了坏事，我造了假，我偷了东西，都是为了你！现在你把我像别人一样踢走。我不能再让人们在我背后指指点点，嘲笑我，看扁我，好像我是臭烘烘的爱尔兰农民。我当得起贵族的称号，而且我要定了！"

　　酒杯空了，奥尼尔情绪激动地颤抖着，把自己从椅子里拽起来，又去拿醒酒器。他拿了第二个醒酒器，根本没在意里面是什么，就把深麦芽色的液体倒进酒杯，一不小心又倒洒了。他大喝了一口，转向厄克特，继续声色俱厉地愤怒着。

　　"我俩一起经历了这么多，我们是一个团队，弗朗西斯。我所做的一切都是为了你，没有我你根本接近不了唐宁街。我们要么一起成功，要么一起失败。要是我的结局还跟丧家犬一样，弗朗西斯，那我肯定不会独自承受的。这代价你付不起！我知道那么多。你欠我的！"他颤抖着，弄洒了更多的威士忌。他双眼的瞳孔好像针刺过一样肿胀起来，眼泪、鼻涕甚至口水一起不受控制地流了下来。

　　话已出口，威胁的意思也表达得非常清楚。厄克特故意挑衅了奥尼尔，好像给了他一副拳击手套。他甚至都来不及呼吸就套在手上，直击厄克特的脸。很显然，奥尼尔会不会失去控制已经不再是个问题，问题在于他多快会失去控制。答案是立刻马上，此时此地。继续考验他已经没有意义了。厄克特用一个灿烂的微笑和亲切的握手结束了这剑拔弩张的时刻。

　　"罗杰，我亲爱的朋友。你完全误会我的意思了。我那么说只是因为这一次很难办，可能不能把你挤进新年的封爵名单了。但春天马上就有另外一个，为了庆祝女王的生日。中间只相隔几周，真的。我只是请你等到那个时候。"他把手放在奥尼尔颤抖的肩膀上，"如果你想在唐宁街工作，那我们一定给你找个位置。我们的确是一个团队，你和我。你的确配得上任何奖赏。我以我的尊严和荣誉起誓，罗杰，我永远也不会忘记你应该得到的奖赏。"

奥尼尔本想张口回答，却发现自己除了含混地哼哼一声之外什么也说不出来。他的激情已经用光，酒精悄无声息潜进他的身体，各种情绪分崩离析，又重新胡乱粘贴在一起。他瘫倒在椅子上，面色苍白，筋疲力尽。

"听着，午饭前先好好睡一觉。关于你要求的细节我们稍后再谈。"厄克特柔声建议道，亲自帮奥尼尔又倒了一杯酒。

奥尼尔一个字也没说，就闭上了眼睛。他睡眼朦胧地喝光了杯里的酒，几秒钟之内，他的呼吸就慢了下来。然而，就算是在睡梦中，他的眼珠还在眼皮下不安分地随时转动。不管奥尼尔神游去了哪片梦乡，那里肯定不太平。

厄克特静静地坐着，看着眼前这个缩成一团的人。奥尼尔的鼻孔里不断滴落着鼻涕。这一幕再次让厄克特想起他的童年，想起一只忠心耿耿陪伴他多年，又做猎犬又当伙伴的拉布拉多。一天仆人对他说狗得了中风，必须了结了它。厄克特当时就崩溃了，他跑到拉布拉多平时睡觉的马厩，结果痛苦地看到一只失去控制的动物。狗的两条后腿瘫痪了，全身都沾满了粪便，鼻子和嘴巴上也全是脏东西，而且和奥尼尔一样，不受控制地流着鼻涕。看到主人，他能做的只是发出一声呜咽作为问候。老仆人眼含泪花地抚摸着它的耳朵。"你再也没法追着兔子满山跑了，老家伙。"他低声说，然后转身看着年轻的厄克特，"您该走了，弗朗西斯少爷。"

但厄克特拒绝了，"我知道会发生什么。"他说。

因此两人一起在果园后面厚厚的紫杉树篱边挖了一个坟墓，抬着拉布拉多来到附近一个阳光明媚的地方，让它感觉一下秋日暖阳的抚摸。接着厄克特开枪打死了它，结束了它的痛苦。现在，他盯着奥尼尔，想起自己当时流下的泪水，想起自己不止一次去埋葬它的地方探望，心想，为什么有的人还不如蠢笨的动物值得可怜呢？

他把奥尼尔留在书房里，悄悄走向厨房。在水槽下面找到一双厨用橡胶手套，再拿起一个茶匙，一起塞进上衣口袋，然后从后门出去，走向外屋。木门年代久远，连接处已然生锈，一推开就吱吱呀呀地响。他来到这个小棚子里，对面的墙边立着一个高高的厨用壁橱，破得不成样子，很久以前就被弃置了。现在里面装的是用过的油漆桶和一罐罐的汽油，还有一群生机勃勃的蛀虫。把那些瓶瓶罐罐移开，一个封得严严实实的锡罐出现在眼前，他戴上橡胶手套，从架子上拿下锡罐，回到屋子中，像举着燃烧的火把一样举着手里的罐子。

　　进去之后，他就去书房看了看奥尼尔。他睡得很沉，鼾声如雷。他悄悄上了楼，来到客房，发现奥尼尔没有锁住自己拿来过夜的箱子，松了口气。他在装洗漱用品的袋子里找到了自己想要的东西，就在牙膏和刮胡刀旁边。那是一罐男士爽身粉，轻轻一拧瓶盖就松了。里面没有爽身粉，只有一个塑料自封袋，里面装着大概一大汤匙白色粉末。他拿着塑料袋来到飘窗旁抛过光的桃心木写字桌边上，从抽屉里拿出三大张蓝色信纸。他把一张信纸平放在桌面上，把袋子里的东西倒在上面，聚集成一座小山。第二张纸则摆在旁边，仍然戴着橡胶手套，打开了从棚屋里带来的罐子，用勺子舀出分量相当的白色粉末。他用勺子的另一头作为小铲子，万分小心地将两堆白色粉末各自分成差不多的两半，把两边各一半舀到第三张从中间折起来的信纸上。两种粉末的颜色与质地几乎没有差别，他混合得也很好，看上去好像从来就是一体的。他又在信纸中间折了一下，准备好把混合物倒回塑料袋里。

　　他盯着面前这张纸和自己的手，好像在微微颤抖。是因为紧张，还是年纪大了，抑或是举棋不定，或者是从父亲那里继承来的习惯？不，绝不是因为这个。不管是因为什么，绝不是因为这个！粉末毫无阻力地滑进了塑料袋里。他重新封好袋子。看上去好像从来没动过。

　　五分钟后，花园一角，垂柳旁边，他的园丁常在那儿堆积准备焚毁的垃圾。他也在那里燃起一堆火。锡罐现在已经空了，里面的东西也随着水冲走了。罐子则在这熊熊火焰中和蓝色信纸以及橡胶手套一起被烧毁了。厄克特看着闪闪耀眼的火焰，缓慢上升的青烟，接着一切复归寂静，那里只剩一堆灰烬。

他回到房间里，给自己倒了一大杯威士忌，几乎像奥尼尔一样贪婪地一饮而尽。这时候他才彻底放松了下来。

万事皆成。

# 四十五

　　惊涛骇浪的大海上那睿智的老水手，弗朗西斯·德雷克[①]
曾经说过，机会的双翼是用死亡的羽毛聚成的。当然，是别
人的死亡。


　　奥尼尔睡了好几个小时，突然有人猛烈地摇晃着他的肩膀，把他
叫醒。他的双眼慢慢清晰起来，看到厄克特斜着身子看着他，让他起床。
　　"罗杰，计划有变。我刚接到 BBC 的一个电话，他们想派一个
摄制组来这儿为星期二的报道拍点素材。塞缪尔显然已经答应了，所
以我没有其他选择，也只能应承下来。他们会在这儿待一段时间。我
们可不想这样，是吧。如果他们发现你在这儿，那就会谣言四起，说
党派总部在干涉领袖选举。最好别让他们抓住把柄。对不起，但我觉
得你最好现在就离开。"
　　奥尼尔还没有来得及说话，厄克特就递过来一杯热气腾腾的咖啡，
一再抱歉说这个周末两人没法在一起过了，但他很高兴他们之前的误
会已经解释清楚了。
　　"记住，罗杰，下个圣灵降临节你就封爵了。下周我们再谈谈你
想要什么样的工作。我很高兴你能来。我真的特别感激。"厄克特边
说边把奥尼尔送到他的车门口。
　　他看着奥尼尔相当老练和警惕地顺着车道开车出了门。
　　"别了，罗杰。"他悄声说道。

---

　　① 弗朗西斯·德雷克是英国十六世纪著名探险家与海盗。他从学徒干到水手，
最后成为商船船长。据说他是第二位在麦哲伦之后完成环球航海的探险家，是第一
位完成环球航行的英国海员，他的地位和经历常为人所津津乐道。

# 四十六

欲望会令人高瞻远瞩，盲目的爱则会让你目光短浅如井底之蛙。

## 十一月二十八日　星期日

美好的星期日伴随着清晨的鸟鸣，让党鞭长和他的支持者如沐美妙的音乐之中。

"**厄克特遥遥领先**"——《星期日泰晤士报》在头版登出醒目的标题，在社论版还表达了支持意见。《电讯报》和《每日快报》公开支持厄克特，《星期日邮报》则不太自在地保持观望态度。只有《观察家报》的社论表达了对塞缪尔的支持，但在新闻报道中还是如实说厄克特有明显的领先优势。

《星期日问询报》是一份更为激进的报纸，其报道真正让选举活动进入了高潮。这家报纸早些时候和塞缪尔做了一个专访，谈了谈"早些年"的经历，采访中他说自己过去曾经流连于很多大学俱乐部。在采访人的进一步追问下，他承认一直到二十岁之前，他都有些放浪形骸，支持一些前卫的组织和运动。如今，三十年以后，那时候的日子看起来那么幼稚和荒唐。报纸的记者坚持登出了书面证据，证明他所支持的运动中包括"核裁军运动"①和共和政体思想。直到此时，塞缪尔才怀疑自己是不是被下了套。

---

① 一个倡导单方面进行核裁军的英国反核运动组织。

"别拿以前那些事情来胡说八道了。"塞缪尔暴躁地回应道。他本以为二十年前第一次参加议员竞选时，自己就和那些疯狂激进的行为永别了。当时一个竞争者给党派总部寄了一封举报信，党派的候选人监察常务委员会进行了完整的调查，后来认定他是清白的。时隔多年，那些人又不知从哪儿冒了出来，幽灵般地起死回生，时间也掐得好，恰恰在最终投票的前几天。

"在那个时候，我做的事情是任何十八岁的大学生都会去做的。我参加了两次核裁军运动的游行示威，甚至还接受别人的邀请，订阅了一份学生报纸，后来才发现幕后操纵的是共和党人。"回忆起那时的荒唐岁月，他试着自我解嘲地笑一笑，并决心展示给大家看，自己没什么好遮遮掩掩的。"我还是反种族隔离运动的积极支持者，直到今天，我也强烈反对种族隔离政策。"他告诉记者，"后悔吗？不，我对年轻时做的事情一点儿也不后悔。那些都是年轻时美丽的错误，也很好地历练了我，让我有了今天这些坚定的主张。我之所以知道核裁军运动有多么愚蠢，就是因为我曾经是其中的一员。而且我热爱并一心效忠女王！"

结果《问询报》并没有强调这些话，"塞缪尔是个共产党员！"这句尖叫般的标题占据了几乎半个版面。报道中不乏"惊天消息"，"独家探询"等哗众取宠的字眼，说塞缪尔大学时是个十分活跃的左翼分子。塞缪尔根本无法相信自己那番话被曲解到如此不堪的程度。有那么一会儿，他甚至在考虑要不要起诉这家媒体诽谤。然而他发现，头条报道之后的文章就更糟糕了。

"昨晚塞缪尔承认，二十世纪六十年代，他曾经作为一名核裁军运动成员，为俄罗斯人在伦敦的大街小巷进行示威游行。那时候这种反核武器的示威游行通常以暴力冲突和大肆破坏告终。

"他同时也是一个好战反君主制集团的金主，每月定期付款给剑桥共和运动。该组织的某些领袖人物总是强烈表达对爱尔兰共和军的支持。

"塞缪尔年轻时参加这些左翼运动的经历，长期以来都让党派领导人们忧心忡忡。一九七零年，二十七岁的他作为官方的党派候选人参与到大选中。党主席非常忧虑和戒备，甚至给他写了一封信，要求他就'塞缪尔这个名字在大学里常常与那些反对我党的运动联系在一起'这件事情作出解释。他通过了那次考验，赢得了竞选。但昨晚塞缪尔仍然一副轻狂的样子。

"'我没有丝毫悔意。'他说，还说现在仍然强烈支持过去曾经参与过的某些左翼运动……"

接下来的一天都在慌张与混乱中度过。没有人真正相信他是个"地下共产党"，这又是那种哗众取宠的夸张报道，不讲丝毫公共良心道德，只想增加报纸的发行量。但既然白纸黑字报道出来，就得进行查证。这样一来，无可避免的，情况就乱了。塞缪尔一边不顾一切地向支持者们保证绝无此事，一边还要将注意力重新集中到竞选活动这些大事上来，实在是忙得焦头烂额。

中午时分，威廉姆斯爵士发表了对那家报纸的强烈谴责，指责他们使用了失窃的机密文件。《问询报》立刻做出回应，党派自身没有能力保护好机密文件是不可原谅的，报社非常高兴能够完成自己的公共义务，将手里的文件送回党派总部，物归原主。他们当天稍晚就履行了诺言，正好赶上电视直播，让全民又掀起了购买那份报纸的狂潮。

没人觉得这篇报道别有深意。大多数人都觉得这是党派总部一贯的失职和无能，并没对塞缪尔本人有特别糟糕的看法。但从那以后，塞缪尔的竞选活动就处处碰壁。拿破仑每次出征都要用运气好的将军，大不列颠也是一样。站在巅峰的人可经不起一点晃荡颠簸，出征前的最后几小时发生如此乌龙的事件，实在不是什么好兆头。

他给玛蒂打电话，"我需要你，能过来吗？"
她当然忙不迭地跑去找他，就在剑桥路的家里。一关上门，隔开了外面的世界，他就扑到她身上，抚摸她的全身，很快进入了她的身体。他看上去有无穷的精力急待发泄，结束时他大喊一声，声音是那么孤独，有一瞬间她甚至误解为痛苦，抑或羞愧？对权力的追逐会召唤起很多的激情，有时候这些激情无法和平共处。她自己也深谙此理。

完事后她从他身上滚下来，两人沉默地在一起躺了一会儿，各自陷入沉思。

"你为什么打电话给我，弗朗西斯？"她终于开口问道。

"我需要你，玛蒂。我突然感到特别孤独。"

"你很快就要被全世界包围了。你不会再有独处的时间了。"

"我想这就是部分的原因。我有点害怕，我需要值得信赖的人。我可以信赖你，对吗，玛蒂？"

"你知道你可以的。"她给了他一个吻，"我们不可能一直这样，我明白。但等你和我之间完了，我会对自己以及我感兴趣的一切都有更深入的理解。"

"你对什么感兴趣？"

"权力，权力带来的种种限制，追逐权力需要作出的牺牲，权力之中的各种欺骗和谎言。"

"我把你变得这么愤世嫉俗了？"

"我想成为最好的政治记者，全英国，也许全世界。"

"你是在利用我啊！"他笑了起来。

"我希望是。"

"我们在很多方面都截然不同，你和我，玛蒂。但我觉得对你特别放心，觉得你会很……"——他在寻找合适的字眼——"忠诚。很快全世界都会跟随你的脚步。"

她用手指轻柔地抚过他的双唇，"我觉得不仅仅是忠诚，弗朗西斯。"

"我们不能太过分了，玛蒂。全世界都不会允许。"

"但现在在这里只有你我，弗朗西斯。"她滑溜溜的胴体又趴到他身上，这次他没有痛苦地叫出声。

# 四十七

有时我憎恨自己能力不足，并非完人。但我发现，憎恨别人要容易得多。

## 十一月二十九日　星期一

这是个阴沉沉的凌晨时分，下了一场霜冻。在南安普敦外的若恩汉姆斯服务区，凌晨四点三十分，清洁工准时打卡上班。很快他就发现了尸体。当时他正在打扫厕所，发现其中一个隔间的门打不开。他已是将近六十八岁高龄，于是小声咒骂一句，不得不弯下老迈的筋骨，从下面的门缝看看里面出了什么状况。他弯腰弯得十分艰难，但最终还是看到了一双鞋。当然鞋上面还有袜子和脚，他也不需要其他什么来满足自己的好奇心了。隔间里是个男人，不管他是烂醉如泥，突发急病还是奄奄一息，都会大大搅乱清洁安排。老清洁工一边骂骂咧咧，一边晃晃悠悠地去找负责人。

负责人拿了把螺丝刀，想从外面把锁撬开。但里面那个男人的双膝好像紧紧顶着门。所以尽管他用了吃奶的力气去推，都只能开一道小缝。负责人把手塞进小缝里想把男人的双膝移开，结果碰到一只垂着的手，冰一样冷。他恐惧地缩回了手，颤抖着一丝不苟地洗了手，然后踉踉跄跄地跑出去报警和叫救护车。老清洁工一直在现场守着。

凌晨五点过不久，警察赶到了。自然，这种情况他们比清洁工和负责人都有经验得多，三下五除二就把隔间的门卸下来了。奥尼尔的尸体，穿着整整齐齐的衣服，跌倒在墙边。他的脸上已经毫无血色，延展成一张鼻歪眼斜的死亡面具，白森森的牙齿露在外面。凸出来的眼睛夸张地圆睁着。警察在他的膝盖上发现空空如也的爽身粉罐和盖子，尸体身旁的地上有个小小的塑料袋，里面剩了一点点白色粉末。还有一个公文包，装满了政治宣传的小册子。他们发现还有一些白色颗粒附着在公文包的皮质外壳上。很显然，奥尼尔曾经把这个包放在自己膝盖上作为一个平面方便办事。从尸体紧攥的拳头中他们费力抽出了一张皱得不成样子的二十英镑钞票，之前应该是被卷成一根小吸管，之后被奥尼尔的垂死挣扎弄得面目全非。他的另一只手臂高高举过头顶，好像是这龇牙咧嘴的尸体向人间做最后的狰狞告别。

"又是个瘾君子在最后的吞云吐雾中死去，"警司对年轻的同事嘀咕道，"一般都会在手臂上发现针头，不过这个人的最后享受好像就是吸食可卡因了。"

"从来不知道这还能要了命。"警员回答道。

"可能太多了，他心脏受不了。要不就是吸的东西不好，不纯。高速公路服务站上有很多偷偷卖这个的，这些人从不知道自己买的货怎么样。有时候就是运气不好。"他开始搜寻奥尼尔的口袋，想确认他的身份，"我们开工吧，小伙子们。给摄影师们打个电话，把这悲惨的一幕记录下来吧。我们站在这儿猜测也没什么用……罗杰·奥尼尔先生，"他找到一个装了几张信用卡的钱包，"不知道他是谁？或者曾经是谁？"

早上七点二十分，验尸官代表批准搬动尸体。救护车队的队员费了好大劲才把扭曲的尸体从厕所隔间搬出来，放到担架上。这时无线电对讲系统传来消息，这尸体不仅仅有个名字，而且还有头有脸。

"妈的，"警司对无线电控制台说道，"这下可有得忙了。刑事调查局、警局总管、就连警察局局长可能都要来看看了。"他挠了挠下巴，转身面对着满脸稚气的警员，"我们还真是中了个大奖啊。毯子下面这个人好像是个跟唐宁街关系不浅的高层政治人物。小伙子，你最好认真地写篇好点的报告。细节要做到位，别出什么岔子。我猜这下新闻有得报了，肯定轰动啊。"

　　玛蒂正在洗澡，把昨晚残留的蛛丝马迹洗去。这时候电话突然响了，是科拉杰维斯基从《每日纪事报》的办公室打来的。

　　"这他妈也太早了吧，约翰。"她絮絮叨叨地抱怨起来，但他打断了她。

　　"这事情你必须知道。又是你说的那些不可能的巧合。刚刚才爆出来的。南安普敦的警察几个小时前发现你的罗杰·奥尼尔死在一个公共厕所里。"

　　她赤身裸体地傻站着，水滴到地毯上，慢慢扩大成一摊小水洼，弄得一团糟，但她丝毫没有在意，"这不过是你为了说早上好开的一个烂玩笑吧，约翰。快告诉我是这样的。"

　　"看来我注定总是要让你失望了，玛蒂。这是真的。我已经派了个记者到现场，但好像当地警察叫了缉毒队来。传言他是因为吸毒过量致死的。"

　　一块拼图终于摆对了位置，好像房间的门砰的一声关上了。玛蒂筛糠般地抖了起来，"这么一来就说得通了？瘾君子，吸毒过量？怪不得他状态那么糟糕。"

　　"反正在飞机上的紧急出口，你肯定不想和这么个人坐在一起。"他回答道，但与此同时听筒那边传来潮水般痛苦与沮丧的哀嚎。

　　"玛蒂，到底怎么……"

　　"他是我们的关键人物。我们唯一确知参与到所有阴谋中来的。只有他在所有事情上都留下了痕迹，他是我们解开谜团的钥匙啊。现在离新首相选举只有一天了，他居然消失了。我们又回到起点了。我们得了零分！零分！你还看不出来吗，约翰？"

　　"看出来什么？"

　　"这绝对不是巧合，这他妈的是谋杀！"

玛蒂胡乱套上几件衣服，都没来得及吹干头发，就跑去找佩妮·盖伊了，但根本寻不见她的踪影。她站在佩妮住的大楼下面不断地按了几分钟门铃都没反应，直到一个年轻住客急匆匆地走了出来把门半开着，玛蒂才瞅准机会偷偷溜了进去。她坐着嘎吱嘎吱的电梯摇摇晃晃地来到三楼，找到佩妮的公寓。她又坚持不懈地敲了几分钟的门，才听到里面传来疲惫的脚步声，接着传来放门闩的声音，门缓缓地打开了。一开始她没看见佩妮，走进去才发现她安静地坐在沙发上。房间的窗帘拉得严严实实，她眼神空洞地看着某个地方出神。

　　"你已经知道了。"玛蒂轻声说。

　　佩妮脸上纠缠的痛苦已经回答了一切。

　　玛蒂坐在她身边，抱着她。佩妮的手指缓缓地握紧玛蒂的手，好像落水的人挣扎着要抓住救命的稻草。

　　过了许久，佩妮终于开口说话了。声音苍老了许多，里面全是痛苦和悲伤。"他不应该死的。他或许是个软弱的男人，但不是个坏人。他是个很好的人。"

　　"他在南开普敦干什么？"

　　"和某个人一起过周末。没告诉我是谁。他经常有些愚蠢的秘密。"

　　"能猜出来是谁吗？"

　　佩妮轻轻摇摇头，脖子看上去很是僵硬。

　　"你知道他是为什么死的吗？"玛蒂问道。

　　佩妮转头看着她，双眼喷涌着谴责的怒火，"你对他根本不感兴趣，对不对？只是对他的死很好奇。"

　　"他死了我很抱歉，很遗憾，佩妮。我同时还为另一件事情抱歉，我曾经以为罗杰应该对最近发生的很多坏事负责。我觉得这不公平。"

　　佩妮慢慢地眨眨眼睛，好像一个傻子绞尽脑汁想弄懂高等物理难题，"但他们为什么要把责任推给罗杰呢？"

　　"我觉得他是被陷害的。有人一直在利用罗杰，把他玩弄于股掌之间，让他陷入到这场肮脏的政治小游戏当中——直到他猝然离世，玩不了了。"

佩妮思索了好一阵子。"被陷害的不止他一个。"她说。

"你什么意思。"

"帕特。有人给他送了盘磁带。他还以为是我寄过去的。"

"哪个帕特？"

"帕特里克·伍尔顿。他以为我把我们在床上的事情录了音，拿着磁带去敲诈他。但做这事儿的另有其人，不是我。"

"所以他才退出了竞选！"电光火石间，玛蒂恍然大悟，顿时惊叫起来，"但是……谁能录这么一盘磁带呢，佩妮？"

"我也不知道。我觉得几乎每个参加党派会议的人都有嫌疑。只要在伯恩茅斯，只要在那个酒店，都有嫌疑。"

"佩妮，你说的不对。不管是谁去敲诈帕特里克·伍尔顿，他肯定事先知道你俩会上床啊。"

"罗杰知道。但他绝对不会……他会吗？"她哀求般地想得到玛蒂否定的答复，各种各样的疑问开始勒得她喘不过气来。

"也有人在敲诈罗杰。这个人肯定知道他有毒瘾。这个人强迫他泄露民调结果，修改电脑记录，做了其他所有的事情。这个人……"

"杀了他？"

"我想是的，佩妮。"她温柔地说。

"为什么啊……？"佩妮痛哭流涕。

"为了掩盖他自己的罪行。"

"你能帮我把这个人找出来吗，玛蒂？"

"我会努力的，"她说，"我只是暂时不知道从哪儿入手。"


天气已是严寒，但玛蒂好像浑然不觉。她的脑子好像变成了脏衣篮，全是些淘汰下来的想法，为了找到一条出路，她一整天都在折磨着自己。她去公园里跑了很久，把公寓的每个角落包括卫生死角都清理了一遍，甚至还熨烫了内裤。但这些都无济于事。奥尼尔之死让她心中每一个想法都大门紧锁。傍晚的时候，她给科拉杰维斯基打了个电话。

"过来见见我，约翰，求你了。"

"你一定是走投无路了才找到我。"

她的沉默并没让他感觉好些。

"但外面他妈的在下雪啊。"他抗议道。

"是吗？"

"我二十分钟之内就到。"他小声说，然后挂了电话。

结果花了将近四十分钟。他手里拿着一大盒比萨出现在他面前。

"是给我吃的吗？"开门的时候她问道，"真贴心。"

"不，实际上是给我吃的。我还以为你吃过了呢。"他叹了口气，"但我想着应该够两个人吃吧。"他下定决心嘴皮子上不会让她占任何上风。她不配。

两人背靠着客厅的墙吃完了比萨，身边全是碎屑，比萨盒随意地丢弃在一边，刚扫过的地又变成一团糟。

"你跟格雷说了我在写书吗？"她问道。

他在一张厨用毛巾上胡乱擦了擦手。"我决定不告诉他。要是他知道我俩还在联系，可不是什么好事。你现在在《每日纪事报》可不是什么受欢迎的话题，玛蒂。不管怎么说，"他的语气有些发酸，"每个人都觉得我在泡你。"

"我伤了你的心，是吗？"

"是的。"

"很抱歉。"

"在你写的那本该死的书里，也许会有个脚注提到我吧，我想。"

"故事的雪球越滚越大了，约翰。但我还没有结局，还没找到答案。"

"什么答案？"

"谁杀了奥尼尔。"

"你说什么？"他警觉地叫起来。

"只有这样才解释得通，"她认真地说，又神采飞扬起来，"没有哪一件事是巧合。我发现伍尔顿是被人故意敲诈才退出领袖竞选的。有人除掉了他，就像除掉科林格里奇一样。我怀疑麦肯齐和厄尔也是受害人，当然还有奥尼尔。"

"你到底明不明白自己在说什么啊？那个白痴是吸毒过量死的！我们又不是在跟克格勃 ① 过招，没那么复杂吧。"

"说到奥尼尔这事儿，还真有可能。"

"我的上帝啊！"

"约翰，这个幕后黑手心狠手辣，什么事情都做得出来。"

"但是到底是谁呢，又为了什么呢？"

"这他妈麻烦就来了。我不知道啊！所有的事情都指向奥尼尔，现在他居然一命呜呼了！"她沮丧地踢了踢空空的比萨盒。

"你看看，如果所有的事情都是奥尼尔一个人做的，那事情是不是简单很多？"

"但他为什么要这样做呢？"

"我不知道。敲诈，可能是为了拿钱去买毒品，可能是争权夺利。瘾君子一向是没有节制的，不知道什么时候该停手。他越陷越深——然后就害怕了。失去了控制，把自己给了结了。"

"谁会在公共厕所自杀呢？"她对这个假设嗤之以鼻。

"他当时神志不清啊！"

"不管是谁杀了他，都充分利用了这一点！"

两人都气喘吁吁，沮丧不已。虽然肩靠着肩，中间却好像隔着一个世界。

"我们从最基本的地方开始，"科拉杰维斯基顽固地再次发起进攻，"所有那些泄漏事件，我们来分析一下动机和下手的可能性。"

"钱不是动机。根本看不出来。"

---

① 前苏联国家安全委员会，情报机构，以实力和高明著称于世。

323

"所以肯定是肮脏的权力游戏了。"

"我同意，也就是说奥尼尔并不是幕后黑手。"

"但他很有下手的可能性啊。"

"并不是所有的泄漏事件都一样。有的是来自政府，不是来自党派内部。有的高度机密的东西连内阁也不是所有成员都能拿到，更别说一个普通的党派官员了。"

"连泰迪·威廉姆斯也拿不到？"

"他肯定不需要偷自己的文件吧，对不对？特别是那些给自己的好朋友塞缪尔泼脏水的文件。"

"所以……"

"政府。肯定是政府的某个人。"

科拉杰维斯基感觉牙齿缝里还塞着点比萨，一边用舌头去舔一边思考，"你那儿有内阁官员的名单吗？"

"就在某个抽屉里。"

"那你赶紧给我撅起屁股找去啊。"

这一下就发现她有多不擅长打扫和收拾房间了。翻箱倒柜一阵之后，她在一大摞文件里找到了那张名单，递给他。他走到他的工作台，用手臂把一摞摞书和乱七八糟的东西扫到一边，露出光滑的平面。桌子是白色的，好像一本打开的笔记本，等着人下笔书写。他拿起一支水笔，潦草地把所有二十二个名字都写了下来。

"好的，谁有可能指使他去泄露机密呢？加油，玛蒂，脑子转起来！"

她在房间里踱来踱去，冥思苦想，想在这官场的迷宫里找到一条解决之道。"有两个泄露事件只有可能来自内阁，"她终于开了口，"地方自卫队裁军和批准雷诺克斯新药的事。我再猜测一下，医院扩张计划的取消也应该是从内阁泄露的。我从来都不觉得奥尼尔和党派内部牵涉得很深。"

"所以政府里有谁会知道这些呢？"

"他肯定在相关的内阁委员会。"

"随时准备着，伺机而动。"他说，手中的笔停住了。

她慢慢开始背诵几个相关机构成员的名单，特别是很早就能知道那些被泄露了的机密的人。"对，先说地方自卫队裁军的事吧，"她说，"国防大臣、财政司司长、可能还有第一财政大臣。"本来内阁的各个委员会的名单应该严格保密，但议会大厅的每个人都从各种小道消息中把这些情况掌握得八九不离十。"当然还有首相。"她的手指不够用了，"对了，还有就业部大臣和外交大臣。"

他把这些名字在名单上勾出来。

"负责医院扩张计划应该是另一个完全不同的委员会。卫生部长、财政部的各位主管、贸易与工业部、教育部、环境部。我想就是这些了。"

名单上又多画了些勾。

"但是批准雷诺克斯的新药嘛……妈的，约翰，怎么早没想到呢？这个不用任何内阁委员会，只要一个部门就可以解决，卫生部长和下级官员们就可以决定。首相办公室当然也会过目。我想不起还有其他什么人了。"

现在，她站在他身边，两人都弯腰盯着桌上那张被勾勾画画的纸。她的目光在名单上搜寻，肩膀却一点点垂了下来。

"我们好像又没头绪了。"科拉杰维斯基安静地喃喃道。

只有一个名字前有三个勾，只有一个人能够实现接触到这三个被泄露的消息，只有一个人目前有最大的嫌疑。

亨利·科林格里奇——这些消息泄露后的牺牲者！他们的一切努力最后竟将他们带向最荒谬的结论。

"妈的！"她苦涩地叫了一声，转过身，又开始狠狠地踢起那早就不看见的比萨盒，扬起了更多的碎屑。接着她的沮丧变成无声的泪水，顺着她的面颊滑落到胸前。

他用双臂环抱着她。"我很抱歉，玛蒂，"他悄声说，"我想可能一直都只有罗杰吧。"他吻了吻她的面颊，感觉到咸咸的泪水，接着又吻上她的双唇，希望让她把痛苦和烦恼远远抛在脑后。结果她非常抗拒地推开了他。

"怎么了，玛蒂？"他很受伤地问道，"有时候我们这么亲密，可紧接着你就……"

她没有回答，泪流得更凶了，他决定再试一次。

"我能留下来过夜吗？"

她摇摇头。

"就睡沙发？"

还是摇摇头。

"外面下雪下得跟阿拉斯加似的。"他已经近乎哀求了。

她抬起双眼，悄声说："对不起，约翰。"

"你心里有别人，是吗？"

没有回答。

他飞奔出去，用力摔上了门，更多的纸片七零八落地撒在地板上。

# 四十八

　　威斯敏斯特是个动物园。在那里你会看到伟大的野兽受困于铁笼之中，浑身的力量无用武之地，高昂的精神慢慢被磨损。三岁小孩也敢嘲笑和侮辱他们，随意向他们胡乱丢东西。大多数家长对此类行为置若罔闻，不加制止。

　　所以我更喜欢深邃自由的丛林。

## 十一月三十日　星期二

　　清晨的报纸飞向千家万户的门口，好像为塞缪尔的竞选活动敲响了丧钟。每家报纸，每个编辑，全都排排站成厄克特的坚强后盾。这其中不仅仅包括兰德里斯能够染指的那些报纸，还有大多数其他的报纸。有时候，编辑也会小心为上，随波逐流，而现在这风水无情地拒绝了塞缪尔的祈求，一路欢歌向厄克特那里轮转。

　　重要媒体当中，只有两家特立独行。一家是《卫报》，十分坚定和固执地支持塞缪尔；另一家是《独立报》，因为想得太多而无从下手，没有表达对任何人的支持。

　　两个竞选阵营的士气也大相径庭。厄克特的支持者们发现自己的信心膨胀，藏都藏不住；而塞缪尔的"亲友团"则已经在绞尽脑汁想失败的借口了。

　　早在指定的上午十点前，一大群议员就聚集在十四号会议室的橡木门外，每一个都想成为第一个投票，能在史册上留下点蛛丝马迹的人。雪越积越厚，整个威斯敏斯特好像罩上了一层厚厚的白毯，给今天的投票活动提供了一个平静得有点超现实主义的背景。圣诞节就要到了，牛津路上已然是张灯结彩，整个大地平和安宁。几小时后战斗就结束了，宣布结果后就会是握手言和与热烈祝贺。即使私下里胜利者们准备着得势后的清算，失败者们策划着绝境中的复仇，表面上还是会一团和气。

　　玛蒂完全睡不着。她的脑筋不堪重负。太多思绪交织在一起，互相扭打。她为什么对约翰这么差，为什么会迷上厄克特这样一个她永远也得不到的男人，又为什么无法理清周围这些事情的头绪？到处都是死胡同，到处都是穷途末路。这一切让她觉得自己是个彻头彻尾的失败者。

　　整个上午，她都在雪地里漫无目的地走着，想找到一点灵感，结果却只是被雪水浸湿了鞋子。她双脚冻得僵硬，头发湿淋淋的。下午早些时候，她出现在威斯敏斯特。雪已经停了，天空渐渐明朗，展现出水晶般透明的蓝色，让整个伦敦看上去好像一张维多利亚风格的圣诞节贺卡。下议院看上去尤其华丽辉煌，好像洁白冰雪覆盖的美丽姜饼屋①。维多利亚塔上的大不列颠米字旗骄傲地迎风招展，协和式超音速喷射客机从头顶飞过，往希斯罗机场轰隆而去。圣玛加利教堂的院落中，唱圣诞颂歌的人们站在中世纪建成的宏伟修道院侧翼下避寒，让美妙的颂歌回荡在空气中，还向来来往往的旅者摇晃着募集圣诞捐款的锡罐。玛蒂对这一切都心不在焉。

　　下议院的很多地方都已经开始庆祝了。她走过大本钟的阴影，一个在记者席认识的同行匆匆跑来给她通报最新的消息。"大概有百分之八十的人已经投票了。厄克特胜券在握。看上去应该是压倒性的胜利。"他突然好奇地看了她一眼。"我的天哪，玛蒂，你看上去好糟糕。"说完他就急匆匆地跑开了。

-----

　　① 放在圣诞树下作装饰用的甜品，用姜粉做饼干然后搭成小屋子。

玛蒂突然感到一阵莫名的兴奋。弗朗西斯入主唐宁街，她就有机会开始新的生活。但即使想着这么高兴的事，也好像有一双无形的怀疑之手扼住她的咽喉。不，她不应该这么迟疑和痛苦。今天一大清早，她犯了傻，不由自主地往他剑桥路上的家走，魔怔般地想要见到他，极度渴望他给予一些睿智的看法，结果却远远看到一堆摄像机围着他，他站在门阶上亲吻妻子莫蒂玛，一副伉俪情深、其乐融融的景象。玛蒂垂头丧气地迅速离开，为自己感到羞愧不已。

　　但她的疑惑越来越强烈。她慢慢感觉到周围的气氛正逐渐被邪恶和愤怒占据，然而这个世界好像对此视而不见。当然，弗朗西斯一定会懂，也知道该怎么做。她知道自己再也不可能单独和他在一起了。他即将进入唐宁街，身边将时刻围绕着保镖和贴身秘书。如果她要和他在一起，那就必须是现在，这是她唯一的机会。

　　厄克特不在自己的房间里，也不在威斯敏斯特的任何一个酒吧与餐厅里。她在走廊里问了一圈也没问出什么，好像没人知道他的下落。她正想说他是不是已经离开这里去吃午餐或接受采访了，结果一个友好的常驻警察告诉她不到十分钟前还看见厄克特朝屋顶花园的方向去了。她根本不知道这里还有这么个去处，也不知道到底在哪里。

　　"是的，小姐，"警察哈哈大笑，"没有多少人知道我们还有个屋顶花园。只有工作人员，连官员们都不知道。我们一般都不说，怕他们一蜂窝全涌到那儿去，把那儿给搞乱了。但是厄克特先生不一样，好像对这个地方的每个角落都了如指掌。"

　　"花园在哪儿，能告诉我吗？"

　　"就在议会议事厅正上方。那里有个屋顶平台，我们放了些桌椅，夏天的时候工作人员们可以去那儿晒晒太阳，吃个三明治，喝杯咖啡。不过这个季节，我想除了厄克特先生不会有人去那儿，他应该是想独处一会儿。他选对地方了。你可千万别去打扰他，不然过了明天我就得把你抓起来了！"

　　她笑了。在这样的微笑之下他招架不住，权当默许了。于是她跟着他，顺着穿过来宾席的楼梯，穿过为宫里看门人准备的镶着镜框的更衣室。接着她看到一扇半掩着的防火门。推开这扇门就来到了屋顶，这里阳光普照，她惊叹而敬畏地倒抽一口凉气。这里的风景真是雄伟壮观。就在她的正前方，蜜色的大本钟塔楼高高耸立，背景是万里无云的蓝天，在灿烂的阳光与洁白的雪景之间越显优雅高贵。上面每一块经过匠人们精心雕琢的石头都看得清清楚楚，每一处美妙的细节都凸显无疑。很明显大本钟内部古老的机械系统还在坚持不懈地运作，她能看到巨大的指针颤动着，行走着。她的左边是威斯敏斯特大厅巨大的瓦屋顶，是这座宫殿最古老的地方，经历了烈火的灼烧、炮火的摧残、战争的蹂躏、动乱的考验和革命的磨练，仍然屹立不倒。而右边则是令人倍感渺小的泰晤士河，任凭世事变迁，自顾自地潮涨潮落，一路奔腾。

积雪中有一串新留下的脚印。他就站在平台另一端的栏杆旁，目光越过白厅的屋顶眺望着内政部的白色石墙。墙后面就是白金汉宫，今天晚上，他将唱着胜利的欢歌昂头挺胸地走进去。

为了走起来方便，她踏着他的脚印走了过去。听到她的脚步声，他突然转过身来，颇为惊讶。

"玛蒂！"他大喊一声，"真是个惊喜！"

她大步走向他，伸开双臂。但他眼睛里有些东西告诉她，这不是正确的时间和地点。她的手臂有些尴尬地垂落下来。

"我必须见你，弗朗西斯。"

"当然。你想要什么，玛蒂？"

"我也不是特别清楚。可能是向你告别。我想我们可能不再有什么机会单独见面了，不像……"

"那天晚上共度春宵？我想你说得对，玛蒂。但那天的回忆，我俩将永远珍藏。你也会得到我的友谊。"

"我还想给你个警告。"

"警告什么。"

"有人在暗中使坏。"

"哪儿有人使坏？"

"在我们所有人周围——特别是在你周围。"

"我不明白。"

"出了太多泄露事件了。"

"政治上的事可不就这么乌龙吗？"

"帕特里克·伍尔顿是被人要挟才退出的。"

"真的吗？"他看着她，突然警惕起来，好像没有防备地被人扇了一巴掌。

"雷诺克斯股票的那个事件，科林格里奇兄弟也是被陷害的。"

他沉默不语。

"而且我觉得罗杰·奥尼尔是被别人杀害的。"她觉察到他眼中闪烁的怀疑，"你觉得我疯了吗？"

"不，完全没有。你看起来很苦恼，但不是疯狂。但你说的这些都是很严重的指控，玛蒂。你有什么证据吗？"

"有一点，但不够，还不够。"

"那么这一切的幕后黑手是谁？"

"我不知道。有那么一阵子我觉得可能是泰迪·威廉姆斯，现在也觉得有可能。但这件事没法靠我一个人，弗朗西斯。现在都没有哪家报纸能发我的文章了。我希望你能帮帮我。"

"你希望我怎么帮你，玛蒂？"

"我相信这一切的背后都是一个人在操纵。他利用了罗杰·奥尼尔，然后杀人灭口。如果我们能彻查这一系列事件上的关键一环，就一环，比如股票的事，然后再看看和其他事件的联系，一切都会水落石出，总会查清楚的。而且我们还可以——"

她小孩子般地喋喋不休，把心里想的一切一股脑都倒了出来。他大步迈向她，抓住她的手臂，轻轻地捏了捏，示意她停下。

"你看起来很累，玛蒂。你情绪非常不好。"

"你不相信我。"

"我非常相信你。你面对的可能是'前无古人，后无来者'的伟大新闻报道。威斯敏斯特是个有时特别肮脏的阴暗角落，人们为了享受短短几年权力的乐趣，不惜出卖自己的原则和尊严。这是一个由来已久的游戏，从古至今，但也是一个危险的游戏。你必须慎之又慎，玛蒂。如果你是对的，有人蓄意谋杀了罗杰·奥尼尔，那么你肯定是身处火线，有人已经把枪口对准你了。"

"我该怎么做，弗朗西斯。"

"你能允许我在未来一段时间先帮你操心一下这件事吗？运气好的话，明天我就能毫无顾忌地问各种问题了。我们引蛇出洞，看看能发现什么。"

"你会这样帮我？"

"为了你，我愿意做任何事，玛蒂。我相信你知道我的心。"

她猛地把头扎进他的胸膛，充满了感激，感到轻松又放心，"你是个非常特别的男人，弗朗西斯。世界上的男人都比不上你。"

"你可以这么说，玛蒂。"

"很多人都这么说。"

"但你知道我绝不可能发表任何评论。"

他笑了，两人的脸庞离得那么近。

"这件事你必须完全信任我，玛蒂，好吗？不要对别人吐露半个字。"

"当然了。"

"不久以后的圣诞假期，也许你可以抽个周末到我乡下的家。我会找个借口，比如要去那里清理点资料什么的，我妻子会在欧洲的某个角落听乐队演奏瓦格纳。你和我又可以单独在一起，把这件事搞明白。"

"你确定吗？"

"那时候新森林一带会非常美丽的。"

"你住在新森林？"

"林德赫斯特附近。"

"就在 M27 公路附近？"

"是的。"

"罗杰·奥尼尔就是在那儿死掉的。"

"是吗？"

"相距也就几英里吧。"

现在他用一种奇怪的眼神看着她。她退后几步，一种虚弱和晕眩的感觉奔涌而来，她不得不靠着栏杆才算勉强站稳。拼图的碎片在她脑子里旋转，突然间严丝合缝地拼在了一起。

"你的名字不在名单上。"她低声说。

"什么名单？"

"内阁成员的名单。因为党鞭长不算是内阁的正式成员。但因为你负责党内的纪律和立场，他们必然会向你请示取消医院扩张项目的事情，还有地方自卫队裁军的计划。这样你就能——用你的话怎么说来着——做点手脚。"

"你这么想可太傻了，玛蒂。"

"另外每个政府部门都有相应的党鞭，确保他们按照政党立场行事。你们随时都把握着政府的节奏，什么风声都能事先有所耳闻，一切的一切。那些都是你的人，弗朗西斯，他们有什么都会向你报告。你是党鞭长，所以你知道所有人的小癖好、小缺点，谁喜欢可卡因，谁和谁上了床，也知道在哪儿偷偷放个录音机……"

他的脸色变得灰白，双颊的光泽退却了，整张脸变得像个石膏面具，只有双眼仍然凛冽有神。

"有动机，也方便下手，"她低声自语，惊讶得气喘连连，"在短短几个月内，就从名不见经传到问鼎首相宝座。我怎么就没想到呢？"她自嘲地摇摇头，"我真是盲目，我想这是因为我爱你，弗朗西斯。"

"所以你就没那么客观了。你也说过,玛蒂,你完全没有证据。"

"但我会挖到证据的,弗朗西斯。"

"这样追寻真相有什么乐趣吗,玛蒂?"

一片孤独的雪花从天空飘落。他注视着这一幕,想起第一次进入议会时,一位年事已高而怀才不遇的同僚对他说的话,他说从政的生涯毫无意义,就如同将你的野心附着在一片雪花上,片刻荣华优美,转眼消隐无踪。

"你怎么杀掉罗杰的?"她直截了当地问道。

她胸中仿佛燃烧起熊熊的火焰,让她无法自持。他知道不用再搪塞遮掩下去了。

"我没杀他,是他自己杀了自己。我只不过把枪递给了他,在他的可卡因里混了一点鼠药。他是个瘾君子,一直走在自我毁灭的路上。这个男人太虚弱了。"

"没有任何人该去死,弗朗西斯。"

"那天晚上你自己跟我说的,我还清楚地记得你当时说的话。我记得那天晚上的每一个细节,玛蒂。你说你想读懂权力,追逐权力需要付出的牺牲,权力之中的各种欺骗和谎言。"

"但不是这样。"

"如果你真的懂得权力,你就会明白,有时候牺牲是必要的。如果你懂得我,你就会知道,我有着一个伟大领袖的潜力,我可以成为永载史册的伟人。"他声音里有着逐渐高昂的热情,"而如果你懂得爱,玛蒂,你就应该给我机会,你是所有人里最应该成全我的那个人。否则……"

"否则什么,弗朗西斯?"

他安静地站着,一动不动,嘴唇颤动不已,面色突然憔悴。"你知道我父亲是自杀的吗?"他问道,声音是那样轻柔,在冬日凝重的空气中一飘就散了。

"不,我不知道。"

"你想让我也那样做吗？"

"不！"

"你觉得我会那样做吗？"

"绝对不会！"

"那你为什么对我穷追不舍？"他突然走上前，紧紧握住她的双臂，脸上的表情极其扭曲，"一生中我们必须做出很多选择，玛蒂。有的选择很艰难，很绝望，甚至孤注一掷，不计后果。可能会让我们深深憎恨我们自己，但不得不这样做。你和我，玛蒂，我们必须做出选择。我们俩都一样。"

"弗朗西斯，我爱你。我真的爱你，但是——"

这声"但是"轻微而尖锐，他爆发了。他心中的迷乱突然间停止了骚动。他深深凝视着她，眼神在痛苦中融化，好像那片从威斯敏斯特上空透明蓝天上掉落的雪花。他放任自己绝望地呜咽一声，如同笼中痛苦不已的困兽，接着他猛地举起她，将她狠狠摔过栏杆。

她惊叫着急速下坠，惊讶多于恐慌。很快，这年轻娇小的身体就落在石板路上，直挺挺地躺着，再无声息。

她是个特别的女孩。我想她是有些迷恋我了。对身居高位的人来说，这种悲哀的事情有时不可避免。她就那样在某一天的深夜，突然出现在我的门阶上，毫无预兆，毫无防备。

扰乱了我的生活？你可以这么说，但我无法评论。不过我知道她最近离开了老东家《每日纪事报》，一直找不到新的工作。我不知道她到底是辞了职还是被炒了鱿鱼。很显然她是独自一人生活。真让人难过。

她去屋顶上找我时，看上去很苦恼，状态也很糟糕，甚至有些衣冠不整。有很多人，包括她新闻界的一个同行，以及宫里的一个常驻警察都可以证明。她请求我帮她找个工作。我告诉她这不可能，但她不愿就此罢休，一直纠缠着我，变得歇斯底里。我一直试图让她平静下来，但她根本不听，反而变本加厉。我们就站在栏杆旁边，她威胁说要跳下去。我走过去抓住她，但她好像踩在冰上滑倒了，当时的情况特别危险，我还没反应过来，没能抓住她，她就消失了。她是故意的吗？我希望不是。这么年轻的生命就这样白白死去，真是太可惜，太悲惨了。

这件事情成为我首相生涯的开端，实在不是件好事。有那么一会儿我甚至想是不是应该隐退，不再继续肩挑这副重担。但我现在想通了，一定要密切关注年轻人之中的心理疾病。我们必须采取更多的行动。我将永远铭记屋顶上那悲惨的瞬间。这听起来也许很奇怪，但我相信，这位年轻女士的惨痛结局将会给我力量，让我有工作下去的动力。我相信你们懂的，对吗？

我即将开始唐宁街的生涯，怀揣着全新的决心和意志，要将我的人民团结在一起，立志消除掉蚕食国人意志的颓废与愤世嫉俗。要将我的生命和热情献给国家的事业。我将确保斯多林小姐的生命不会白白牺牲。

现在，请你们原谅我，我还有很多工作要做。

（全书完）

336

# 后 记

　　这是二十五年前犯下的一个最光荣、最了不起和最具里程碑意义的错误，完完全全地改变了我的一生。就是这本书——《纸牌屋》。

　　当时我身处一座叫做戈佐的小岛上，心情很是苦闷。我开始抱怨身边的一切——太阳、大海，特别是最新的畅销书。很快我的另一半就受不了了。"别他妈这么自大了，"她说，"要是你觉得你能写得更好，那看在上帝的份儿上，赶紧动笔吧。我是来度假的，可不是来听你拿那本破书发牢骚的！"

　　在她的"鼓励"和鞭策下，我开始沉下心来。我从来没想过要写一本书，但我手里的确有一个本子、一支笔和一瓶美酒。一个作家还需要什么呢？当然，还有些烦人的细节需要想明白，那就是人物和情节。我能写什么呢？我神游到几个星期之间，想起我如此愤怒和苦闷的原因。

　　一九八七年的保守党总部。大选日前的一个星期，我还是玛格丽特·撒切尔的幕僚长。她当时即将史无前例地赢得第三次首相连任。但玛格被一系列不负责任的民意调查结果和不知所谓的神经过敏弄得心烦意乱，觉得自己可能会输。她可能有好几天没睡觉，牙痛得厉害。于是决定把痛苦转嫁到别人身上，那个人就是我。有一天，后来我们称之为"摇摆的星期四"，她爆发了。她搅起一阵暴风雨，残忍而不可理喻。她不断向我大吼大叫，甚至有拳脚相向的冲动，我即将成为历史上的一个不起眼的脚注。

　　我们出了她办公室之后，副首相威利·怀特劳，这只聪明而敏锐的老猫头鹰翻了翻眼珠子，下了结论，"里面这个女人永远不会再参加下次竞选了"。他已经看到了自我毁灭的萌芽，很快就为全天下所知悉。

我坐在自家的游泳池旁边，威利的话仍然萦绕在耳畔。我一手握着笔，一手握着酒瓶。三瓶过后，我想我找到了自己的主人公——他的名字缩写是"FU"，同时也想出了一个大概的情节，主要就是如何除掉首相的。于是乎，弗朗西斯·厄克特和《纸牌屋》就这样诞生了。

我当时根本没想要出版这本书——对我来说这不过是对个人心病的治疗。但没想到好运如此眷顾我，这本书出版了，还很快成为畅销书。BBC 正在对其进行改编，要拍成能斩获很多大奖的电视剧，主演竟然是演技精湛的老戏骨伊恩·理查德森。我伤痕累累地从政坛第一线隐退，成为一个全职作家。现在距离那本书首次出版已经整整二十五年了，"FU"又开始改变我的生活。凯文·史派西担纲主演，新的改编电视剧震撼开播，又耸立起一座新的"纸牌屋"。

现在"FU"获得新的生命，我也抓住机会，对小说做了一些改编——并没有大的改动，读过最初那版的人都看得出来。但叙事变得紧凑了些，人物更多面了些，对话可能更活泼了些。我一遍遍地重读里面的字句，反复进行修改，以报答多年来《纸牌屋》所带给我的乐趣。永恒不变的是，这本小说依然充满着恬不知耻的邪恶与阴谋。请沉浸其中，好好享受。

那么，被玛格丽特·撒切尔狂轰滥炸一番到底值不值得？这个嘛，那句话怎么说来着？你可以这么说，但我不可能发表任何评论。

迈克尔·道布斯

怀利的道布斯爵士
www.michaeldobbs.com
@dobbs_michael

# 权力漩涡中的挣扎与毁灭

—— 译后记

　　这大概是我写的最短的一篇译后记。好的文字总是令人失语，伟大的作品更是令人心存敬畏，不敢多加评论。精彩如《纸牌屋》这样的小说，我辈只有如痴如醉地倾心捧读。

　　最后一切真相大白，道布斯爵士给了"白茫茫一片大地真干净"的背景，平静优雅的语言，如我所料的结局，却有着震撼人心的力量。我一边把英文变成中文，一边无声地流下眼泪。这听起来也许很矫情，但这真是破天荒头一遭。翻译感人的爱情故事，我固然感动泫然，却并未浑身发抖不能自持；翻译与我的经历有切身关联的纪实作品，我固然激情满怀，却并未手脚冰凉震撼不已。但这本小说做到了。从头到尾，我见证了一个人，或一群人，他们形形色色，有天壤之别，却因为对权力的共同追逐，进入无穷无尽的漩涡，或挣扎，或放任，最终要么出人头地享受风光无限，要么惨不忍睹遭受灭顶之灾。

　　看上去弗朗西斯·厄克特似乎是唯一笑到最后的成功者，但我以一个小女子的浅薄试图去窥探他的内心，难道站在硕大的唐宁街首相办公室，独自一人看着窗外的景色，他不会痛苦，不会孤独？也许就像他自己所说的，"这就是政坛。"一路走来，他收获的是权力与掌声，丢失的呢？人性、情感、友谊与道德和良心。夜深人静时，他能安然入眠吗？回想过去时，他能坦然无畏吗？不知书中的弗朗西斯听到这番所谓的"陈词滥调"，是不是会微微一笑，用那双凛冽而深邃的蓝眼睛看着我，一字一句地说："你可以这么说，但我不可能发表任何评论。"

诚然，一开始是因为对热播美剧《纸牌屋》和男主演凯文·史派西的崇拜，促使我接下这本书的翻译任务。甚至一开始还觉得书过于严肃，没那么吸引人。但后来我被作者优雅沉着而又引人入胜的表达紧紧抓住，最终读完和译完这本书，有两点值得庆幸。

一是这本书写于上个世纪八九十年代交替之时，所以，书中没有美剧里为了吸引观众眼球，而增添的那么多花里胡哨的人物和节外生枝的情节，一切都集中于弗朗西斯和几个主要角色身上，干脆利落，紧凑得没有半点多余的情节。整本书一气呵成，摄人心魄，令读者手不释卷。

二是原著是以英国政坛为背景的，而且作者是真正在政坛摸爬滚打过的人。所以书中的权力倾轧和政治斗争比美剧更真实，更直接，更敏锐，更残酷。对我来说，这本书的翻译过程，也是更深入了解英国政体，了解其中权力纠葛的学习过程。

当然，从对"乌七八糟的英国政坛"所知寥寥到查阅资料，搜寻网络，翻译完这本书，加之自己水平有限，其中难免有错误和疏漏，还希望读者多多指正。在此也感谢编辑对我的帮助和鼓励，以及家人和朋友对我的支持。谢谢你们，给我温暖美好的爱，让我勇敢前行。

就像作者说的，请沉浸其中，好好享受。你会像我一样被震撼得哑口无言吗？这个嘛，你怎么说都行，"但我不可能发表任何评论"。

译者 何雨珈
2013 年 冬

**图书在版编目（CIP）数据**

纸牌屋 /（英）道布斯著；何雨珈译 . —— 南昌：百花洲文艺出版社，2014.1

ISBN 978-7-5500-0849-6

Ⅰ.①纸… Ⅱ.①道… ②何… Ⅲ.①长篇小说—英国—现代

Ⅳ.① I712.45

中国版本图书馆 CIP 数据核字（2013）第 318310 号

江西省版权局著作权合同登记号：14-2013-606

House of Cards by Michael Dobbs

Copyright: ©2014 by Michael Dobbs

This edition arranged with INTERCONTINENTAL LITERARY AGENCY LTD（ILA）
through Big Apple Agency, Inc., Labuan, Malaysia.

Simplified Chinese edition copyright:

2014 Beijing Ruyi Xinxin Publishing Co.Ltd.

All rights reserved.

| | | |
|---|---|---|
| 出 版 者 | 百花洲文艺出版社 | |
| 社　　址 | 南昌市红谷滩世贸路 898 号博能中心九楼 | 邮编：330038 |
| 电　　话 | 0791-86895108（发行热线） | 0791-86894790（编辑热线） |
| 网　　址 | http:www.bhzwy.com | |
| E - m a i l | bhz@bhzwy.com | |

| | |
|---|---|
| 书　　名 | 纸牌屋 |
| 作　　者 | 〔英〕迈克尔·道布斯 |
| 译　　者 | 何雨珈 |
| 出 版 人 | 姚雪雪 |
| 出 品 人 | 柯利明 |
| 特约监制 | 林苑中　师素珍 |
| 责任编辑 | 张　越　游灵通 |
| 特约策划 | 潘江祥 |
| 特约编辑 | 潘江祥 |
| 封面设计 | 熊猫布克 |
| 经　　销 | 全国新华书店 |
| 印　　刷 | 北京彩虹伟业印刷有限公司 |
| 开　　本 | 1/32　880mm × 1230mm |
| 印　　张 | 10.75 |
| 字　　数 | 280 千字 |
| 版　　次 | 2014 年 3 月第 1 版 |
| 印　　次 | 2014 年 3 月第 1 次印刷 |
| 定　　价 | 39.80 元 |

ISBN 978-7-5500-0849-6

赣版权登字：05-2013-409